A ALMA HUMANA

A ALMA HUMANA

JOAQUIM CESÁRIO DE MELLO

A ALMA HUMANA

uma viagem ao interior do
psiquismo e a suas raízes

Copyright © 2018 de Joaquim Cesário de Mello
Todos os direitos desta edição reservados à Editora Labrador.

Coordenação editorial
Diana Szylit

Diagramação e capa
Felipe Rosa

Revisão
Paula Nogueira Dias
Andréia Andrade

Dados Internacionais de Catalogação na Publicação (CIP)
Andreia de Almeida CRB-8/7889

Mello, Joaquim Cesário de
  A alma humana : uma viagem ao interior do psiquismo
e a suas raízes / Joaquim Cesário de Mello. — São Paulo : Labrador, 2018.
  318 p.

Bibliografia
ISBN 978-85-93058-77-6

1. Psicologia 2. Psicanálise 3. Alma - Aspectos psicológicos
4. Corpo e mente 5. Psicologia e filosofia I. Título.

18-0310   CDD 150

Índices para catálogo sistemático:
1. Psicologia

Editora Labrador
Diretor editorial: Daniel Pinsky
Rua Dr. José Elias, 520 - Alto da Lapa
05083-030 - São Paulo - SP
Telefone: +55 (11) 3641-7446
Site: http://www.editoralabrador.com.br
E-mail: contato@editoralabrador.com.br

A reprodução de qualquer parte desta obra é ilegal e configura uma apropriação indevida dos direitos intelectuais e patrimoniais do autor.

SUMÁRIO

INTRODUÇÃO 11

NO PRINCÍPIO ERA O CORPO 16
    Psiquismo corporal 16
    Mente e cérebro 27
    Esquema corporal 33

ALMA PURA: O PSIQUISMO EM ESTADO BRUTO 39
    Solidão essencial 39
    Narcisismo natural 43
    Ego ideal: o herdeiro do narcisismo 53

O NASCIMENTO DO SUJEITO 58
    A consciência de si 58
    O ambiente e seus objetos 62
    Objeto interno e objeto externo 70
    Ideal de ego 75
    Self 79
    O psiquismo verbal 84

MUNDO DOS AFETOS 93
    Vida afetiva: emoções e sentimentos 93
    Angústia 97
    Raiva 103
    Medo 109
    Alegria/Tristeza 116
    Ciúme 121
    Inveja 124

DESENVOLVIMENTO MORAL ... 128
- A pré-história da culpa ... 128
- A natureza da culpa ... 133
- Culpa, vergonha e Superego ... 137
- A formação da moral ... 145

A ALMA TRIPARTITE ... 149
- Princípio do contraditório ... 149
- As paixões ... 153
- A razão (Ego) ... 158
- O *ethos* psíquico ... 163

BURACOS NEGROS DA ALMA ... 169
- Função materna defeituosa ... 169
- Sentimento de vazio ... 174
- Carência afetiva ... 178

O MAL ESTAR DA PSIQUE ... 184
- Agonia primitiva ... 184
- Depressão narcisista ... 188
- Autodestrutividade ... 192
- A melancolia ... 196

A ALTERIDADE E O AMOR ... 202
- O Eu e o Tu ... 202
- Primeiro vínculo ... 205
- A origem do amor ... 209
- Amor ... 214

A PERSONALIZAÇÃO DA ALMA ... 221
- Processo de individuação ... 221
- Aquisição da identidade ... 227
- A alma madura ... 232
- Narcisismo saudável ... 236
- Personalidade ... 239

A MEMÓRIA E O TEMPO..**248**
    O tempo psicológico 248
    O passado da alma...253
    Finitude...258
    De senectude 263

AS VÁRIAS MÁSCARAS DO NARCISISMO...**268**
    A configuração psíquica 268
    Perturbações narcísicas..273

NARCISISMO EM TEMPOS NARCÍSICOS...**282**
    A cultura do narcisismo..282
    Ego consumans..288
    Psicopatologias contemporâneas..292

EM BUSCA DA PERFEIÇÃO E DA FELICIDADE **303**
    Sobre a perfeição 303
    Sobre a felicidade...306

NEM TUDO É NARCISISMO, MAS EM TUDO HÁ NARCISISMO **312**

A alma modela a face,
como o sopro do antigo oleiro
modelava o vaso fino.
(Eça de Queirós)

INTRODUÇÃO

> Conhece-te a ti mesmo e
> conhecerás os deuses e o universo.
> *Oráculo de Delfos*

Psykhé em grego significa "ser", "vida", assim como *psychein* representa "soprar". A vida é um sopro passageiro, e estar vivo é respirar. Para os antigos, a vida e a alma estão entrelaçadas, porém herdamos a palavra "alma" do latim *anima* (ou *animus*). No século V a.C., Aristóteles escreveu o tratado "De Anima" (Sobre a Alma), considerado o primeiro estudo sistemático sobre a *psykhé*, que para o filósofo era compreendida como o princípio vital comum a todos os seres viventes, sendo a *psykhé* o ser natural animado (contém alma) e que se distingue do ser inanimado (que não possui alma). Para Aristóteles um ser dotado de *psykhé* (*empsykhon*) é um ser vivo. Um ser inanimado, vazio de *psykhé*, não é um ser vivo, apenas existe. A alma dá vida aos seres animados. Para o filósofo, são três as espécies de alma: alma vegetal, alma animal e alma humana. Escreveu ele:

> chamávamos potências às faculdades nutritiva, sensitiva, desiderativa, motora e discursiva. Nas plantas se dá somente a faculdade nutritiva, enquanto que nos outros viventes se dá não apenas esta, mas também a sensitiva. Por outra parte, ao dar-se a sensitiva se dá também (neles), a desiderativa. O apetite, os impulsos e a vontade são três classes de desejos. Entretanto, todos os animais possuem ao menos uma das sensações; o tato. [...] há animais que além destas faculdades lhes corresponde também a do movimento local; a outros, lhes corresponde, ademais, a faculdade discursiva e o intelecto: este é o caso

dos homens e de qualquer outro ser semelhante ou mais excelso, supondo que o haja.[1]

A alma move, o corpo é movido. Para o antigo filósofo corpo e alma, embora não sejam a mesma coisa, se completam e juntos trabalham. Se o corpo é substrato (matéria), a alma é substância (forma). Ou como ele mesmo diz: "não é o corpo a atualidade da alma, ao contrário, ela que é a atualidade de um certo corpo [...] ela [a alma] não é corpo, mas algo do corpo, e por isso subsiste no corpo e num corpo de tal tipo".

Mas o que é a alma humana? De que é feita a alma humana? Qual é sua natureza? Ou ainda: existe alma humana? A alma humana de que iremos aqui tratar não se confunde com o conceito de espírito, cujo significado nos remete ao plano incorpóreo e imaterial, objeto usual do campo das religiões e das doutrinas espirituais. A alma humana que iremos abordar tem suas raízes na fisiologia do corpo humano, bem como sua existência nele atrelada. Contudo, ela não se restringe à biologia, transcende-a sem do corpo se desocupar de fato. Ela é a própria natureza humana em seu sentido psicológico, ou seja, a alma humana consiste nos processos psíquicos que nos fazem humanos.

Tales de Mileto, antecessor de Aristóteles, entendeu a alma humana como princípio vital, isto é, uma força motriz que nos movimenta. A isto ele denominou de *psykhé*. E é dessa denominação que originamos a palavra com que modernamente chamamos a alma: psique ou psiquismo. Contemporaneamente, quando mencionamos a alma humana, a chamamos de mente (psique) humana. E é sobre esta alma, ou mente humana, ou psiquismo, de que iremos versar. Daí o subtítulo do presente livro: *uma viagem pelo psiquismo humano*.

O vocábulo Psicologia aparece pela primeira vez em 1590 como título de um texto publicado pelo filósofo alemão Rudolf Goclenius, que lhe dava o sentido literal de *estudo da ciência da alma*. Embora a Psicologia como ciência moderna surgida a partir de meados e final do século XIX represente hoje o estudo dos processos psíquicos (mentais) e do comportamento humano, ainda subsiste de alguma maneira o entendimento dos antigos, que davam à alma sentidos como sopro (respiração), sombra (que está ao lado), fogo (calor vital que se apaga com o

---

1   *Da alma: de anima*, Edipro, 2011, p. 30.

morrer) ou vida. Não devemos, pois, abandonar de todo os ensinamentos de antigas sabedorias de eras passadas que, paulatinamente, vieram contribuindo para a construção e melhoria das ferramentas que na atualidade utilizamos para compreender o psiquismo ou a alma humana. Sim, hoje a Psicologia é definida como a ciência que estuda o comportamento e as funções mentais do ser humano. Sim, a Psicologia é o estudo da alma humana e de sua relação com o mundo que a cerca.

A busca pela compreensão da mente é desafiadora e estimulante. Reflexões sobre a natureza da alma humana derivam de muitos séculos, e o psiquismo, assim considerado, já foi e continua sendo abordado de vários ângulos. Seja como for, entendemos a mente como uma espécie de "lugar" da atividade psíquica que abrange pensamentos, emoções, fantasias, desejos, sonhos, consciência e inconsciência. Alguns questionam se a mente humana é uma realidade ou uma ilusão provocada pelo nosso cérebro a respeito de si mesmo. Porém, ilusão ou realidade, a alma humana (mente) é o que dá a essência humana ao ser humano. Uma pessoa só emerge e habita o corpo graças a existências das funções mentais (pensamento, sensação, memória, emoção, atenção, linguagem etc.).

O estudo da alma humana enquanto mente tem posições distintas que vão desde o monismo (mente e corpo são uma e mesma coisa), passando pelo dualismo (mente e corpo são substâncias distintas), até o epifenomenalismo (mente como um subproduto do corpo e do espaço físico do mundo). Hoje se fala, inclusive, de Filosofia da Mente, que abarca o estudo filosófico contemporâneo da natureza da mente e os fenômenos psicológicos, principalmente como a mente conhece a si mesma (autoconsciência). O filósofo e professor da Universidade de Berkeley, na Califórnia (EUA), John Searle, por exemplo, destaca que a consciência tem uma ontologia subjetiva, e que a mente é feita tanto de sintaxe quanto de semântica, isto é, a mente possui mais do que uma estrutura formal, ela tem conteúdo.

Quem tem alma não tem calma, dizia o poeta português Fernando Pessoa. E do que se inquieta tanto a alma humana? Talvez nos ajude entender outro escritor português, Vergílio Ferreira, quando expressou que "todo animal tem uma alma à medida de si. Só o homem a tem infinitamente maior. E o seu drama, desde sempre, é o de querer preenchê-la". Sim, é da natureza humana a insaciabilidade. A alma humana parece nunca aceitar limites. Se assim não o fosse, provavelmente ainda estaríamos morando nas cavernas. Um dia o homem desejou voar, porém a natureza não o dotou de asas. Insatisfeitos, não aceitamos a realidade física a nós imposta, a tal ponto que, hoje, não somente voamos (em aviões) como também já chegamos à Lua (por meio de foguetes) e, insatisfeitos, estamos prestes a mandar um dia o homem a Marte.

A alma, inclusive, recusa os limites do corpo em que reside. Sonhamos, imaginamos, fantasiamos. Em nossos devaneios podemos ir a Júpiter ou sermos mais fortes do que Hércules. Não é o corpo que recusa a alma, mas a alma que muitas vezes recusa o corpo. Concordo com os dizeres do escritor francês Victor Hugo, para quem "o homem é uma prisão em que a alma permanece livre". Todavia, a alma é igualmente capaz de se aprisionar em si mesma, e por isso sofre nos limites e interditos que ela mesma se dá.

A alma humana, enquanto mente, tem também seus segredos que são guardados até dela própria. Como disse Freud, não somos apenas o que pensamos ser. Somos mais: somos o que lembramos e o que esquecemos. Há coisas, cantos e recônditos em que o som de nossa garganta e a fluidez e a clareza dos nossos pensamentos não chegam. Na profundidade da alma de cada um de nós não há palavras, verbos ou sintaxes. Por isso, não são poucas as ocasiões em que somos incompreensíveis até para nós mesmos. Sim, somos feitos de memória e de esquecimento.

"Nós somos feitos da mesma matéria de que são feitos os sonhos" (Shakespeare). Sim, em grande parte a alma humana é feita de ilusões e fantasias. Nosso psiquismo tem a fundamental capacidade de representar coisas tanto na ausência quanto até na inexistência real delas. É um processo mental que nos permite ou ter no interior da alma humana um objeto subjetivo com o qual tenhamos tido contato antes (imagem/lembrança psíquica da mãe etc.), ou criá-lo sem nenhum fundamento realístico. A mente humana, que é capaz de "criar" um príncipe encantado, é capaz também de "criar" um bicho-papão.

Fantasiar é um atributo mental da alma humana. O psiquismo forma imagens de cenas ou coisas que não aconteceram ou que não existem, bem como pode distorcer cenas ou coisas que existem. Por meio do fantasiar psíquico podemos transcender os limites do real e do fatual. É comum fantasiarmos o que não temos ou o que não somos. A inventividade psíquica nos propicia satisfação ilusória para desejos irrealizáveis na realidade. Quando a realidade nos sonega o gozo dos nossos desejos, a mente pode substituir o negado pela fantasia. Durante o estado de vigília, muitas vezes sonhamos acordados.

Vamos, pois, adentrar um pouco naquilo que chamamos de alma humana. Alma, psique, psiquismo ou mente são aqui sinônimos entre si. Vamos percorrer seus intrincados labirintos cheios de emoções, pensamentos, sensações, sonhos, desejos, fantasias, idealizações, endorfinas, sinapses, lembranças e esquecimentos, consciências e inconsciências, antagonismos e conflitos, divindades e demônios, príncipes encantados e bichos-papões. A alma/mente humana não é palpável, concreta ou física, embora sua imaterialidade se materialize através dos comportamentos humanos. Enquanto o cérebro é uma estrutura corpórea, a alma não é um espaço ou lugar no corpo, mesmo que pareça ter ou tenha suas raízes no encéfalo. A relação entre ambos, mente-cérebro, é quase siamesa, ou seja, uma influi na outra, são como que interdependentes e mutuamente interatuantes. Podemos ponderar até que nossa cabeça é feita de cérebro e mente. Neurocientificamente, o cérebro produz a mente, mas a mente igualmente modela o cérebro. Se a alma humana tem sua base na biologia, ela também a transcende e vai além. O psiquismo do homem, ademais, é até capaz de deturpar a visão que se tem do próprio corpo (dismorfobia[2]).

Voltando às nossas questões iniciais (O que é alma humana? De que ela é feita? Qual é sua natureza?), esperamos poder contribuir um pouco para melhor entendê-las. A alma humana ainda é ou tem seus mistérios. Ela é como a esfinge que branda *"decifra-me ou te devoro"*. Na mitologia grega o enigma da esfinge é: "Que criatura pela manhã tem quatro pés, ao meio-dia tem dois, e à tarde tem três?". Se Édipo o decifrou e a ela respondeu que era o homem, que cedo engatinha, depois anda e na velhice utiliza-se de bengala, cabe-nos agora decifrar o que é o homem, ou mais precisamente o que é a alma que faz dessa criatura um ser humano. Deixemos, portanto, aqui a nossa parte, a nossa contribuição, embora pequena frente ao desafio e à vastidão do tema. Se um dia viermos a plenamente compreender esta complexidade chamada de alma, também finalmente responderemos à mais antiga e inquietante pergunta humana: "De onde viemos, quem somos, para onde vamos?".

---

2   Dismorfobia, também conhecida como dismorfia corporal, é uma síndrome da distorção da imagem que se tem do corpo. Na dismorfobia o indivíduo acredita ter defeitos físicos que de fato não possui. A imagem corporal é a leitura que o psiquismo tem de seu corpo. Assim, a psique pode distorcer tal imagem de maneira irrealista, como nos casos de anorexia, por exemplo.

NO PRINCÍPIO ERA O CORPO

O homem não tem um corpo separado da alma.
Aquilo que chamamos de corpo é a parte da alma
que se distingue pelos seus cinco sentidos.
William Blake

Psiquismo corporal

Ninguém nasce com uma pessoa dentro de si, isto é, nos primeiros instantes e dias da existência extrauterina ainda não existe no psiquismo do neonato uma personalidade ou sequer uma noção de Eu formada. Para o pediatra e psicanalista inglês Donald Winnicott, um bebê nasce em um estado de não integração psíquica, sendo as experiências iniciais da vida as bases estruturantes da pessoa que um dia ele vai se tornar. Winnicott denominou o processo desenvolvimental de um psiquismo em estado bruto até vir a ser ontologicamente percebido em si mesmo de *personalização*, que foi por ele assim definido como "o sentimento de que a pessoa habita em seu próprio corpo".

O processo de personalização da alma humana se inicia pela elaboração de partes, sentimentos e funções corporais. Por meio da integração desses fragmentos vivenciais o psiquismo vai formando uma unidade psicossomática que chamamos de Eu. A experiência psicossomática, desse modo, é fundamental na construção de um sujeito na alma humana.

O ser humano é um ser bio-psico-social e não um ser psico-social-bio ou social-bio-psico. Isto quer dizer que o que vem primeiro na formação humana do ser humano é o biológico. Nossa natureza animal não restringe o homem a ser apenas um ser totalmente biológico. Essa unidade biopsicossocial não é uma simples justaposição, mas sim uma coprodução interativa. Para um recém-nascido ainda não há noção de Eu e não-Eu, nem há percepção da existência de um mundo externo fora de seu corpo. O nascimento biológico e psicológico não coincide no tempo. Claro que provavelmente já haja um psiquismo rudimentar em um neonato. Porém, o nascimento psicológico propriamente dito se faz com o surgimento de uma noção de Eu dentro da alma humana. Um feto já demonstra certa atividade psíquica em desenvolvimento. No meio intrauterino o feto experimenta sensações agradáveis e desagradáveis, inclusive ele demonstra reagir a sons provindos do corpo da mãe. Estudos e acompanhamentos gestacionais por meio de imagens de ultrassom mostram que o feto não é um ser passivo tão somente. A tecnologia hoje utilizada nos faz entender que o feto é possuidor de sensações, percepções e sensibilidades, aspectos rudimentares e basilares do psiquismo. Cogita-se até que nessas primitivas funcionalidades psíquicas tenhamos traços iniciais e incipientes da futura personalidade a ser desenvolvida.

Embora um feto já manifeste algumas respostas emocionais, como o medo, por exemplo, psicologicamente não há um Eu dentro dele. Ontopsicologicamente falando, a noção de Eu somente dar-se-á a partir do corte do cordão umbilical. Isso se explica facilmente: a noção subjetiva de Eu é correlata à noção do não-Eu, ou seja, a partir da diferenciação entre mundo interno e mundo externo. Pela própria condição fetal (ligação à placenta pelo cordão umbilical) tal relação física impossibilita o feto de ter as mínimas condições de diferenciação entre ele e o corpo materno (meio intrauterino). É por meio da separação física/umbilical (parto) que gradativamente o psiquismo do bebê vai poder construir o desmembramento entre o que é ele e está dentro dele, e o que é de fora dele e não é ele.

Ninguém nasce do nada. A alma humana tem, portanto, suas principais e medulares raízes no DNA, nas vivências pré-natais (vida intrauterina), na história dos pais e seus desejos e na cultura e meio social em que vai se desenvolver. Muito do que será inato na alma humana vem pela transmissão genética. Sim, algumas características de uma determinada alma humana (psiquismo) são conatas e vêm no corpo do ser que está nascendo.

Mas o ser humano não só começa pelo DNA e pela biologia. Há igualmente uma herança psíquica, isto é, uma transmissão psíquica que lhe vem das gerações antecessoras. Trata-se de um legado inter e transgeracional, proveniente de fantasias, imagens, identificações, traumas, não ditos, lutos inconclusos, vivências não elaboradas, segredos e latências, que faz parte da organização histórica da família. Toda criança que vem ao mundo de alguma maneira recebe os efeitos dessa dinâmica inconsciente que antes de o bebê existir já fazia parte dos conluios e dos pactos tácitos que fundamentam a junção conjugal entre seus pais e suas famílias de origem. Como mais adiante veremos, antes de qualquer parto já coexistem no psiquismo dos pais o bebê imaginário (imaginado) e o bebê fantasmático (inconsciente). Um bebê ao nascer encontra braços e desejos que o abraçam. Há coisas que são transmitidas por vias biológicas, e há coisas que são transmitidas por vias psicossociais.

A alma humana, genericamente falando, não tem morfologia definida. Cada alma, cada indivíduo, cada psiquismo, vai aos poucos tomando forma de gente, isto é, desenvolvendo uma personalidade, uma pessoa. Como não existe alma sem corpo, este, por sua vez, se inicia com a fecundação do óvulo pelo espermatozoide, gerando, assim, o embrião. Trazemos, desde então, um genoma (código genético), que é a informação hereditária de um organismo codificada em seu DNA. O DNA (ácido desoxirribonucleico) é um composto orgânico constituído de moléculas que contêm instruções genésicas (genes). Todo ser humano nasce com predisposições herdadas, além das adquiridas no ambiente uterino. Muitos traços de temperamento, por exemplo, estão ligados a tendências constitucionais genéticas e fisiológicas. Psicólogos, estudiosos e pesquisadores do ramo chamam de temperamento a dimensão inata da personalidade.

O psicólogo americano Jerome Kagan define temperamento como qualquer qualidade emocional ou comportamental estável cujo surgimento na infância é influenciado pela herança biológica e pela neuroquímica do cérebro. Mas, também, alega Kagan, uma disposição biocomportamental é um fundamento e não uma determinação biológica. Por isso que uma criança tímida e inibida não se tornará inevitavelmente um adulto tímido e inibido. Muita coisa ainda vai acontecer entre o que trazemos inatamente e a pessoa madura que nos tornaremos. Pau que nasce torno não é sinônimo de pau que morre torto. Entre o nascer e o morrer muita água vai rolar, como diz a expressão popular.

A pessoa humana é sempre desenvolvida mediante a relação do seu organismo com o meio ambiente. Inicialmente traz o organismo seus genes, seu potencial geneticamente herdado (genótipo), porém encontra o ambiente onde se realizará como indivíduo (fenótipo)[3]. Na primeira metade do século XX, o médico e psicólogo

---

3. Genótipo vem do grego *génos* (origem) + *typos* (característica) e refere-se à constituição genéti-

francês Henri Wallon asseverou que "a história de um ser é dominada pelo seu genótipo e constituída pelo seu fenótipo". Se o genótipo diz respeito à determinação genética, o fenótipo concerne à forma que o organismo assume ao longo da vida.

A construção da personalidade no psiquismo humano individual sofre forte influência do ambiente social. A pessoa que irá se construir na alma é resultante de um processo interativo social que envolve a família, a escola, a comunidade e outros grupos sociais. Nosso potencial de herança genética pode ser estimulado ou desestimulado através dos nossos encontros com os outros (meio social) e o momento em que esses encontros acontecem. Somos, portanto, um amálgama de influências fisiológicas e sociais de onde se desenvolve e se constrói na psique a personalidade humana.

Em termos ecopsicológicos, o desenvolvimento do psiquismo humano é uma progressiva acomodação entre a mente do indivíduo e o ambiente imediato no qual ele vive no curso de sua existência. As trocas afetivas entre o mundo interno e o mundo externo são suportes ao amadurecer progressivo da pessoa dentro da alma e da sua percepção de si mesmo e do seu existir e estar na vida. A vida, logo, não é um embate entre *nature* e *nurture*, mas uma integração orgânica entre ambos. A celebrada frase do filósofo espanhol Ortega Y Gasset, "eu sou eu e a minha circunstância", pode aqui ser resumida na seguinte fórmula:

$$F = G + A \ ^4$$

Sigmund Freud, neurologista e psicanalista alemão, em seu pioneirismo sobre o entendimento do psiquismo humano e sua dinâmica, ofereceu-nos um importante instrumento que é o conceito de *ego*. Ego, dizia Freud, é a parte da mente que entra em contato e lida com a realidade e o mundo externo. Em sua teoria sobre o funcionamento do que ele chamou de *aparelho psíquico,* Freud compreende o psiquismo como tripartido, isto é, constituído de três instâncias que atuam

---

ca do indivíduo. Fenótipo vem do grego *pheno* (aparecer, brilhar) + *typos* e designa as características apresentadas, o que se revela. O fenótipo é resultante da interação do genótipo com o ambiente.
4. Onde F = fenótipo (conjunto de características de um indivíduo), G = genótipo (herança genética do indivíduo) e A = ambiente. Por isso organismos com um mesmo genótipo podem não se apresentar ou se comportar da mesma forma, porque a expressão, a aparência e o comportamento, bem como os demais componentes do fenótipo, são remodelados ou transformados por circunstâncias ambientais e condições do desenvolvimento.

(e se conflitam) em conjunto: *Id, ego* e *superego*. Id é a estrutura original da mente, fonte de toda energia psíquica. É formado pelos instintos/pulsões e impulsos pertinentes à natureza humana e de onde se desenvolve a estrutura egoica (Ego). Sendo o Id uma espécie de reservatório primário de todas as pulsões humanas ("um caos, um caldeirão de excitações efervescentes", nas palavras de Freud[5]), é a partir dele que o Ego vai se formando gradualmente devido ao contato do próprio psiquismo com o mundo que lhe é exterior. Por sua vez, o Superego seria a terceira estrutura a se formar e representaria, em síntese, os valores morais aprendidos e apreendidos de cada pessoa. Antes era Id, em seguida Id e Ego, e depois Id, Ego e Superego. Como diz uma expressão popular, "ninguém nasce vestido". Sim, nascemos primeiramente nus. A alma humana também: ela começa nua e se veste de experiências com a realidade, cultura, moral, preconceitos e ideologias.

O Id é teoricamente a extremidade psicobiológica da estrutura mental humana. Representa o território psíquico dos impulsos de natureza orgânica. É do Id que brotam os impulsos cegos (sem noção de realidade) que buscam satisfações imediatas dos instintos sexuais e agressivos vinculados às necessidades primárias do homem. É a parte mais profunda da alma humana e não tem contato com a realidade (o contato com a realidade se faz por meio da subestrutura egoica). Seus impulsos procuram atender imposições de ordem corporal. O médico e cientista britânico Robert Winston, em seu livro *Instinto Humano*,[6] explica que o *homo sapiens* não apenas parece e vive como um macaco, mas também pensa como um macaco, ou seja, nossa anatomia tem raízes psíquico-cerebrais que remontam à Idade da Pedra. Somos herdeiros de milênios de legados mentais e emocionais, cujos vestígios se encontram em nossas profundezas psicofisiológicas.

Dentro do modelo topológico[7] proposto por Freud, o inconsciente, como instância psíquica, psicologicamente coincide com o Id. Desse modo, os conteúdos do Id são sempre inconscientes. Tais conteúdos são atávicos e inatos e, por outro lado, adquiridos e reprimidos. O Id, portanto, é a fonte de toda a energia psíquica

---

5   *Novas conferências introdutórias sobre psicanálise e outros trabalhos*, Imago, 2006.
6   Globo, 2006.
7   O modelo topológico, teoria da mente postulada por Freud, estratifica a psique em três sistemas: consciente, pré-consciente e inconsciente.

da alma humana, e tem como função descarregar as tensões psicofisiológicas, sem considerar limites e restrições da realidade.

O Ego, afirma Freud, em seu estado primevo, rudimentar e imaturo, é inicialmente um *Ego corporal*, isto é, deriva das sensações somáticas ou é uma projeção mental da superfície do corpo. Do corpo e pelo corpo sentimos prazer e desprazer. Tal Ego embrionário, portanto, é um Ego a serviço do Princípio do Prazer.[8] O Ego-prazer só se transformará em um Ego-real quando, mediante as inúmeras experiências de prazer-desprazer, vai se tornando capaz de exercer a função de inibidor de impulsos provenientes do Id. O Ego que começa corporal vai, pois, se tornando uma estrutura de regulação interna e mediação com o mundo externo.

Segundo o pediatra e psicanalista Donald Winnicott, a construção inicial do Ego é silenciosa. É desse Ego corporal que se constrói o nascimento psicológico. Margaret Mahler, psiquiatra e psicanalista de origem austríaca, em seu livro *O Nascimento Psicológico da Criança*,[9] afirma que o nascimento biológico antecede o nascimento psicológico, sendo este um nascimento lento, um vagaroso desabrochar a partir das experiências corporais vividas pelo bebê. Assim, podemos dizer que o corpo, ou mais precisamente o Ego corporal, vai gestando psiquicamente o Ego psicológico.

O nascimento psicológico do indivíduo, como demonstrado por Margaret Mahler, inaugura-se pelo estabelecimento da sensação e percepção do desmembramento psicocorporal entre a mente lactente e o objeto materno (mãe). O nascimento psicológico, assim, ocorre gradualmente nas primeiras semanas de vida extrauterina. Podemos dizer que o nascimento psicológico (surgimento de um Eu que se diferencia de um não-Eu dentro do psiquismo lactente) representa a descoberta do mundo externo e seus objetos.

O Ego corporal é a parte mais primitiva da mente humana. Inicialmente a mente e o corpo constituem uma unidade psique-soma. A futura estrutura psíquica chamada Ego (que inclui a noção de Eu) ainda não está formada e o sujeito humano (em termos de diferenciação entre Eu e não-Eu) igualmente ainda não

---

8   O Princípio do Prazer representa o desejo de gratificação imediata. É o processo dominante do psiquismo original e imaturo que visa o prazer e evita o desprazer.
9   Artmed, 2002.

nasceu. Com o tempo e com as primeiras experiências de vida vai se desenvolvendo dentro do bebê um Ego antitético ao corpo e suas demandas.

Como animal, o ser humano é orientado pelos instintos em busca da satisfação de suas necessidades. O psiquismo tem o corpo como o *locus* de suas vivências, porém paulatinamente a mente vai se antagonizando com o próprio Princípio do Prazer que lhe é regente. Um exemplo tosco pode auxiliar a visualizar melhor a questão. Digamos que uma criança pequena seja atraída pelo borbulhar de uma água fervendo em uma panela ao fogo. Seguindo seu impulso coloca a mão na panela e imediatamente sente a dor do queimar resultante de seu ato. Tal experiência, agora registrada na memória, proporcionará à criança uma defesa a novos impulsos análogos, ou seja, visceralmente "escaldada" a criança não mais colocará a mão em uma panela com água fervendo, mesmo que continue atraída pela mesma. O que aconteceu? A experiência deu-lhe um saber de realidade: o impulso gerou dor (desprazer). O Princípio do Prazer tem sua contrapartida, isto é, busca-se o prazer e evita-se o desprazer. Com base no próprio Princípio do Prazer (que quer satisfazer suas demandas imediatamente, mas que em nome do prazer esquiva-se do desprazer) o psiquismo agora se contrapõe a si mesmo ao segurar o impulso cuja ação física lhe gerará dor. É como se a mente dissesse por um lado "eu quero" e por outro lado "não pode". O Ego intermedeia o Id com a realidade (Princípio do Prazer x Princípio de Realidade).

A mente primitiva vai aos poucos sendo invadida de realidade. Evidentemente que a realidade, ou melhor, o Princípio de Realidade, opõe-se ao Princípio do Prazer, porém não necessariamente e nem sempre. O Princípio de Realidade pode atender o Princípio do Prazer, apenas que, na medida do possível, a satisfação é atingida às vezes de maneira parcial, outras vezes de maneira adiada. O que educa o psiquismo primitivo é o desprazer. No fundo, mesmo sob o Princípio de Realidade, a psique busca o prazer, desde que exequível e sem "dor".

A mente humana, por mais amadurecida que seja, está permanentemente demandando prazer. Ela nunca aposenta ou abandona o Princípio do Prazer. Como afirma o psicanalista Luiz Olyntho Telles no livro *Freud/Lacan: O desvelamento do sujeito*[10]: "podemos mesmo dizer que o princípio de realidade surge como um suplemento ao princípio do prazer, em outro registro". Em outras palavras, o Prin-

---

10   AGE, 1999.

cípio de Realidade mantém a mente a serviço do Princípio do Prazer, contudo adaptável à realidade possível. Se dependesse da alma humana, se ele fosse verdadeiramente onipotente, ela viveria sob a égide apenas do Princípio do Prazer. Mas não pode.

"A construção inicial do Ego é silenciosa", afirma Winnicott. Ela vai se fazendo a partir do sistema somatossensorial através de informações proprioceptivas e exteroceptivas. Componentes sensoriais e motores vão possibilitando o psiquismo em gestação a conceber a sensação de si próprio. Nesse aspecto, o tato e a pele são fundamentais para a percepção do corpo e de suas fronteiras. Ainda como diz Winnicott, "a pele é de importância óbvia no processo de localização da psique no corpo exatamente no dentro e fora do corpo"[11]. É aqui que a mente se configura como somática, ao mesmo tempo que vai diferenciando o mundo interno e o mundo externo, e igualmente se diferenciando como uma "substância psíquica" residente no corpo.

A pele é a superfície em que o externo e o interno divergem e se conflitam. A mente vai estabelecendo gradativamente o sentimento de si mesma, sendo a pele, pois, o invólucro do corpo e a frente de contato com o mundo exterior. A epiderme corporal tem a função de ser tanto a membrana limite entre o dentro e o fora (Eu e não-Eu) como a membrana do Ego em formação. Com a aquisição corpórea e psíquica da percepção/sensação de um interior e de um exterior, abre-se espaço para o surgimento de um Ego psicológico, que é quando a psique se vê contida em um corpo por meio da pele. Didier Anzieu, psicanalista francês, denominava de *Eu-Pele*.

O tato e o toque são igualmente fundamentais para o surgimento de um Ego psicológico. O tato e o tocar vão atestando a existência de uma realidade física e objetiva. Através deles não somente vamos descobrindo o universo externo, mas também vamos desenvolvendo a consciência do próprio corpo. Ou seja, tem-se com o tato, o toque e a pele o descobrimento dos limites da corporalidade e do mundo ao redor.

A psicanalista alemã Edith Jacobson desenvolveu o conceito de *Self Psicofisiológico Primário* para melhor explicitar o Ego Corporal. Segundo seu conceito, nos momentos iniciais da vida, o psiquismo se acha indiferenciado do corpo em uma

---

11   *Natureza humana*, Imago, 1990.

matriz psicossomática. Nesse primitivo estado de indiferenciação do psiquismo com seu corpo, o mundo interno e o mundo externo estão entranhados. Não existe percepção de dentro e fora, nem de Eu e Não-Eu. Nessa vivência subjetiva e amalgamada de sensações e emoções a mente pensa em termos puramente organoafetivos.

Parece-nos, pois, evidente que o psiquismo se origina e se desenvolve a partir de uma matriz psicossomática de onde emerge o Self Psicofisiológico Primário (Jacobson) ou o Ego Corporal (Freud). Aqui reside o embrião ou o começo de toda psique. Embora o psiquismo vá amadurecendo com o tempo e as experiências, o Self Psicofisiológico Primário (Ego Corporal) sempre será o núcleo nascente de toda personalidade humana. Tal núcleo representa a raiz psíquica de todo indivíduo, e essa raiz é fincada no corpo, ou mais precisamente na fronteira entre o somático e o psíquico. O nosso corpo está representado no psiquismo, assim como o psiquismo tem lugar no corpo.

O núcleo psicocorporal pensa de maneira primária. A linguagem dos estados iniciais é uma linguagem predominantemente organoafetiva, visto seu estágio de indiferenciação no qual impera absoluto o pensamento de maneira impulsivo-sensório-emocional. Essa forma neófita pensante organoafetiva, em certa proporção, persiste na mente adulta ao longo de toda sua vida, razão pela qual as manifestações psicossomáticas presentes em várias doenças físicas são causadas por distúrbios emocionais, tais como em algumas doenças gastrointestinais, dermatológicas, respiratórias, endócrinas e cardiovasculares.

A relação entre o corpo e a alma intriga a humanidade desde muito tempo. Ao longo dos séculos o ser humano concebeu duas grandes correntes sobre o tema: o monismo e o dualismo. No monismo se acredita que o corpo e a mente são uma única substância, que existe no homem um indivisível e uno princípio vital. Há o monismo materialista e o monismo idealista. No primeiro a mente é fundamental, isto é, a consciência é o princípio de tudo e o somático seria uma expressão do substrato psíquico. Assim pensavam Platão e Hegel, por exemplo. Já os monistas materialistas (ou fisicalistas) consideravam que a mente seria um fenômeno resultante do corpo. Assim pensavam Hobbes e Espinoza, por exemplo.

A visão dualista é inaugurada por Anaxágoras, que defendia que tanto o corpo quanto a alma seriam dois princípios vitais diferentes. O dualismo concebe que mente e corpo são substâncias distintas, realidades contrárias. Existe o dualismo hilomórfico (em que, embora a alma e o corpo representem substâncias diferentes, ambos constituem uma única substância inteira) e existe o dualismo interacionista (em que corpo e mente, embora substâncias apartadas, influenciam-se reciprocamente). Descartes é o principal defensor da visão interacionista. Para ele, a mente é de natureza imaterial (*res cogitans*) e o corpo de natureza material (*res extensa*). A matéria é uma substância que não pensa. A alma é uma matéria que pensa.

A Psicossomática, enquanto ciência moderna, concebe o caráter unitário do corpo-mente, e visa inter-relacionar os fatores psicológicos e sociais sobre o organismo tanto na saúde quanto na doença. Por isso o tratamento psicossomático engloba a Medicina (tratar das afecções físicas) e a Psicologia (tratar das afecções psicoemocionais). Ansiedade e stress podem provocar gastrites, úlceras pépticas, hipertensão arterial, inflamações intestinais, vitiligo, labirintites, psoríase, asma etc. Todas são doenças somáticas que necessitam de tratamento medicamentoso, assim como tratamento psicoterápico para as origens afetivo-emocionais.

A somatização é outro fenômeno da intrínseca relação entre psique e corpo. Somatizar é experimentar desconforto corporal e sintomas físicos sem existência de patologia orgânica. É quando o corpo condói-se sem apresentar manifestações patofisiológicas ou doença física, sendo a dor do corpo o sofrimento da alma para ele transferido inconscientemente. No adoecimento psicossomático, embora a causa seja psicoemocional, seus efeitos geram danos físicos. Na somatização conversiva, por sua vez, não ocorre afecção nos órgãos, porém o corpo padece como se doença somática houvesse. É o que ocorre em quadros clínicos de histeria de conversão ou transtornos dissociativos, cuja perturbação psíquica se torna visível pelos sintomas histéricos. No fenômeno conversivo, o psiquismo, evitando lidar com desagradáveis conflitos afetivos, manifesta-os através do corpo, com paralisias, cegueiras, perdas de sensações ou distúrbios motores. Nos episódios de somatização, o que se vê é o corpo sendo utilizado com finalidades psicológicas, inclusive de ganhos secundários.[12] Somatizar, portanto, é um recurso mental defensivo para não sofrer em termos psíquicos.

O sentido oposto também é verdadeiro, isto é, não somente a mente pode adoecer o corpo (psicossomático), mas também o corpo pode adoecer a mente (somatopsíquico). No adoecer somatopsíquico é o fator corporal que leva à alte-

---

12 Ganho secundário é uma expressão utilizada para os benefícios e vantagens que um doente possa ter pela sua doença. Nem todo ganho secundário é consciente.

ração psíquica, como, por exemplo, um estado de transtorno de ansiedade cuja origem é toxoplasmática. Psicossomático ou somatopsíquico, a relação entre psique e corpo é íntima e dialética. Não poderia ser diferente, afinal a psique habita no organismo, que é seu domicílio, enquanto o cérebro é sua residência.

O invólucro do cérebro é o crânio (caixa craniana). Se abrirmos a caixa craniana encontraremos massa encefálica de cor acinzentada. Porém, se abrirmos a mente, encontraremos ideias e pensamentos. O pensamento não é palpável como a massa encefálica, afinal pensar é uma faculdade do sistema mental. Ideias são representações psíquicas de algo. Não obstante uma das maiores forças da natureza ser o instinto de sobrevivência, um indivíduo exaltado por ideias fanáticas é capaz de se transformar em um "homem-bomba" e se explodir em plena praça pública. A força das ideias e da própria mente pode ter o poder de perverter nossa própria natureza. Se acreditarmos que tomamos um líquido com veneno é capaz de passarmos mal. Isto é conhecido como *efeito nocebo*, que é o contrário de placebo. Tanto a dor (corpo) pode se transformar em sofrimento (psique), quanto o sofrimento pode se transformar em dor.

Se antes do Ego só havia Id, o Ego tem sua parte mais primitiva a partir do corpo. Se o Ego é descrito como a parte da mente em contato com a realidade, o corpo é o primeiro contato humano com a realidade. Dentro do psiquismo, a parte mais animal e instintiva é o Id, e é do Id que brota toda a energia instintiva e libidinal. O Ego desponta do Id e vai se diferenciando dele com o desenvolvimento das capacidades perceptivas. E, como dizia Freud, o Ego é antes de tudo um Ego corporal.

Se a alma humana puder ser descrita em termos de profundidade e superfície, em seu fundo temos o Id, se ficarmos com a terminologia freudiana, ou a natureza humana em estado selvagem e puro, ainda não tocada pelo social e o mundo externo. O Id é formado por instintos[13] e impulsos orgânicos e funciona pelo Princípio do Prazer. Em sua natureza basilar a alma humana é onipotentemente narcisista, como veremos mais adiante. Em sua essência o Id, ou a alma humana ainda intocada e inalterada pela realidade, não tem noção de negação, tempo, linguagem simbólica, paciência, observância e conformidade com os limites do

---

13   Instinto é a parte do comportamento que não é fruto da aprendizagem e nem do ambiente. Todavia, o ambiente tem influência significativa sobre a forma como os instintos se expressam.

real físico, juízo de valor, cultura ou moral. Ele é responsável pelos impulsos mais primitivos do ser humano, e está conosco desde que nascemos. Na superfície da alma humana forma-se o Ego e a personalidade da pessoa, que é a parte da alma humana (mente) que está voltada para o mundo externo e a realidade. Como afirmou Freud, "o Ego é aquela parte do Id que se modificou pela proximidade com o mundo externo"[14]. As percepções sensoriais mostram o psiquismo em elaboração sobre o mundo de fora, enquanto as sensações nos mostram nossas respostas emocionais e sentimentais. Vai-se, assim, organizando uma pessoa dentro da alma humana.

> "Sou muito grande,
> e muito superior é o destino para o qual nasci,
> para que eu possa permanecer escravo do meu corpo."
> (Sêneca)

Mente e cérebro

O cérebro é o centro do sistema nervoso e contém bilhões de neurônios. É a parte mais desenvolvida do encéfalo. De uma maneira sintética utilizaremos a *Teoria do Cérebro Trino*, proposta pelo neurocientista americano Paul MacLean. Segundo ele, podemos dividir o cérebro em três unidades funcionais diferentes, a saber: cérebro reptiliano, sistema límbico e neocórtex. A parte reptiliana do cérebro é a parte basal, composta pela medula e pelo cerebelo, e é responsável pelas funções autônomas do corpo. Do ponto de vista evolutivo pode-se dizer que esta é a parte do cérebro mais primitiva e antiga.

O segundo estrato do sistema cerebral é o límbico, responsável pelas emoções, assim como pelo comportamento social. Uns chamam o sistema límbico de *cérebro emocional*. Já o neocórtex é como o termo diz: o córtex mais recente, isto é, a região do cérebro mais recentemente desenvolvida. Estima-se que o ser humano o desenvolveu centenas de mil anos atrás. Graças ao neocórtex nos transformamos em um primata bípede *homo sapiens*. Como *homo sapiens* somos capazes de pro-

---
14 *Novas conferências introdutórias sobre psicanálise e outros trabalhos*, op. cit.

gredir do pensamento sensório-motor ao pensamento abstrato (pensamento operacional-formal).

A expressão latina *homo sapiens* significa "homem sábio", ou seja, "homem que sabe pensar". Seu principal atributo é sua capacidade de pensar e raciocinar, devido a um cérebro desenvolvido com diversas capacidades, entre elas o raciocínio abstrato, a introspecção, a linguagem e a faculdade de resolver problemas complexos.

O *homo eretus*, do qual evoluiu o *homo sapiens*, tinha um cérebro com volume em torno de 600 a 900 cm³, enquanto a espécie humana atual tem cerca de 1400 a 1500 cm³. Conforme o professor de História israelense Yuval Harari,[15] nosso cérebro equivale a 2 ou 3% do peso do corpo, mas consome 25% da energia corporal quando em repouso. Outros primatas, contudo, consomem cerca de apenas 8% de energia em repouso.

É no cérebro que se encontram a neurologia e a psicologia. Juntas formam a alma humana. No cérebro de cada indivíduo humano habita uma pessoa diferente. No nascimento, contém cerca de 100 bilhões de neurônios. O cérebro se desenvolve rapidamente desde o período pré-natal e a infância. Aos 2 anos de idade o cérebro de uma criança alcança cerca de 75% do peso que terá quando adulto. Diferentes regiões do cérebro passam por maturação em distintas ocasiões e níveis, influindo no comportamento e nas habilidades da criança humana.

O desenvolvimento cerebral não é consequência apenas de uma maturação biológica. As vivências e experiências também nos moldam, visto que a evolução das capacidades pré-programadas geneticamente sofrem influência das experimentações com o ambiente externo. Os primeiros meses e anos de vida são fundamentais para a proliferação de determinadas sinapses em detrimento de outras. Alguns estudos demonstram, por exemplo, que falhas significativas na maternagem nos meses iniciais contribuem para que o cérebro do bebê diminua ou não desenvolva conexões neurais adequadas.

O cientista e pesquisador em neurogenética, o indonésio Beben Benyamin, pesquisando gêmeos idênticos e não idênticos, verificou que fatores genéticos e não genéticos (fatores ambientais) contribuem mutuamente para o desenvolvimento de determinados traços de personalidade. O risco para a bipolaridade, por exemplo, é em média 70% para a genética e 30% para o ambiente. Já quanto ao

---

15 *Sapiens: Uma Breve História da Humanidade*, L&PM, 2017.

risco de transtornos alimentares, a média é de 60% para fatores ambientais e 40% para a genética.

A neurocientista americana Lisa Freund comenta que o cérebro de um bebê é esculpido pelas experiências que ele tem com o ambiente em que vive. O cérebro, tanto do feto quanto do neonato, não é um sistema fechado, sendo capaz de processar algumas percepções do mundo externo, tais como as estimulações auditivas. A ciência hoje reconhece a importância da incitação do ambiente externo sobre o cérebro em desenvolvimento, pois, quanto maior for a incitação vinda de fora do cérebro infantil, mais células nervosas são ativadas e mais conexões são criadas entre elas.

No século XVII o filósofo inglês John Locke afirmou que a mente humana nasce como uma tábula rasa, uma espécie de folha em branco. Mas já de muito tempo sabemos que não é assim: não nascemos como uma folha em branco. Somos abundantes de impulsos e instintos, trazemos ainda nossa carga genética e congênita. As vivências e experiências que vamos tendo na vida são impressas em um papel impregnado de coisas inatas e conatas.

O neurocientista americano Joseph LeDoux detectou a influência da amígdala cerebelosa na relação entre memória e emoção. As primeiras lembranças infantis (fase oral) são lembranças emocionais vividas em um período anterior à aquisição da linguagem. Lembranças assim não são evocáveis por palavras que possam expressá-las, razão pela qual quando somos tomados por uma explosão de raiva, por exemplo, geralmente ficamos depois desconcertados sem entender bem os motivos de tal arrebatamento emotivo. Às vezes, diz LeDoux, são emoções evocadas de tempos idos (*memoração emotiva*) não registradas com palavras. A amígdala parece fundamental na memória de conteúdo emocional.

Alguns neurocientistas têm utilizado o termo *esperando a experiência* como uma forma de frisar a prontidão do cérebro da criança pequena para receber algumas espécies de determinados estímulos do ambiente externo, principalmente nos períodos iniciais da vida e do crescimento biológico humano. Tais períodos (1ª Infância) são chamados de molde, e são essenciais para a aquisição de informações afetivas, cognitivas e sociais. Uma significativa privação materna na fase oral da primeira infância em mamíferos pode provocar alteração na expressão gênica em filhotes submetidos ao stress através de repercussões neuro-hormonais e influências nas sinapses neuronais em formação.[16]

Será que a mente é a imagem que o cérebro tem de si mesmo? Alguns podem ponderar que sim, afinal a atividade psíquica se faz dentro da mesma caixa craniana onde se encontra o cérebro. A mente, assim, é considerada um subproduto do cérebro, sendo que, enquanto este é material, o psiquismo (mente) é imaterial. Visão como tal coloca a alma humana como uma espécie de fruto criado pelo cérebro e suas substâncias químicas. Porém, até agora não há unanimidade sobre a questão. Muito ainda temos que conhecer.

Evidente que o psiquismo só pode existir na existência de um cérebro. Sim, os processos mentais ocorrem no cérebro, mas este não processa significados ou dá sentido às coisas. Por este ângulo diríamos que o cérebro responde ao que a mente interpreta. Algo como uma espécie de filtro crítico. Ou, em outras palavras, o cérebro é o conteúdo e a mente é a forma. Todavia, a relação entre o que chamamos de mente e cérebro é tão imbricada que muitas vezes é difícil dissociá-las. Nosso psiquismo é muito resultado de interações neuronais. Impossível conceber a mente humana sem um cérebro por detrás. Podemos, inclusive, considerar que possivelmente é o cérebro a grande fronteira para desvendarmos melhor a alma humana e sua natureza.

O neurologista português António Damásio busca compreender o funcionamento da mente a partir do funcionamento do cérebro. Para ele os sentidos humanos nos fazem conhecer o mundo exterior por meio de processos de ativação nervosa, da mesma maneira que interiormente as ativações nervosas nos provocam emoções. Para Damásio, tanto a mente quanto o cérebro e o corpo em geral agem em conjunto, pois são uma realidade única: o homem. Nesse sentido, o organismo é uma totalidade em constante interação entre os meios interior e exterior.

O cérebro tem sido objeto de reflexão desde a Antiguidade. Hipócrates, historicamente considerado o "pai da medicina", por exemplo, acreditou ser o cérebro a sede da alma. O médico romano do século II d.C., Cláudio Galeno, imputava ao cérebro a função de controlar os fenômenos mentais e, assim como Hipócrates e Platão, ele considerava o cérebro a matriz da alma. Galeno deu continuidade à

---

16 Vide "Efeitos da Depressão Materna no Desenvolvimento Neurobiológico e Psicológico da Criança", de Maria da Graça Motta, Aldo Bolten Lucion e Gisele Gus Manfro, in Rev. psiquiatr. Rio Gd. Sul, v. 27, nº 2, Porto Alegre, maio/ago. 2005.

teoria humoral hipocrática que se baseava no conceito de saúde como equilíbrio dos humores (fluidos) vitais, isto é, o sangue, a bile amarela, a bile negra e a fleuma, que influenciavam corpo e mente.

O filósofo holandês do século XVII, Baruch Spinoza, sustentava que os fenômenos naturais (cérebro) e os fenômenos da alma (mente) são vias de acesso diferentes a uma mesma substância. Já no início do século XX o filósofo e intelectual britânico Bertrand Russell afirma que a "mente é corpo visto por um ponto de vista; corpo é mente visto por outro".

Não seria, portanto, absurdo reconhecer a dependência da mente em relação ao cérebro, pois das funções cerebrais nasce o psiquismo e, assim, este tem alguma subordinação e submissão ao cérebro. Contudo a mente humana, uma vez nascida, toma, por outro lado, da mesma forma, alguma emancipação, a tal ponto que a própria atividade psíquica pode provocar alterações em algumas funções cerebrais. A mutualidade e correlação entre cérebro e mente, mente e cérebro, é conectadamente tão associada e imbricada quanto sobreposta.

A mente não é independente do cérebro e do corpo, porém ela não é escrava nem plenamente submissa aos ditames cerebrais, muito menos passiva. Ela também atua ativamente sobre o cérebro e o corpo. Vejamos: quando uma pessoa, no aconchego do seu quarto, deitada na cama sob o leve frio de um ar-condicionado, acha-se a imaginar uma importante entrevista para emprego, pode começar a ficar ansiosa, suar, ficar ofegante e ter palpitações como se estivesse no momento real da entrevista cuja perspectiva tem-lhe deixado aflita devido a sua timidez social. Nesse exemplo a resposta ao stress é provocada por uma ideação imaginária e fantasiosa. O sistema endócrino foi estimulado por uma atividade puramente psíquica que preparou o corpo para um "perigo" que de fato não estava acontecendo.

Situação análoga encontramos na hipnose, quando o indivíduo é induzido hipnoticamente a entrar em transe (estado de alta concentração mental) e assim é sugestionado pelo hipnotizador a se comportar e sentir "cenas irreais". Acredita-se que no fenômeno hipnótico o sistema límbico (responsável por imagens e emoções) deixa de enviar informações para o neocórtex (responsável pela consciência e o raciocínio) e por isso o cérebro interpreta, semelhante ao estado onírico, a experiência devaneada como realidade, mudando a percepção, o pensamento, o sentimento e o comportamento da pessoa. Pessoas hipnotizadas chegam, inclusive, a até não sentir dor física.

A prática da meditação também provoca respostas psicofisiológicas ou neurofisiológicas que refletem no sistema nervoso central e autônomo. Através da meditação, consegue-se alcançar um estado de hipometabolismo basal mantendo-se a mente alerta com certo autocontrole sobre determinadas funções fisiológicas involuntárias. Investigações científicas utilizando-se do exame de eletroencefalograma (EEG) verificaram mudança da atividade neuroelétrica com elevação de ondas cerebrais alfa (relacionadas ao relaxamento profundo) e menor quantidade de ondas teta (presentes no sono leve).

CÉREBRO	MENTE
Conjunto de neurônios interligados. Órgão biológico. Entidade material.	Faculdade que permite tomar consciência da realidade externa e interna. Pensamentos, sentimentos, desejos, fantasias, sonhos. Entidade imaterial.

A natureza da mente é incompreensível em sua amplitude e profundidade sem a compreensão do cérebro, e vice-versa. Parece-nos reducionismo pensar a complexidade da alma humana e suas demandas em termos exclusivamente neurocerebrais. Podemos, neste momento, considerar que mente e cérebro são realidades complementares, como se fossem duas faces de uma mesma moeda. A distinção mente e cérebro é, em grande parte, consequência do dualismo cartesiano (*res cogitans* e *res extensa*) em que a mente é uma substância diferente do corpo. Tal separação não encontra guarida nos saberes e na ciência de hoje, afinal as raízes biológicas da mente parecem-nos quase inegáveis – sendo, portanto, a alma humana uma parte do mundo físico. Também, mas não somente.

O ser humano não é uma marionete exclusiva de seu cérebro e de seu código genético. As experiências do indivíduo com o ambiente, o social e o cultural são também determinantes na construção do sujeito humano. Embora individualmente não sejamos iguais uns aos outros, todos compartilhamos de uma mesma natureza: a natureza humana. Analogamente, a alma humana (comum a todos os humanos) é como as sete notas musicais. Com a combinação dessas sete notas compomos incontáveis sinfonias e melodias. Sim, cada pessoa é como se fosse uma música única a partir de uma combinação singular das sete notas musicais.

A natureza humana[17] (alma humana) expressa no animal homem o que ele tem de mais humano, sua essência e dimensão humana. Para Platão, a natureza humana é formada por um corpo efêmero e perecível + a alma eterna que visa o conhecimento. Para Aristóteles a natureza humana tem uma finalidade, que é a felicidade. Já para o filósofo alemão do século XVII, Jonann Herder, a finalidade da natureza humana é a própria humanidade. Enquanto para Freud a natureza humana é regida por nossos instintos mais primitivos e é inconsciente à nossa consciência civilizada. Seja lá o que for o que chamamos de natureza humana, ela é algo intrínseco ao homem e comum a todos eles.

A principal característica de nossa natureza é que nascemos prematuros, isto é, incapazes de sobreviver por nós mesmos. Somos originalmente dependentes, e dependentes de quem nos cuida por muito tempo (anos). Tal dependência prolongada inevitavelmente deixará marcas na personalidade de cada indivíduo humano, pois somos pela própria natureza fadados à dependência através do vínculo com outro humano que nos alimenta, não apenas de leite e cuidados físicos, mas também de afetos e cultura. Nesse sentido a natureza humana é resultado tanto dos nossos genes quanto do nosso sociocultural. Consequentemente, a natureza humana (ou alma humana) é decorrência e fruto não do *nature* x *nurture*, mas sim do *nature* e do *nurture*.

"Mostre-me um homem que não seja escravo das suas paixões."
(William Shakespeare)

Esquema corporal

O esquema corporal é a tomada de consciência do próprio corpo através de uma comunicação consigo mesmo e com o mundo circundante. Conhecer o corpo em

---

17   *Latu sensu,* natureza humana é tudo aquilo que expressa a própria dimensão do homem e sua verdadeira essência. Diferentemente dos outros animais, somos autoconscientes e graças a esta capacidade de autoconsciência, conceituava o filósofo alemão Friedrich Hegel, o ser humano promove o movimento de sua história. *Stricto sensu,* natureza humana pode ser entendida como a qualidade humana que nos desprende de sermos escravos apenas dos instintos e das necessidades biológicas.

que habita é presumivelmente a primeira atividade da alma humana, e é a partir deste conhecimento que, *pari passu*, caminha-se para a diferenciação do Eu e do não-Eu e a consequente descoberta do mundo além da alma.

O psiquismo nascente vai configurando em si uma imagem corporal que representa a figuração do próprio corpo formada dentro da mente deste mesmo indivíduo. Em outras palavras, trata-se da maneira como o corpo se mostra e se evidencia ao psiquismo. O corpo se apresenta ao psiquismo e o psiquismo descobre o corpo.

A representação que um indivíduo tem de seu corpo é elemento substancial na formação da sua personalidade. Psicologicamente, o esquema corporal (imagem do próprio corpo) é uma figuração mental do modo como o organismo enquanto corpo se apresenta à pessoa que nele habita e que nele se descobre e se reconhece. E o corpo se mostra ao psiquismo através das sensibilidades orgânicas e impressões posturais. O esquema corporal, pois, tanto está voltado à atividade motora como se revela na percepção dos movimentos musculares.

No início, segundo o psicólogo e epistemólogo suíço Jean Piaget, a atividade cognitiva do psiquismo humano é sensório-motor. Nesse período a mente vai formando uma noção de Eu através de movimentos e percepções corporais. Já o médico e psicólogo francês Henri Wallon considerou que antes da etapa sensório-motor haveria uma fase impulsivo-emocional. No primeiro momento o bebê é praticamente um organismo puro, baseado em reflexos e movimentos impulsivos, em que suas atividades estão inteiramente abarcadas pelas necessidades fisiológicas. Em um segundo momento, as descargas motoras se transformam em expressões e sinais comunicacionais. Para Wallon esta é a mais rudimentar forma de sociabilidade, constituindo, pois, a primeira linguagem humana (corpo/movimento).

A alma humana em sua origem não tem morfologia definida, sendo esta construída pouco a pouco. Na ausência de uma delineação morfológica, a alma se crê sem limites ou fronteiras. O primeiro limite ou divisa para a alma humana é o corpo físico. Por meio dele a alma vai também tomando corpo psíquico.

Desde o nascimento biológico o psiquismo, em sua fase imatura e infantil, vai se deparar com o mundo em que ele (bebê) entra ao sair do útero. O primeiro contato com o mundo é mediante o corpo e suas sensações e satisfações físicas, cujas primeiras diferenciações são essencialmente prazerosas ou desprazerosas. Os efeitos das incitações sensoriais são inicialmente efeitos musculares (incluindo as incitações visuais), que vão se tornando mais complexos, finos e aguçados com os progressos do desenvolvimento do corpo e de sua fisiologia.

No princípio o bebê sente o ambiente como fazendo parte de si mesmo. Com o gradual amadurecimento neurofisiológico, o psiquismo pueril, através das experiências somáticas, vai podendo diferenciar ele do mundo externo. É quando a imagem corporal se estabelece que o psiquismo entende sua existência corpórea e o mundo material e psicológico que o rodeia. O médico e psicomotricista francês Jean Le Boulch assim define:

> O esquema corporal pode ser considerado como uma intuição de conjunto ou de um conhecimento imediato que temos do nosso corpo em posição estática ou em movimento, na relação de suas diferentes partes entre si, sobretudo nas relações com o espaço e os objetos que nos circundam.[18]

Não há como a mente interagir com o meio externo sem o corpo. A construção do Eu (autoconsciência) é inerente à construção psicológica do corpo e de sua existência. O corpo é inicialmente percebido e posteriormente representado. Ao construir uma ideia de si (uma imagem do corpo e como vê o mundo) a criança, assim como depois o adulto, vai se definindo como pessoa e subjetividade.

A imagem corporal se processa pelas experiências vividas pelo indivíduo no mundo (físico e social), que contribui para uma definição de si próprio. Desse modo, o esquema corporal é um construto constituinte do desenvolvimento humano, principalmente por situar a estruturação da subjetividade e de suas relações com o mundo e a realidade. Nesse sentido a memória, as sensações, os afetos e outros fatores influenciam na formação da imagem corporal.

No começo estava o corpo e o mundo fora da psique, mas a alma não sabia da existência deles. Nesse momento, ainda não há no psiquismo neonato uma unidade física, nem existe a distinção dos limites corporais. Sensações internas e externas se mesclam e se confundem. Não há primariamente qualquer separação. Progressivamente a alma humana vai percebendo a superfície do corpo e seu interior. O nascimento biológico, lembremos, não coincide com o nascimento

---

18   *Educação Pelo Movimento: a psicogenética na idade escolar*, Artes Médicas, 1983.

psicológico. Ou, como diz Margareth Mahler, o nascimento biológico é um evento bem delimitado e claramente observável, ao passo que o nascimento psicológico é um processo intrapsíquico de lento desdobrar. O nascimento psíquico, portanto, tem como gestação e parto o corpo que biologicamente já nasceu.

É na superfície do corpo onde se originam as sensações externas e internas. Os sentidos informam os órgãos internos. Destes, a visão tem destacável papel. Através do olhar é que vamos delimitando os contornos do nosso corpo e do outro. É com o olhar que, diante do espelho, conhecemos nosso rosto. Olhar para si mesmo cria a imagem de si e o nosso estar no mundo que nos rodeia. Mas o espelho físico não é nosso primeiro espelho psicológico. O primeiro espelho psicológico humano é o olhar responsivo de quem nos cuida (mãe). Como Winnicott dizia, "no desenvolvimento emocional individual, o precursor do espelho é o rosto da mãe".

Podemos dizer que no começo da vida a incipiente personalidade é basicamente corporal. A qualidade do contato corpóreo do objeto cuidador (mãe) com o filho em muito vai determinar os sentimentos deste em relação a seu próprio corpo, que, por sua vez, irá estruturar psicoafetivamente suas futuras respostas frente ao mundo e à vida. Como escreveu o psicanalista estadunidense Alexander Lowen, um dos fundadores da Psicoterapia Bioenergética, em seu livro *O corpo traído*[19], "a maneira de uma mãe olhar para seu filho terá importante efeito sobre a responsividade dos olhos da criança".

A alma humana (psiquismo) originalmente não sabe que existe qualquer coisa outra que não ela mesma. A mãe (pessoa externa) é como um prolongamento dela, e a relação entre o bebê e sua mãe, inicial e psicologicamente, é fusional. Como veremos no próximo capítulo, e como afirmava Margareth Mahler, esta é a fase de um *autismo normal*.

Considerando que o ser humano em seu início de vida extrauterina (bebê) se confunde com o mundo, pois nem sequer tem definido o que é seu corpo, o que é o outro e o mundo que o cerca, ao sugar o seio materno e olhar para a mãe que o segura, ele não a reconhece como um objeto externo. O que vê no olhar do rosto da mãe que o olha é ele mesmo. Progressivamente é que o psiquismo lactente vai percebendo que o que olha é o rosto da mãe e não ele próprio projetado

---

19   Summus, 1979.

nela. O que antes havia era o olhar da mãe "espelhando" o Eu do bebê, e depois, como afirmava Winnicott, o psiquismo infante vai se convertendo em "menos dependente de obter de volta o eu dos rostos da mãe e do pai".[20]

Sendo o corpo o palco das primeiras experiências psíquicas da vida extrauterina, onde a alma humana vai constituindo sua morfologia e construindo a pessoa que o bebê um dia será, a importância da sensorialidade e da afetividade constantes na troca entre o bebê e sua mãe é fundamental e basilar ao psiquismo em construção. As sensações corporais dessa fase, como tocar e ser tocado, ouvir, ver, cheirar, são o substrato da vida mental. O encontro dos dois corpos (bebê e mãe) estabelece tanto o esquema corporal da criança em formação quanto o esquema relacional advindo de tal vínculo de tanta proximidade.

Sim, o psiquismo se funda a partir das experiências sensoriais geradas da relação mãe-filho, na qual a pele terá papel crucial tanto para oferecer proteção e delimitar o subjetivo espaço interno do externo quanto para ser o primeiro espaço de permuta com o dentro, o fora e o outro. Não é à toa que a pele será por toda a vida um dos órgãos mais vulneráveis às emoções. Dermatoses e fatores psicológicos têm forte relação em muitos casos.

A união dos aspectos fisiológicos com os emocionais vai condensando a imagem que o ser humano tem de si mesmo e de suas vivências com o mundo. O fator emocional/afetivo tem muita relevância nesse processo devido, principalmente, à intensa relação de intimidade que o bebê tem com sua mãe (cuidador). O psiquiatra e psicanalista austríaco Paul Schilder assim retrata a influência dessa estreita relação (mãe-filho) na consolidação da autoimagem no psiquismo pueril: "primeiro, temos uma impressão sensorial do corpo do outro. Esta impressão adquire seu significado real através de nosso interesse emocional pelas diversas partes do corpo".[21]

Embora às vezes usado concomitantemente, *esquema corporal* se diferencia de *imagem corporal*. O primeiro está mais ligado ao neurofisiológico e à propriocepção, ou seja, é a organização das sensações corporais que o psiquismo vai formando através dos estímulos que recebe do ambiente. Já a imagem corporal é ligada à correspondência afetiva de como a psique se imagina ser fisicamente, ou seja, é

---

20 "O papel de espelho da mãe e da família no desenvolvimento infantil", em *O brincar e a realidade*, Imago, 1975.
21 *A imagem do corpo: as energias construtivas da psique*, Martins Fontes, 1999.

a representação psíquica que a mente forma de seu próprio corpo. Assim, não confundamos a imagem visual que temos do nosso corpo com a imagem corporal no sentido de esquema (esquema corporal). Em termos psicológicos, um esquema é uma estrutura mental que representa algum aspecto do mundo concreto. O esquema corporal está intimamente ligado à imagem do corpo, e sua estruturação se faz de acordo com o uso que fazemos do corpo e de suas partes. Tal estruturação passa pela vivência afetiva e nos acompanha ao longo de toda nossa vida. É uma estrutura que sofre modificações em um contínuo processo de construção e reconstrução. A autoimagem tem reflexos diretos no autoconceito e, consequentemente, na autoestima do sujeito humano.

> "Um retrato é apenas a ideia aproximada de uma pessoa.
> A graça de um sorriso, o olhar, a expressão e tudo quanto
> para mim é a beleza, não pode verdadeiramente
> existir num retrato."
> (Florbela Espanca)

ALMA PURA: O PSIQUISMO EM ESTADO BRUTO

> O meu mundo não é como o dos outros,
> quero demais, exijo demais, há em mim uma
> sede de infinito, uma angústia constante
> que eu nem mesmo compreendo...
> *Florbela Espanca*

Solidão essencial

Como vimos, ninguém nasce vestido. A alma humana também não. A alma chega ao mundo extrauterino sem cultura, valores, moral, noção de tempo e de limite, nem sequer com noção de realidade. Mesmo que sejamos puramente biológicos no início da vida, já existe desde o período intrauterino atividade psíquica, porém trata-se de um psiquismo tosco e incivilizado. Em sua precariedade psicológica a mente humana não é capaz de logo perceber o mundo externo, ou seja, ela só se percebe, ou melhor, só se sente. Inexiste dentro e fora. Proprioceptiva e exteroceptivamente tudo é ela. Não há para a mente nada mais do que somente a alma humana. Trata-se, evidentemente, de uma ilusão psíquica. Mas é exatamente assim que é o psiquismo em estado bruto: um imenso espaço sem fronteiras de ilusão.

O psiquismo cru e primitivo é originariamente anobjetal e amúndico. Anobjetal por ser ele oco de objetos (objetos internos/representações endopsíquicas de objetos externos), afinal no psiquismo do neonato não há outra coisa além-de-si. O psiquismo nessa fase inicial é indiferenciado. É uma psique *concentrada-em-si-mesma*. Ela é o mundo e o mundo é ela. O objeto externo ainda não se fez presente frente à alma humana por sua rudimentar capacidade de percepção. Como visto anteriormente, o primeiro objeto externo da vida mental é a mãe, ou mais precisamente a representação mental de quem cuida dela. Como dizia o médico austríaco e psicanalista René Spitz, esta é uma fase sem objetos. Spitz via esse estágio da vida como um período de não diferenciação, em que não há para o bebê mundo exterior, como se ele estivesse protegido por uma espécie de "barreira psicológica" que o impede de entrar em contato com a realidade. Nessa incapacidade psicológica de distinguir-se do mundo que o circunda, o psiquismo repousa em um narcisismo primário e onipotente. Trata-se de um *narcisismo anímico*, isto é, inerente à alma humana em seu estado primitivo e exordial. O narcisismo anímico é ingênito, ou seja, toda alma humana nasce narcísica. É da essência da alma noviça o narcisismo. Por isso o narcisismo anímico é tão psicologicamente natural quanto o corpo que nasce nu, ainda não vestido.

A alma humana nua é amúndica por não possuir noção mínima de mundo. Vive ela uma fase pré-mundo, isto é, que antecede a percepção da existência do espaço de dentro e do espaço de fora do corpo e do psiquismo. Pode parecer estranho hoje para nosso psiquismo amadurecido aquele momento primevo, mas deve ter sido um período cheio de zumbidos e clarões indefinidos e sensações imprecisas que a mente imatura teve de aprender a lidar. É um mundo sem forma, rosto, contorno ou nitidez, que leva à ilusão de que tudo que é sensível é apenas um prolongamento da própria alma humana.

Sim, é uma ilusão. Mas, como escreveu Shakespeare em sua peça teatral de 1611, "A tempestade",[22] "somos feitos da mesma matéria que são feitos os sonhos". Sim, somos feitos de fantasias semelhantes às fantasias oníricas e, como nos sonhos, acreditamos no que fantasiamos. Freud, ao estudar os sonhos, interpretou esse tipo de pensar de *processo primário de pensamento*. O processo primário de pensar é regido por uma linguagem imagística, ainda não é uma atividade de pensar simbólica e verbal. Não há em uma mente totalmente imatura representação verbal (palavra), nem muito menos sentido de tempo (antes-depois), bem como noção de não (limite). Tudo ali é só impulsos que buscam descargas imediatas, sem adiamentos.

A alma humana, através do corpo e de suas sensações, sente a sua existência, mas ainda não sabe que existe. Expliquemos melhor: o psiquismo não reconhece

---

22   FTD, 2008.

sua existência como existência, pois naqueles momentos nascentes não há um núcleo de Eu integrado, que é a base para o surgimento psicológico da noção de Eu dentro da alma (psiquismo). Estamos, pois, no âmbito daquilo que Freud denominou de *Ego Corporal*.

Pelo exposto, o bebê nasce em um estado de não integração. Os futuros núcleos do Ego (EU) estão desordenados e dispersos. A mente germinal ainda é um bagunçado conjunto de instintos e pulsões. É através do contato com o ambiente (representado pela mãe) que o psiquismo realizará o processo de integração dos fragmentos de si e da realidade.

A alma humana surgente acha-se única e só em um universo despovoado para ela de objetos ou pessoas. Porém, essa solidão em que a alma se encontra não é sentida como solidão no sentido que uma mente menos imatura sente, quer dizer, como uma profunda sensação de isolamento e vazio. A alma não se sente só, pois não há nada além dela. Tudo é ela. Lembremos que esta é uma fase de ausência da percepção do mundo externo, a qual Mahler nomeou de *autismo normal*.

O autismo normal é a primeira subfase da fase oral[23] (a fase oral compreende do nascimento até os 18 meses aproximadamente). A energia psíquica (libido) está totalmente dirigida e investida no Ego corporal ou no próprio psiquismo (período anobjetal). Em sua imaginação, a mente acredita que é ela mesma que satisfaz suas necessidades, como a saciedade do desconforto da fome. Em sua fantasia o psiquismo produz o seu leite.

O estágio primitivo do autismo normal é uma fase que antecede ao estado simbólico que a mente irá se desenvolver. Não há, psicologicamente falando, a consciência da separação com a mãe e o ambiente externo. É uma fase a ser ultrapassada tanto pela imposição do crescimento neurofisiológico quanto pela imposição da própria realidade. É um período que envolve do nascimento até o 2º ou 3º mês em média. A analogia empregada por Mahler a respeito do autismo normal é a de um ovo de pássaro. O pássaro dentro do ovo satisfaz suas necessidades de maneira autista (com relação à realidade fora do ovo) porque sua provisão nutrícia está contida na casca. Para o psiquismo nascente é como se o bebê continuas-

---

23 A fase oral é a fase inicial da libido (energia psíquica), em que a psicossexualidade está relacionada às experiências de fome e de saciedade. O prazer libidinal está focado na sucção, razão pela qual podemos dizer, *latu sensu*, que o psiquismo lactente começa a conhecer o mundo pela boca.

se feto, e sua ilusão o leva ao senso narcisista de onipotência de satisfazer suas necessidades pessoais.

Em vista disso, antes da maturescência da alma ela vive sua solidão narcisista. Trata-se de uma solidão não compartilhada porque não há nada ou ninguém exceto a psique lactente. Tudo para ela se inicia, se passa e termina nela, e é ela que cria o que atende suas necessidades. É dessa solidão essencial que irá brotar o sujeito humano que, de alguma maneira, irá nos acompanhar pelo resto da existência individual. É uma solidão que não se percebe só no sentido de se estar sozinho ou desacompanhado, mas uma solidão de quem se percebe único, total, absoluto e indivisível. Uma solidão existencial.

O estado principiante de não diferenciação (mundo interno e externo) tem recebido várias denominações por diversos autores, estudiosos e pesquisadores no assunto. Além do *narcisismo normal* (Mahler), temos *estado de nirvana* (Freud), *estado de ilusão e onipotência* (Winnicott), *self psicofisiológico primário* (Edith Jacobson), *estado de entranhamento* (Pacheco Prado), *núcleo aglutinado* (José Bleger), *self grandioso* (Hans Kohut), entre outros.

À medida que o psiquismo vai sofrendo uma evolução neurofisiológica e maturativa, vai se formando no espaço psíquico um Ego propriamente dito. Seguindo as ideias de Freud, temos a seguinte escala progressiva: 1º) ausência de Ego, 2º) Ego do prazer puro, 3º) Ego da realidade primitiva, 4º) Ego da realidade efetiva. Progressivamente, portanto, a alma vai tomando morfologia definida na pessoa que se constrói dentro dela.

Aos poucos, a psique lactente vai saindo do seu estado primitivo de *concentrada-em-si-mesma*, emergido da solidão essencial para perceber a existência objetal. Perde-se, assim, a ilusão inaugural da onipotência absoluta do narcisismo primário (autismo normal), e nessa desilusão desponta pela primeira vez a percepção do objeto (externo). *O objeto nasce do* ódio, dizia Freud, pois o objeto materno aparece psicologicamente pela diferenciação. A diferenciação é possível graças às falhas maternais, que jamais conseguem saciar plena e constantemente as demandas narcisistas da mente iludida de onipotência. O ódio primordial,[24] gerado pe-

---

24   Freud considerava estar aí, no ódio primordial, a gênese da tendência humana à destruição, à maldade e à crueldade. Para ele, o ódio seria uma resposta emotiva-relacional mais arcaica que a resposta amorosa, visto ser o ódio uma rejeição à realidade emanada do psiquismo de puro narcisismo.

las respostas às frustrações (1ª ferida narcísica), representa a recusa da psique lactente onipoderosa e onicriadora à realidade e ao mundo externo.

Por mais que a alma humana amadureça ao longo da vida, subsistirá nela resquícios da solidão essencial, em uma espécie de núcleo aglutinado[25] de que fazia menção o psicanalista argentino José Bleger. Não é à toa, por exemplo, que quando fortemente abalado por uma decepção com a vida o indivíduo tende, às vezes, a se isolar, ensimesmando-se, como se psiquicamente quisesse fugir da realidade dela se afastando, regredindo para um ilhar em si mesmo. De quando em quando podemos nos recolher em nós mesmos como se fôssemos uma ostra fechada ao mundo que nos cerca. Mas, parafraseando o microconto[26] do escritor hondurenho Augusto Monterosso, quando voltarmos ao mundo o dinossauro continua lá.

"E ninguém é eu, e ninguém é você. Esta é a solidão."
(Clarice Lispector)

Narcisismo natural

A alma humana em estado bruto, ou seja, nua, crua e primitiva, é natural e essencialmente narcisista (narcisismo anímico). Freud, em 1914, em seu texto "Sobre o narcisismo: Uma introdução",[27] utilizou-se do termo antes empregado pelos médicos Havelock Ellis (1898) e Paul Näcke (1899). Pela perspectiva psicogenética, o narcisismo é precedente ao momento em que o psiquismo, através do Ego, investe libidinalmente os objetos (mundo externo), o que Freud nomina de *narcisismo primário*.

O conceito freudiano de narcisismo primário tem a ver com a concepção do investimento psíquico. Como no principiar da vida, o psiquismo não tem objetos (ainda não há diferenciação externo/interno), a energia psíquica (libido) está

---
25 Uma porção inconsciente do Ego (ou da personalidade) que persiste imatura, derivada do período do desenvolvimento psíquico no qual ainda não havia diferenciação entre mundo interno e mundo externo, Eu e não-Eu.
26 Também conhecido como miniconto ou nanoconto, é uma espécie de conto cuja narrativa se apresenta em apenas uma linha.
27 In: *Obras Completas de Freud*, v. XIV, Imago, 1974.

voltada ao próprio psiquismo – Freud chama isto de *energia de ego* (embora o Ego, como instância psíquica, ainda não se encontre consolidado). Freud foi um dos mais importantes, ou até mesmo o principal, pioneiros a desbravar os segredos do funcionamento da alma humana. É como quando alguém adentra uma floresta virgem e lá se depara com uma fauna e flora nunca vistas. Esse descobridor passa então a nomear os animais, insetos e plantas jamais antes vistos para melhor entendê-los e conhecer sua dinâmica de vida. A terminologia freudiana, portanto, além de rica e variada, é peça fundamental para que possamos melhor enxergar, compreender e interpretar o psiquismo humano em sua mais ampla complexidade e profundidade.

O que percebeu, desvendou e disse Freud? Com ele a palavra:

> Essa extensão da teoria da libido recebe reforço de um terceiro setor, a saber, de nossas observações sobre a vida mental das crianças e dos povos primitivos. Nos segundos encontramos características que, se ocorressem isoladamente, poderiam ser atribuídas à megalomania: uma superestima do poder de seus desejos e atos mentais, a "onipotência dos pensamentos", uma crença na força taumatúrgica das palavras, e uma técnica para lidar com o mundo externo – "mágica"... Nas crianças de hoje, cujo desenvolvimento é muito mais obscuro para nós, esperamos encontrar uma atitude análoga à ideia de que há catexia[28] libidinal do ego, parte da qual é posteriormente transmitida a objetos, mas que fundamentalmente persiste e está relacionada com as catexias objetais, assim como o corpo de uma ameba está relacionado com os pseudópodes que produz.[29]

Evidencia-se, assim, que o conceito de narcisismo primário representa um estado precoce em que a mente do bebê investe toda sua energia psíquica nela mesma. Ainda citando Freud, "dizemos que um ser humano tem originalmente

---

28   Catexia: investimento da energia psíquica.
29   *Narcisismo: uma introdução*, Imago, 1974, p. 91-92.

dois objetos sexuais[30] – ele próprio e a mulher que cuida dele – e ao fazê-lo estamos postulando a existência de um narcisismo primário em todos".[31]

Em termos da libido e da sexualidade, o narcisismo primário pode ser entendido como uma satisfação autoerótica derivada do prazer que o corpo retira de si mesmo. Para a mente em estado natural e originário ainda não existem mãe e pai ou qualquer objeto externo – não se podendo falar, portanto, em *amor objetal*. Essa fase nativa do psiquismo humano é um estado pré-objetal (anobjetal) em que a mente somente investe sua libido em si mesma. É nesse sentido que se pode afirmar que o primeiro objeto de amor de uma criança é ela própria, seguida, posteriormente, de sua mãe (objeto primário). Tal estado natural de ser da alma condiz com a sua fantasia de onipotência primordial.

Freud pressupôs que o psiquismo lactente parte de um estado original autoerótico[32] para um estado primário de narcisismo ao tomar a si próprio (Ego) como alvo (objeto) de sua carga libidinal a fim de, posteriormente, direcioná-la a um objeto externo (mãe). Por esse ângulo e lógica o narcisismo primário é entendido como uma fase do desenvolvimento normal psíquico – uma espécie de fase intermediária e mediadora entre o autoerotismo e a eleição objetal.

Em seu momento natural de indiferenciação entre mundo interno e mundo externo a substância humana é basilarmente narcisista. Em sua origem a alma humana é uma solitária existência (só existe ela) e por isso imagina-se (ou se sente) plena, completa, absoluta e autossuficiente. Se a alma fosse de fato plena, completa, absoluta e autossuficiente, ela seria, então, onipotente e perfeita. E uma alma onipotente e perfeita seria uma alma divina e ideal. Mas não somos deuses,

---

30   Para Freud, a sexualidade é uma dimensão essencial da vida humana e nos acompanha do nascimento à morte. Se define "sexual" tudo aquilo que, com vistas a obter prazer, diz respeito ao corpo. Como parte integrante da personalidade humana a sexualidade transcende ao meramente biológico, podendo ser definida, em resumo, como a energia que nos motiva a encontrar o contato e a intimidade e se expressa na forma de sentir, pensar e agir.
31   Op. cit.
32   O autoerotismo é o estágio inicial do desenvolvimento emocional no qual as satisfações da psicossexualidade são adquiridas somente através das experiências corporais subjetivas encontradas nas zonas eróticas (partes do corpo). Nesse estágio ainda não há unidade corporal nem Ego – razão pela qual o autoerotismo é uma fase anterior ao narcisismo primário pela absoluta ausência de Ego e uniformidade corpórea. Por essa perspectiva, o autoerotismo antecede ao narcisismo pela ausência de um objeto completado representado no Ego e em seu corpo.

nem perfeitos. Somos feitos de matéria frágil e perecível. Somos finitos e vulneráveis. Somos, no início da vida, desaparelhados à sobrevivência, razão pela qual necessitamos de alguém que cuide de nós e atenda nossas mínimas necessidades. Somos, enquanto bebês, dependentes absolutos. Isto é a realidade da condição humana, oposta às ilusões e desejos humanos.

A realidade fere a alma humana em seu narcisismo natural e primário. O psiquismo em desenvolvimento não escapará do confronto com a realidade. Se não houver nenhuma significativa deficiência neurocerebral, a mente será invadida aos poucos pela realidade. Com a irrupção gradativa da realidade a mente perceberá que não é autossuficiente, completa, perfeita, absoluta ou onipotente. Ao contrário, o bebê é plenamente dependente do objeto cuidador (mãe), não é completo ou perfeito, mas sim imperfeito e incompleto. Essa ferida narcísica advinda da descoberta de sua débil humanidade deixará marcas indeléveis na alma humana, como melhor veremos adiante.

Para quem começou se acreditando perfeita, completa e onipotente, perder de vez tal condição não deve ser fácil de aceitar. A alma humana, como um ser vivo que é (*psykhé* é vida e *anima* é força vital), "lutará" com todas as suas forças para permanecer perfeita, completa e onipotente. A realidade irá se impor, porém a fantasia tem lá também suas artimanhas e ardis. O narcisismo lutará por sua sobrevivência.

A recusa narcísica se vê no homem muitas vezes ao longo de sua vida, mesmo depois de adulto. A alma é naturalmente narcísica. Embora ela traga em si uma tendência inata ao crescimento (amadurecimento), tal evoluir se inicia em bases narcisistas. Simbolicamente a forma do círculo é associada à perfeição. O círculo representa totalidade e plenitude, aquilo que não tem começo nem fim (eterno). Assim como a simbolização do círculo, o narcisismo anímico (primitivo/primário), que domina inicialmente todo o psiquismo humano, ilusoriamente se sente/percebe como uma totalidade plena que não sabe ter tido um começo e é incapaz de imaginar psiquicamente seu desaparecimento (fim). O círculo também reproduz a ideia de expansão a partir de um ponto nascente. O psiquismo, assim como o corpo, tenderá a amadurecer gradualmente. Não nascerá um corpo adulto após o corpo infantil, porém é o corpo infantil que vai se formatando em um corpo adulto. Da mesma maneira não nascerá uma psique madura após a psique imatura, porém a psique imatura vai se formatando em uma psique madura. À guisa de exemplificação nos lembramos da imagem dos círculos concêntricos (figura a seguir), cuja origem é o *narcisismo anímico* - ou *núcleo aglutinado* ou *homo brutus*,[33] nos dizeres dos psicanalistas José Bleger e Miller de Paiva, respectivamente.

Em uma analogia com a edificação de uma casa, a personalidade é uma construção que se inicia com a gestação (equivalente a um projeto arquitetônico) e os desejos e ideais parentais. O solo de onde se erguerá a casa é a família (entorno social primário), sendo a infância (mormente a primeira infância) correspondente à construção dos alicerces que darão sustentação a toda estruturação. Já a adolescência representaria a fase de levantamento das paredes e muradas, enquanto a adultez equipara-se ao que seria a etapa de acabamento. Uma edificação fundada em solo e alicerces frágeis corre o risco de um dia desabar ou apresentar rachaduras estruturais comprometedoras.

O narcisismo anímico é mais do que uma fase do desenvolvimento psíquico. É a nascente de onde procede toda a personalidade humana. Como uma fonte, é do seu jorro que emanam as bases de qualquer sujeito ou pessoa humana. Nossa raiz mais primitiva é o narcisismo natural, de que é feita a alma em seu estado mais inaugural e ancestral. Como constatou Freud: "A organização narcisista nunca é totalmente abandonada. Um ser humano permanece narcisista em certa medida mesmo depois de ter encontrado objetos externos para a sua libido".[34]

O narcisismo anímico é mais do que apenas um narcisismo primário, é um narcisismo de caráter evolutivo. Suas qualidades infanto-orais são estruturalmente permanentes, isto é, continuarão a existir por toda a construção do edifício psicológico que é a personalidade humana do indivíduo. O investimento libidinal

---
33 O *homo brutus*, na expressão de Miller de Paiva, representa a parte do animal primitivo que todos um dia fomos.
34 *Totem e Tabu*, Imago, 1974.

(energia psíquica) no Eu é o pilar mais fundamental à autoestima e à autoconservação. É necessário e saudável que o sujeito tenha a si mesmo como um objeto privilegiado (amor-próprio). O investimento de parte libidinal no Eu o torna um *Eu vitalizado*.

A *narcisização do Eu*,[35] que como dizia o psiquiatra e psicanalista egípcio André Green é herdeira direta do narcisismo primário, assegura um bom funcionamento psíquico da personalidade, visto o amor dedicado a si mesmo e a crença assertiva e esperançosa em si investida. O sentimento de autovaloração dá consistente embasamento ao autoconceito, e se torna um forte aliado à resiliência frente às adversidades da vida. Um *quantum* de narcisização do Eu é, portanto, vitalizante e imprescindível.

A distinção entre narcisismo positivo e narcisismo negativo é bastante útil na compreensão da dinâmica da alma humana. O psicanalista Antônio Serpa Pessanha descreve bem a questão:

> no narcisismo positivo, mais ligado à realidade e à vida, a pessoa se satisfaz e fica contente em silêncio consigo mesmo. O prazer é pessoal, calmo, íntimo e recatado. Não tem necessidade de contar aos quatro cantos, dispensando enaltecimento e exibição, mantendo contato com o sentimento de humildade. O bom conseguido vale por si próprio, não necessitando de aprovação, reasseguramento e muito menos de aplauso.[36]

O narcisismo, dessa forma, não é algo prejudicial nem patogênico à alma, mas, em seus aspectos positivos, um terreno basilar fértil de onde se gera e se desfruta os sentimentos positivamente valorativos.

Voltemos ao narcisismo em seus momentos primários. Como dito acima, o psiquismo aos poucos entenderá que não é ideal. Mentalmente o bebê irá perceber a existência de objetos além de si. Segundo o psicanalista de origem austríaca

---

[35] André Green distinguia narcisismo positivo (de vida) e narcisismo negativo (de morte). No narcisismo positivo predomina a Pulsão de Vida. Para Green o narcisismo voltado à vida serve ao sujeito internamente como um objeto psíquico velando o Eu, assim como uma mãe vela por seu filho.

[36] *Além do divã: um psicanalista conversa com o cotidiano*, Casa do Psicólogo, 2001, p. 188.

René Spitz, quando a mente do bebê passa a reconhecer a pessoa que lhe presta os cuidados primários (em torno do 3º mês de vida), ele apresenta o primeiro sorriso social. Antes o psiquismo é amúndico e anobjetal, e também era (de nascença) associal, isto é, não tem noção de social, nem de moral e nem de cultura.

O primeiro sorriso intencional do bebê demonstra a formação psíquica de um Ego rudimentar. O ato de sorrir propositalmente à mãe prova que o psiquismo lactente já consegue separar coisas fora de si. Percebida a mãe, então, a mente do bebê irá descobrir e constatar sua dependência em relação a ela. O psiquismo vai perdendo a posição primeva de autismo normal. A consciência tosca e turva do objeto externo irá, portanto, promover a saída da fase autista para a seguinte, nos dizeres de Margaret Mahler, que é a *simbiose normal*.[37] Esse é o momento evolutivo do psiquismo em que ele começa a tomar consciência de maneira difusa da presença do objeto cuidador (mãe) como algo separado dele.

A natureza humana é e sempre será, de alguma maneira, narcisista. É como se ela, podendo falar, dissesse: "ok, não sou tudo como pensava, porém sou tudo para quem cuida de mim". O narcisismo mental, assim, desloca-se para a representação psíquica do primeiro objeto, a mãe. Ela é quem é poderosa. Ela é quem tem o poder de vida e morte sobre mim. Mas ela existe somente para mim – delira mais uma vez a alma humana.

O surgimento perceptivo do primeiro objeto coincide com o nascimento do *Self* (a representação de si como individualidade. A noção de Eu). Para o psiquiatra e psicanalista austríaco Heinz Kohut, da mesma maneira que o sistema respiratório do bebê necessita de oxigênio para sobreviver, o Self nascente necessitará de um objeto que responda empaticamente às suas necessidades psicológicas (tal objeto Kohut denominou de *self-objeto*). O self-objeto é uma parte do Self a quem ele está apegado e apoiado. Estamos ainda no âmbito do narcisismo arcaico. O Self nascente é respingado de narcisismo. É um *Self Grandioso*, formulou Kohut. Mal saído da vivência aglutinada (indiferenciada), o Self em desenvolvimento

---

37   Etapa do desenvolvimento psíquico em que a mente começa a ser capaz de perceber os estímulos provenientes do meio externo, mais precisamente advindos do objeto materno. Rompe-se, assim, a barreira autista da onipotência narcísica primária, porém, percebida a díade bebê-mãe, a relação é fantasiosamente inflada pelo narcisismo anímico em que a onipotência é agora depositada na fusão ilusória com o objeto materno. A relação objetal, pois, é ainda narcísica, e o psiquismo vive uma unidade dual com a mãe.

perceberá o objeto (self-objeto) pelas funções que exerce sobre ele e não por sua existência autônoma e individual. O objeto, embora percebido, é de alguma maneira ilusoriamente entendido como uma extensão do Self. Diríamos que o objeto é uma existência exclusiva para o bebê. Tudo que existe fora dele é um ambiente-mãe. E a mãe funciona unicamente para o bebê e suas necessidades. Outra grande ilusão mental. A psique, mais adiante, irá constatar isto.

O Self é resultado das interações com as pessoas significativas do ambiente externo, afinal desde o prelúdio da vida extrauterina o ser humano (bebê) tem uma necessidade vital em relação a quem cuida dele, protege-o e nutre-o. Em vista disso, o surgimento do Self é um surgimento bipessoal (self e objeto). Sendo a alma humana naturalmente narcísica, ela, então, precisará encontrar eco no ambiente que se descortina. Nosso narcisismo, ao se perceber dependente, carece de respostas narcísicas empáticas daqueles que tomam conta de nós. Necessitamos, dizia Kohut, do *brilho no olhar materno*, ou seja, de uma mãe que realmente nos ache "a coisa mais linda do mundo", afinal o Self surgente é grandioso e exibicionista. Tais respostas validadoras são essenciais ao desenvolvimento do senso de autovalia ou autoestima da criança.

Nós todos temos necessidades narcísicas de nos espelhar e idealizar. E nosso primeiro espelho, assim como aquele em que vamos projetar os ideais narcisistas, é sempre o rosto da mãe (objeto cuidador). Dentro do entendimento da Psicologia do Self, pais empaticamente responsivos contribuem para que o Self Grandioso se transforme em ambições saudáveis. Do mesmo modo, pais idealizados são internalizados (imagem parental) como aspirações e valores – Kohut denominou isso de *Imago Parental Idealizada*. Daí a importância do papel e da função materna no expandir da pessoa humana.

As necessidades narcísicas não se esgotam na infância. Ao longo de toda nossa existência elas nos acompanham, em menor ou maior grau. Continuaremos por toda a vida carecendo de alguma maneira de *feedbacks* empáticos e aprovadores das outras pessoas a fim de preservar nossa autoestima. Daí a relevância dada por Kohut ao self-objeto com respeito às básicas necessidades humanas de espelhamento e idealização.

A mãe é o primeiro não-Eu da vida psíquica. E o pai é o primeiro não-mãe da criança. Sim, o objeto mãe não vive e respira somente para o seu filho. Sua existência não é atrelada a ele. O objeto materno – descobrirá mais tarde o psiquismo lactente – tem vida própria, assim como tem outros objetos a quem ama. Em uma linguagem apropriada da psicanálise chamamos este terceiro objeto (não-mãe) de pai. Não que a criança pequena não reconheça a existência de outras pessoas além de sua mãe. Porém tudo e todos têm a função materna, isto é, estão ali para cuidar dela. Nesse ponto, quando um Ego se consolida na alma, faz desse Ego a idealização de ser ele o centro do mundo. Chamamos isto de *egocentrismo*.

Outra importante ferida narcísica: a criança não é o centro do mundo. Decididamente crescer psicologicamente é diminuir. Diminuir o tamanho do narcisismo pertencente à alma humana. Somos desde cedo puramente egoístas eególatras. Somos desde criança egocêntricos. E, como detalharemos mais a seguir, no fundo do fundo da nossa alma nunca deixaremos totalmente de ser ainda um pouco (ou muito, depende da maturidade individual de cada um) tudo isso. Nunca nos livraremos totalmente do narcisismo intrínseco à nossa natureza, para o bem e para o mal.

Voltemos à primeira percepção do objeto ordinário. Postulamos que o narcisismo transformará tal objeto em um objeto para si. Entramos no âmbito da segunda fase do narcisismo e desenvolvimento humano, a qual Margaret Mahler denominou de *simbiose normal*, que se inicia aproximadamente entre o 2º e 3º mês de vida. Nessa época, já minimamente capaz de perceber e diferenciar a mãe, o bebê tem uma vaga e preliminar ideia tanto da existência dela quanto de que é ela quem atende e gratifica suas necessidades. O bebê começa a descobrir que não é ele mesmo quem atende e lhe supre. Porém, para a psique imatura, a mãe ainda é parte integrante de si, como se psicologicamente o cordão umbilical ainda não estivesse cortado. O bebê e a mãe, para o psiquismo do primeiro, formam uma união dual e simbiótica. A libido de Ego (antes voltada à própria mente e seu corpo) dirige-se à relação simbioticamente vivenciada. De certa forma, biologicamente há uma simbiose do organismo do bebê em relação ao organismo de sua mãe, afinal aquele não sobreviveria sem esta (ou seu substituto). Todavia, psicologicamente a mente mais uma vez se ilude e se engana, pois a simbiose de fato é unilateral, isto é, realmente o bebê não vive sem uma mãe, mas esta vive, enquanto pessoa, sem o bebê.

Antes da saída da simbiose (que segundo Mahler ocorrerá em torno 6º/8º mês), o objeto é fortemente investido de libido narcísica. "O objeto materno é tudo para mim – pensaria a mente – mas eu sou tudo para ele". Tal simbiose é caracterizada por uma mutualidade e troca de sinais e estímulos (alimentação, colo, toque, carinho, sorriso) entre ambos. De acordo com Mahler, "o bebê se comporta e funciona como se ele e sua mãe fossem um sistema onipresente – uma unidade dual dentro de uma fronteira comum". O objeto ainda não é um objeto inteiro e separado do self. É uma espécie de protótipo de objeto que marcará indelevelmente a alma humana. Podemos ver isto quando uma pessoa se apaixona e fantasiosamente crê que encontrou seu par perfeito, sua "cara-metade", e que os dois serão felizes para sempre. Um apaixonado tem, inclusive, a crença de que "não sabe viver sem o outro".

O bebê vai conhecendo o objeto materno progressivamente através do contato físico com ele. Trata-se no princípio de impressões turvas em que o corpo de ambos é sentido pelo psiquismo verde da criança como uma fusão de onde a exterioridade e a interioridade vão gradativamente sendo reconhecidas. É um contato predominantemente tátil, sonoro e visual, uma interação face a face. Nessa aglutinação psicológica há um descompasso entre o que faz e o que o bebê interpreta ilusoriamente. Dessa aglutinação, por meio de uma identificação primária do bebê com a mãe, emerge o embrião egoico conhecido como *núcleo estrutural do Eu*.

Quanto mais o bebê vai tomando posse subjetiva da noção de si, mais percebe sua dependência em relação ao objeto materno e seu desamparo na ausência deste. O sentimento de desamparo é devastador para a alma humana e é sua maior angústia. É diferente quando a pessoa acha que tudo é ela mesma (solidão essencial) e quando percebe que ela é tudo graças à pessoa que cuida dela. Do "eu sou o mundo" para "eu estou só no mundo sem minha mãe", o psiquismo fica exposto a sua própria vulnerabilidade e impotência. Tal discernimento é acompanhado de uma forte inquietação psíquica, pois a criança se sente abandonada ou privada de quem depende. O sentimento de desamparo, pois, tanto é consequência quanto causa da delimitação do Eu e da separação deste em relação ao não-Eu.

Por mais que o psiquismo primitivo narcisisticamente se iluda da simbiose com o objeto materno, a realidade da vida vai se impor e se estabelecer. A descontinuidade entre mãe e bebê vai se manifestar nas inevitáveis falhas maternas. Nem sempre a mãe pode oferecer-lhe o seio no exato instante que surge a fome, assim como pode oferecer o seio quando inexiste fome. Nem sempre ela pode estar presente fisicamente quando o bebê assim a demanda, assim como também nem sempre ela traduz com exatidão qual a necessidade de seu filho quando este chora. O objeto materno não é de fato um objeto ideal. Na realidade, a fusão/simbiose não é verdadeira pela própria realidade, ou seja, é impossível a mãe fundir-se de fato com seu bebê. Outra vez a sensação de onipotência terá que ser interrompida. Não existe bebê completamente satisfeito.

Desse período arcaico da vida humana levaremos seus resíduos psíquicos. Seremos sempre marcados pela experiência de nossa plenitude e onipotência ilusória. A mãe ultrapassada do tempo da simbiose normal permanecerá em nossa mais antiga memória como um traço mnêmico. O narcisismo, pois, não se esgota no primeiro tempo do psiquismo. Ele nos acompanhará enquanto vida tivermos, podendo evoluir de forma saudável ou patológica.

> "Egoísmo não é viver à nossa maneira,
> mas desejar que os outros vivam como nós queremos."
> (Oscar Wilde)

Ego ideal: o herdeiro do narcisismo

Freud postulou uma espécie de fase pré-narcísica antes do narcisismo propriamente dito. É o período do autoerotismo. Diz ele:

> uma unidade comparável ao ego não pode existir no indivíduo desde o começo; o ego tem de ser desenvolvido. Os instintos autoeróticos, contudo, ali se encontram desde o início, sendo, portanto, necessário que algo seja adicionado ao autoerotismo – uma nova ação psíquica – a fim de provocar o narcisismo.[38]

Para que haja um narcisismo propriamente dito terá de haver a unificação de um corpo, e não tão fragmentado como no autoerotismo. Pela visão que nos ofereceu Freud, no nascimento o indivíduo vive em uma espécie de "bolsa" de impulsos e pulsões indiferenciados (Id). Aos poucos, em contato com a realidade (mãe) é que nessa bolsa aparecerá uma casca chamada Ego.

---

38   "Sobre o narcisismo: uma introdução", op. cit., p. 93.

Um Ego que se supõe onipotente e perfeito é, portanto, um Ego ideal. Que maior ideal pode aspirar um Ego que não seja ser autossuficiente, não depender de ninguém ou qualquer coisa? Mas isso na realidade é uma quimera. Nascemos completamente dependentes de nossos cuidadores. A fantasia da outrora perfeição narcisista terá seu lugar no psiquismo humano naquilo que convencionamos chamar de *Ego Ideal*.

O Ego Ideal é uma instância psíquica originada das primeiras impressões e experiências do narcisismo primário, época em que o Ego rudimentar se achava possuído de toda perfeição, poder e completude. O Ego Ideal forma-se na alma humana como sinônimo de *tudo o que gostaríamos de ser, mas não somos*. Nesse sentido, o Ego Ideal é sempre maior e mais grandioso que o Ego Real. O Ego Ideal é o Ego idealizado do estado narcisista e protótipo da cobrança de perfeição que o psiquismo humano sempre se fará.

O Ego Ideal um dia já foi o Ego Real, porém um Ego Real da primeira infância que se achava possuidor de toda perfeição e valor. Aquele Ego Real, que na verdade era um Ego ilusório, foi desencantado pela realidade. O narcisismo magicamente desfrutado pelo Ego arcaico foi, então, deslocado para este novo lugar psíquico que ora nomeamos de Ego Ideal. A alma humana jamais abandonará a fantasiosa satisfação de perfeição que um dia sentiu.

O amadurecimento psíquico nos coloca frente a nossa própria imperfeição, mas a alma continuará buscando "recuperá-la" agora na forma de Ego Ideal, que projeta frente ao Ego Real o narcisismo perdido da infância, quando a mente se achava perfeita. Quem já não se pegou, adulto, por exemplo, culpando-se por suas falhas, embora racionalmente todos saibam que "ninguém é perfeito" e que "errar é humano"? O Ego Ideal pretende-se ser maior que a natureza e cobra do Ego Real este impossível: ser perfeito. E força coercitivamente a parte madura da mente (Ego Real) a sua sublime plenitude.

A mente vai cada vez mais se opondo e se conflitando com ela mesma. Inicialmente o psiquismo teve de "aprender" a se defender dele mesmo, isto é, dos seus impulsos cegos. Com a organização egoica a serviço do Princípio de Realidade, a mente começa a se autocontrolar. Com a gradual saída do narcisismo primário, a alma humana herda daquele período um Ego idealizado que passa a cobrar internamente que o Ego a serviço da realidade (Ego Real) corresponda a seus princípios e ideais narcisistas. Esse novo agente psíquico formado é a base germinal do que Freud denominou de Superego. Em seu primitivismo superegoico a mente cria um cobrador subjetivo que exige do Ego que ele cumpra seu determinismo narcisisticamente idealizado. É mais do que um modelo a ser seguido, é um modelo a ser cobrado.

A sobrevivência nostálgica do narcisismo perdido é para a alma humana um imperativo a ser atingido, um desejo de onipotência e perfeição. Quanto mais a autoimagem aspirada é grandiosa, mais o Ego Real sofre o risco de uma menor autoestima. A autoestima é uma valoração interna que o sujeito faz de si próprio. O amor e o valor que temos em relação a nós mesmos refletem na aceitação que cada um faz de si, e é um importante indicador de saúde mental. A relação entre autoimagem e autoestima muito tem a ver com a autoaceitação ou a autorrejeição.

A primeira imagem que a mente faz de si é uma imagem de ilusão narcísica. No período inicial da existência, quando a alma se sente em plena solidão existencial, seu espelho é ela mesma. Sendo o Ego Ideal o resíduo nostálgico da autoperfeição, um Ego Real fragilmente construído estará exposto aos ditames projetados do fundo do psiquismo, que projeta sobre o Ego presente um Ego imaginariamente passado e perdido de um arcaico narcisismo.

Uma parte da autoestima primária é remanescente daquele narcisismo infantil naturalmente vivido pela alma humana. O dano narcisista que sofreu a alma frente à realidade sobrevive nas profundezas do psiquismo. É dessas entranhas que o homem fixa o seu ideal e por ele avalia seu Ego atual. Em "Sobre o narcisismo: Uma introdução"[39] Freud assim esclarece:

> Esse ideal é agora alvo do amor de si mesmo (self-love) desfrutado na infância pelo Ego real. O narcisismo do indivíduo surge deslocado em direção a esse novo Ego ideal, o qual, como o Ego infantil, se acha possuído de toda perfeição de valor. Como acontece sempre que a libido está envolvida, mais uma vez aqui o homem se mostra incapaz de abrir mão de uma satisfação de que outrora desfrutou. Ele não está disposto a renunciar à perfeição narcisista de sua infância; e, quando, ao crescer, se vê perturbado pelas admoestações e pelo despertar de seu próprio julgamento crítico, de modo a não mais poder reter aque-

---

39 Op. cit, p. 111.

la perfeição, procura recuperá-la sob a forma de um Ideal de Ego. O que projeta diante de si como sendo o seu ideal é o substituto do narcisismo de sua infância na qual ele era o seu próprio ideal.

O ser humano é um ser de desejos. Quanto mais ele conhece a realidade de sua existência mais desejante se torna, pois desejo é falta, e a principal falta humana é ele não ser perfeito. A própria etimologia da palavra desejo nos revela. Desejo vem do latim *desiderium*. *Des* é um prefixo de negação e *siderium* significa astro, estrela (daí a expressão "espaço sideral"). *Desiderium*, portanto, etimologicamente representa "não ser astro", "não ser uma estrela". Narcisisticamente aspiramos ser onipotentes e perfeitos. Narcisisticamente gostaríamos de ser deus. Mas não somos, por isso desejamos.

O filósofo e escritor francês Jean-Paul Sartre certa vez firmou que "ser homem é tender a ser Deus; ou se preferirmos, o homem é fundamentalmente o desejo de ser Deus"[40]. O deus de que falamos não é o deus religioso, mas o deus do poder pleno, da infinitude e mortalidade, da genialidade e da perfeição. Ambiciona-se o paraíso do tempo em que a alma era única ou o Ego era tudo, era cósmico (Ego Oceânico). A ficção da onipotência acompanha a alma humana em seu nascedouro, antes até de existir a concepção de objetos. A onipotência é a mais primordial das fantasias do sujeito narcísico. "Poder tudo" e "tudo possuir" está na matriz do nosso inconsciente psíquico e é constituído pelo Princípio do Prazer. Como já exposto, da fase autista, em que a mente era somente ela, o narcisismo foi deslocado (projetado) para o primeiro objeto (não-Eu) que a psique reconhece (a mãe, ou mais precisamente o seio), criando-se assim uma relação simbiótica em que o objeto materno tem a função de satisfazer às necessidades do bebê.

A "saída do ovo" (simbiose) é a descoberta de que o objeto cuidador tem vida própria e separada do bebê. A onipotência desapontada, porém, continua no interior da alma de maneira recalcada e camuflada de inconsciente ao Ego Real pensante e *sapiens*. Antes de nos tornarmos realmente *homo sapiens*, somos primeiramente *homo fabulus*. A mente humana inicia o caminhar de seu desenvolvimento sendo fictícia e irrealisticamente mágica, imensa, fenomenal e prodigiosa. Acredita em suas próprias ilusões narcisistas. É na ausência da satisfação

---

40 *O Existencialismo é um Humanismo*, 3. ed., Nova Cultural, 1987.

plena (puro prazer) que a mente do bebê inicia seu contato com o real e a realidade. É na relação da criança pequena com as faltas maternas que se principia o desabrochar da simbiose normal, ou seja, o dissociar do bebê de sua mãe. A onipotência de uma mente madura nada mais é do que nosso mais secreto e profundo desejo inconsciente (Ego Ideal).

O conflito interno entre o Ego Ideal e o Ego Real persistirá – com maior ou menor intensidade – na alma vida afora. O Superego funciona como uma espécie de *agente psíquico especial*, responsável pelo aquilatar do Ego Real em consonância com o Ego Ideal. O Superego no âmbito do ideal pode ser um ditador ferrenho e severo, um suserano implacável a escravizar o Ego Real com suas reivindicações e cobranças idealizadas. Do ponto de vista da economia psicodinâmica (distribuição da energia psíquica), quanto mais o Ego Ideal for inflado de libido (energia) e supervalorizado, mais o Ego Real se encontrará empobrecido e sofredor das consequências de uma elevada baixa autoestima.

A perfeição divina que a alma demanda se manifesta ou em uma autoimagem inflada a partir de suas raízes narcisistas ou se cobra inconscientemente na opressão que faz o Ego Ideal sobre o Ego Real. O Ego Ideal muitas vezes tem a força psíquica de humilhar o Ego amadurecido e atual. Assim, muito do sofrimento humano advém do embate entre o ideal *versus* o real. A euforia de uma conquista, ou o êxito inicial, é acompanhada por uma insaciável exigência psíquica por mais. O Eu, quando é exageradamente idealizado, portanto, não encontra guarida na realidade. As vitórias do indivíduo são sempre menores ou insignificantes com a voracidade de perfeição do Ego Ideal. É tarefa psicoterapêutica, por exemplo, aproximar o Ego Ideal do Ego Real, isto é, diminuir a cobiça narcísica do Ego Ideal e suas imposições intrapsíquicas. O amadurecimento da mente passa pelo fortalecimento do Ego Real frente ao Ego Ideal. Desse modo, crescer é diminuir. O desenvolvimento psíquico rumo à maturidade possível implica reduzir nosso narcisismo e egoísmo humanos.

> "O egoísmo não é amor por nós próprios,
> mas uma desvairada paixão por nós próprios."
> (Aristóteles)

O NASCIMENTO DO SUJEITO

De todos os infortúnios que afligem a humanidade,
o mais amargo é que temos de ter consciência de
muito e controle de nada.
Heródoto

A consciência de si

A consciência de si (Self) é inicialmente caótica, difusa e imprecisa. Estamos neonaticamente mais próximos do animal que somos. A percepção que o recém-nascido tem de sua existência é sensorial e motora. Porém, a consciência de si começa a se formar desde cedo e necessita de um vagaroso processo de assentamento dentro do psiquismo. Para Henri Wallon, a constituição do Eu é indissociável da construção do não-Eu. Em 1931 ele nos oferece a perspectiva de que o processo de estruturação da imagem corporal é o ponto de partida para a constituição do Eu psíquico, que tem início em uma fase em que a mente pueril (lactente) não se distingue do meio social e físico em que vive, embora o ser humano seja, para Wallon, geneticamente social. Descobrindo os pés e as mãos o bebê vai conhecendo os limites de seu corpo.

A consciência de si não acontece por acaso. A natureza humana é geneticamente programada para isso, salvo haja algum dano ou comprometimento significativo e irrecuperável neuropsicológico. Nascemos com uma *tendência inata ao crescimento*, nos dizeres de Winnicott. O amadurecimento psíquico e pessoal se constitui do interagir da tendência inata ao crescimento (nature) e do ambiente cuidador e facilitador (nurture) representado na expressão winnicottiana *good enough mother* (mãe suficientemente boa, conceito que será apresentado mais adiante).

Evidente que o suporte psicológico é o corpo (ente biológico). Ser um organismo vivo nos impõe necessidades fisiológicas como respirar, beber, comer, descansar, dormir, entre outras. As questões biológicas e ambientais (físicas e sociais) em que o indivíduo vive geram condições às questões psicológicas. Questões psicológicas são sentimentos, desejos, pensamentos e comportamentos resultantes dos chamados fenômenos psíquicos. Do embate entre a alma lastreada pelo biológico e a realidade ambiental vai se desenvolver o Ego e o Eu humanos. Como dizia no final do século XIX um dos fundadores da psicologia moderna, o americano William James, o Eu é sentido como ente interior, subjetivo, quando o indivíduo se reconhece no espaço "adimensional" de sua intimidade, isto é, quando o Eu é sentido assim como o corpo é sentido.

O sistema nervoso humano não está pronto logo ao nascer. Incompleto e inacabado, o sistema nervoso vai se desenvolvendo, preparando as condições para a eclosão no psiquismo do Self (consciência de si). A descoberta do corpo pelo psiquismo é uma dupla descoberta: a descoberta do corpo somático e a descoberta do Eu enquanto corpo relacional, isto é, de um corpo que se relaciona com outro corpo (mãe). A descoberta do corpo relacional coincide com o surgimento da diferenciação entre o Eu e o não-Eu.

Um Eu sozinho não existe, não no sentido de uma vivência única e absoluta. Mesmo que fora do psiquismo ensimesmado possa não ter outra pessoa, existe o mundo externo que não é uma extensão psíquica de lactente. A diferenciação entre mundo interno (subjetividade) e mundo externo (objetividade) é a condição *sine qua non* para que o psiquismo construa concomitantemente a sua noção de Eu.

A individuação na psique é progressiva. Em seu início ela é caótica, nebulosa, fragmentada e vaga, momento em que a mente e a realidade exterior se confundem e se mesclam em uma solidão existencial. É o momento autista, anobjetal e amúndico. É a fase em que a alma se encontra inserida em uma espécie de *vesícula autista*, mas dela sairá tanto por seu desenvolvimento neurofisiológico quanto pela ação do meio e das interações interpessoais. Vai ocorrendo gradativamente uma bipartição do estado fusional da mente para uma relação de fato entre o Eu e o não-Eu.

O primeiro não-Eu do psiquismo é o objeto materno (mãe). Do estado inicial de indiferenciação e consequente falta de consciência do objeto externo materno da fase da vesícula autista, a mente lactante vai reconhecendo que a satisfação de suas necessidades vem de fora, de algum lugar externo ao seu corpo. Acredita-se que em torno do segundo mês de vida aproximadamente a psique começa a ter consciência da existência do objeto materno. Rudimentarmente, porém, o psiquismo ingressa em uma posição frente ao objeto (mãe) de maneira simbiótica.[41]

A presença real e afetiva do outro é elemento essencial e fundante para a formação do Eu subjetivo. A realidade objetiva não é mais vista como uma extensão da realidade subjetiva. Pelo contrário, as duas realidades (interna e externa) muitas vezes são antagônicas. Alguém já disse que a realidade é o oposto do sonho. A psique, agora, tem de começar a aprender a lidar com o fosso entre desejo e realidade. O estado do mundo é na maioria das vezes incongruente com nossos imperiais desejos regidos pelo Princípio do Prazer.

A consciência de ser separado do objeto materno eclode simultaneamente ao nascimento do Eu. Vários autores deram nomeações diversas a esse crucial estágio do desenvolvimento humano, como, por exemplo, *Posição Depressiva* (Melanie Klein), *Fase do Espelho* (Jacques Lacan), *Posição Autista-Contígua* (Thomas Ogden) ou *Separação-Individuação* (Margaret Mahler), entre outros.

A descoberta de que o mundo é muito maior, mais amplo e complexo do que a mãe da fase bebê-mãe (simbiose normal) não retira da alma humana seu natural narcisismo original. O surgimento da noção de Eu no psiquismo é seguido de claro egocentrismo. O termo tem origem grega que junta Ego (eu) + *kentrós* (centro), isto é, *eu no centro*. Na infância, o egocentrismo é inversamente proporcional: quanto menor a idade da criança, maior seu egocentrismo. Trata-se de um aspecto normal do desenvolvimento humano. É como se a mente dissesse: "já que o mundo não me pertence eu sou o centro do mundo".

Graças à maturação fisiológica e pelos cuidados maternos inicia-se, nos dizeres de Margaret Mahler, *o processo de separação-individuação*, que tem seu prelúdio na diferenciação/saída da simbiose (algo entre o 6º e o 8º mês aproximadamente) e que vai até a consolidação da individualidade, por volta do 3º ano de vida. Segundo Mahler, a fase separação-individuação é caracterizada pelo constante aumento da

---

41 Margaret Mahler denominou esta fase de simbiose normal, que é quando o psiquismo já tem a mínima capacidade de perceber o objeto externo e de se diferenciar dele. Embora já conceba a existência do objeto, o psiquismo lactente o vê como parte integrante de si, no sentido de formar com ele uma relação dual simbiótica em que toda a energia psíquica é nela investida.

consciência do desenlaçar entre o Self e o outro que, ao mesmo tempo, coincide com as origens do próprio Self e da consciência da realidade do mundo externo.

O processo de individuação lança o psiquismo rumo à autonomia psíquica. Paralelamente, a maturação muscular e neuromotora igualmente propicia à criança a locomoção para distanciar-se do corpo materno, primeiro engatinhando e depois com as próprias pernas, explorando o mundo e os outros objetos, embora ainda o objeto prevalente seja o materno. Observando a vida, nota-se que crescer é ir se afastando cada vez mais da mãe.

A consciência de si é uma realidade pensante para a alma humana. É uma espécie de iluminação psíquica, e é um fenômeno evolutivo tardio, pois representa de fato o nascimento psicológico, que é posterior ao nascimento biológico. Este Eu que começa a brotar dentro da mente já traz dentro de si rudimentares traços mnemônicos de suas etapas anteriores. Tais lembranças sem palavras formam, com outras que virão nos próximos primeiros anos da infância, o subsolo do nosso psiquismo e esteio da estruturação do sujeito.[42]

A constituição subjetiva do si na psique é um processo natural, porém conta com a influência do ambiente. Quanto mais ajustável for o ambiente a esse processo, mais ele contribuirá para o emergir de um Eu relativamente autônomo. Nascemos com um propósito psicológico a cumprir: constituir um Self. É a primeira grande conquista básica no desenvolvimento emocional do sujeito. O estágio do "Eu sou" é quando a alma deixa de ser uma experiência de unidade psique--soma para ser uma psique que vive no soma. Como disse Winnicott, "cada ser humano, dado um ambiente facilitador, contém intrinsicamente o impulso para o crescimento em direção à maturidade tanto emocional quanto física"[43]. O Ego, inicialmente corporal, torna-se agora um Ego psicológico e relacional.

Como continuaremos vendo, o psiquismo lactente sai de uma fase de narcisismo primário (em que não existe percepção de objetos externos) para uma fase na

---

42 Porém, serão lembranças (registros mnêmicos) inconscientes. Freud nomeou esse período "esquecido" pela consciência como *amnésia infantil*. A amnésia infantil está relacionada à imaturidade funcional da mente lactente e pueril dos primeiros anos de vida. Embora uma criança já possa possuir percepção, raciocínio e linguagem, tais lembranças não se fixam na memória evocativa ou descritiva. Para Freud, a amnésia infantil tem por base a sexualidade pré-edípica e edípica da infância.
43 Apud Madeleine Davis e David Wallbridge, *Limite e Espaço: uma introdução à obra de D.W. Winnicoott*, Imago, 1982.

qual é capaz de perceber o objeto que satisfaz suas necessidades (mãe). O narcisismo primário (quando a mente investe toda sua energia em si mesma) vai dar lugar à simbiose normal (em que a energia é investida no objeto e na unidade dual). É como se a alma humana fosse aos poucos saindo do seu estado inicial de sonolência fetal – narcisicamente voltada para si mesma – e entrando em estado de vigília, acordando para o mundo externo. Segundo Margaret Mahler:

> Do segundo mês em diante, o bebê se comporta e funciona como se ele e sua mãe fossem um sistema onipotente – uma unidade dual dentro de um limite comum. Estado de fusão com a mãe, no qual o eu ainda não é diferenciado do não-eu, e no qual o dentro e o fora só aos poucos vão sendo sentidos como diferentes. Neste estágio, a criança se comporta como se não pudesse nem mesmo distinguir claramente seu corpo sensório-físico do de sua mãe e do ambiente ao redor.[44]

O objeto materno nasce para o psiquismo lactente semanas após o nascimento biológico. Progressivamente, a psique vai se familiarizando com seu primeiro objeto externo, que será, ao mesmo tempo, seu parceiro simbiótico. E assim o mundo externo vai se descortinando para a alma humana.

O poeta inglês do século XVII Jonh Donne já citava que "nenhum homem é uma ilha, completo em si próprio; cada ser humano é uma parte do continente, uma parte de um todo".

O ambiente e seus objetos

Nascemos desamparados e completamente dependentes dos cuidados maternos.[45] Impossível à sobrevivência humana a privação de tais cuidados parentais. Se para

---

44 *O nascimento psicológico da criança*, Artmed, 2002, p. 53.
45 Os seres humanos são prematuros e inacabados ao nascer. No nascimento, nosso cérebro tem apenas cerca de 25% da dimensão que terá na vida adulta. Tal inacabamento estende o período infantil no ser humano. O desenvolvimento cerebral se faz em contato constante com o meio ambiente físico e social. A falta de acabamento ontogenético e o consequente prolongamento da infância na espécie humana nos coloca em uma condição neotênica. Neotenia é a disposição para conservar na idade adulta traços infantis ou larvais. Analogamente à

a mente imatura das primeiras semanas de vida extrauterina o existir é um deserto não simbólico, apenas habitado por ela mesma e onde vive suas sensações, incômodos e prazeres, o mesmo não acontece na realidade factual do bebê, pois *bebê sozinho não existe*. Em sua origem o psiquismo é um conjunto desordenado, descontrolado e tumultuado de zumbidos, clarões, sombras e penumbras estranhas e incompreensíveis, quando o bebê ainda não tem noção de si nem do mundo externo e seus objetos. O desamparo e a percepção da dependência ainda não se fizeram presentes no interior da alma humana. A onipotência impera, mas é uma ilusão que será progressivamente desfeita à medida que a realidade for se impondo.

Do universo primitivo em que o psiquismo incipiente se acha imerso vai desabrochar o sujeito humano que nos tornaremos. Desse período ilusório em que predomina inteiramente a fantasia de que se é tudo e o tudo é criado pela própria mente, seus resquícios ficarão inextinguíveis pelo resto da vida dos indivíduos nas raízes e subterrâneos de suas psiques.

O organismo biológico do bebê se apoia anacliticamente[46] em outra corporeidade (mãe). Como o corpo é uma entidade sensível, o movimento de aproximação e afastamento que faz o corpo materno, conjugado à maturação neurofisiológica, vai possibilitando e permitindo ao psiquismo ensimesmado a descoberta da existência real do objeto. Se a alma fosse tão onipotente como se sente o bebê, jamais se frustraria – o que não é o caso. Devemos, pois, às inevitáveis frustrações o delimitar da imagem do objeto no psiquismo, seus limites e ausências. Com isso, a onipotência vai se quebrando pouco a pouco, e o objeto, então, vai se apresentando à mente infantil.

O mundo externo não é algo estático e inerte à espera de ser descoberto pelo psiquismo pueril. Pelo contrário, o mundo externo, o ambiente que cerca o bebê,

---

borboleta, o ser humano tem suas fases de ovo, larva, lagarta, crisálida e imago (adulta). Não é à toa que o símbolo da alma humana na Grécia Antiga era personificado em uma mulher jovem com asas de borboleta.
46   Anaclítico vem do grego *anáklisis*, que faz menção à posição inclinada para trás característica de uma pessoa acamada. Freud utilizou o termo para referir-se à tendência humana de se apoiar em alguém. Segundo Freud, a escolha anaclítica de objeto é baseada nas figuras parentais, ou seja, ser amado como uma criança foi pelos pais. Tal influência na escolha do objeto amoroso tem raízes no passado remoto infantil, quando as pulsões sexuais (libido) estão apoiadas nas pulsões de autoconservação/sobrevivência (nutrição). Diz respeito, portanto, a uma forte dependência emocional em relação a alguém.

é vivazmente atuante e determinante sobre o psiquismo em formação. Sobre o bebê atuam forças biológicas (alimentação), psicológicas (afetos) e sociais (cultura). A criança vai ser cuidada e alimentada de leite, afetos, desejos, moral e cultura. Nascemos, pois, já herdeiros da subjetividade dos nossos pais, de suas biografias, narcisismos, frustrações e da rede social e cultural a que eles pertencem.

O primeiro espelho da alma é o olhar e o rosto da mãe. Vemo-nos, assim, inicialmente a partir de como nossos primeiros objetos nos veem. E o que possivelmente vê a mãe quando olha o seu filho? "Vários bebês", nas palavras do psiquiatra e psicanalista francês Serge Lebovici. Segundo ele, além do filho real, temos o bebê imaginário, o bebê fantasmático e o bebê mítico. O bebê imaginário é fruto dos desejos e fantasias conscientes da mãe. Já o bebê fantasmático é essencialmente inconsciente, com origens que remetem às raízes infantis, no desejo edípico da menina que uma dia a mãe foi. O bebê mítico, para Lebovici, é o conceito de bebê cultural da cultura à qual a mãe pertence. Há ainda o chamado bebê narcísico, que é o bebê do próprio narcisismo materno. Todas essas representações psíquicas (conscientes e inconscientes) se mesclam e se alternam nas trocas psicoativas da mãe com seu bebê real. Daí a importância, destaca Lebovici, da adaptação dos pais às necessidades do bebê concreto, ao invés de tentar fazer este adaptar-se às demandas imaginárias, fantasmáticas, culturais ou narcisistas deles (que aqui conjugaremos como "bebê ideal").

Antes de um filho chegar ao mundo, seus futuros pais, mormente a mãe, já se encontram "grávidos" dele. As representações parentais sobre o bebê imaginado envolvem desejos (conscientes e inconscientes), aspirações, expectativas, medos, memória, sonhos e fantasias que nem sempre encontrarão eco no bebê real. A maternidade envolve, assim, dois mundos, a saber: o representacional (interno) e o real (externo). Na subjetividade dos pais, sobretudo da mãe, coabitam tanto a representação consciente do bebê esperançado e querido quanto a representação da mãe em relação à sua maternidade idealizada. Desde, portanto, a gravidez, o feto já se vê envolto em uma rede intercombinatória de significados. Pode-se considerar, por conseguinte, sendo o olhar e o rosto da mãe o primeiro espelho de uma criança, que muito da percepção do bebê sobre seu próprio comportamento está atrelada às expectativas e atribuições parentais.

O sistema psíquico iniciante, ainda meio cru, rústico e inacabado, sofre fortes influências dos ideais de quem cuida do bebê, cuja psique tenderá a refletir uma imagem que lhe está sendo projetada. Nesse sentido, as primeiras representações da criança sobre si mesma, em grande parte, serão plasmadas e amoldadas aos ideais que lhe chegam de fora.

O bebê real e o bebê ideal se confrontam à medida que a criança cresce. Winnicott utiliza-se dos termos *Verdadeiro Self* e *Falso Self* para descrever o impacto de tal embate na formação do psiquismo infantil. A alma humana nasce com potencial de crescimento, porém necessita das experiências com o ambiente para validar sua existência. O Verdadeiro Self não está pronto e estabelecido ao nascimento, ele é um potencial. É por meio da experiência do contato com os outros que lhe cercam (ambiente social primário) que o Self poderá se desenvolver otimamente em seus potenciais inatos ou não. O ambiente pode ser facilitador ou dificultador de tal processo. O Verdadeiro Self é em si um Self-essência que necessita para seu crescimento ser experimentado como uma continuidade do ser. Através de um ambiente que lhe seja facilitador, ele vai adquirindo uma realidade subjetiva e pessoal que lhe faz manifestar-se como real.

Pelo exposto, desde o estágio de dependência absoluta, alicerce da confiança básica,[47] o bebê e seu psiquismo encontram segurança em um ambiente facilitador (que seja responsivo e valorativo aos potenciais e necessidades da criança) e sem ameaças à sua continuidade do ser, manifestando um sentimento interior de Verdadeiro Self que se expressa externamente em congruência aos seus potenciais. A constituição subjetiva é, assim, acompanhada de um ambiente que não lhe seja intruso ou, ao menos, pouco intruso.

Neste encontro bebê-ambiente, quando não há adequação dos cuidadores aos movimentos autênticos da criança, o processo de maturação pode ficar comprometido. Quando se quer impor o bebê idealizado ao bebê real temos uma intrusão

---

47 Para o alemão Erik Erikson, que fez carreira como psicanalista infantil nos EUA, o desenvolvimento humano é feito em fases críticas (crises normativas), cuja superação de cada etapa pelo aspecto positivo do conflito psicossocial evolutivo faz crescer um Ego mais forte e estável. A fase oral (1o ano) é o período em que o bebê mantém seu primeiro contato social através de seus provedores. Nesse estágio inicial do desenvolvimento emocional e da personalidade é que surge a confiança ou desconfiança em relação ao objeto cuidador, que pode lhe passar segurança ou insegurança. Se o psiquismo nascente e imaturo encontra um ambiente em que se sente hostilizado ou ameaçado, o Ego iniciará seus primeiros passos na vida de maneira defensiva e desconfiada. Um ambiente que passa segurança contribuirá para o interior senso de confiança básica que acompanhará o indivíduo em seus futuros e outros relacionamentos pela vida inteira.

do narcisismo parental no psiquismo prematuro. Como escreve o psicólogo britânico Adam Phillips, em seu livro *Winnicott*,[48] "a mãe implementa no sentido de realizar o gesto do bebê através de sua própria resposta. Se ela é incapaz de responder a ele através da identificação, ele deve compulsivamente se submeter para poder sobreviver".

Quando os potenciais da criança (Verdadeiro Self) precisam ocultar-se ou proteger-se, desenvolve-se em seu lugar um Self adaptativo (Falso Self). Trata-se de uma espécie de substituição das autênticas emoções em troca de uma configuração psicológica mais adaptável, ao que se supõe ser mais desejada e amada por seus cuidadores. Com vistas, pois, de resguardar-se do risco de não ser amada ou abandonada, a criança pequena vai formando sua personalidade e pessoa de maneira distorcida dos seus verdadeiros potenciais agora inibidos. Uma personalidade, portanto, não genuína e mascarada por uma imagem que mais reflete o que os outros queriam de nós do que nós poderíamos ser. Fernando Pessoa, em seu poema "Tabacaria", fala disso no trecho dos seguintes versos:

"...
Fiz de mim o que não soube,
e o que podia fazer de mim não o fiz
O dominó que vesti era errado.
Conheceram-me logo por quem não era e não desmenti,
e perdi-me.
Quando quis tirar a máscara
estava pegada à cara.
Quando a tirei e me vi no espelho,
já tinha envelhecido.
..."

Winnicott descreve que a acomodação às necessidades parentais em detrimento das suas tende a levar a criança ao desenvolvimento de uma *personalidade falso self*.[49] O filho, assim, cresce mostrando apenas o que dela é esperado. Sua

---
48   Ideias & Letras, 2006.
49   Helene Deutsch, psicanalista polonesa, designava-a de personalidade "como se", na qual a pessoa mantém uma relação emocional com o mundo empobrecida. Trata-se de uma orga-

personalidade encontra-se fundida com a imagem idealizada de seus pais. Com isso, diz Winnicott, há um empobrecimento do ser, que esvaziado vive a vida de maneira insatisfatoriamente não espontânea. O indivíduo não conhece seus verdadeiros sentimentos e desejos, ou se os conhece não se permite experimentá-los ou expressá-los. Certo vazio, consequentemente, habita angustiosamente a alma humana. O vazio do Verdadeiro Self isolado, que não pode ser quem se poderia ser. Muitas infâncias, logo, podem ter sido caladas a gritos, ou pela indiferença narcisista dos pais pelo filho real.

Toda função materna é exercida por meio de gestos, comportamentos e ações. Quem cuida do bebê vem e vai (aproxima-se e afasta-se), pois somente uma mãe perfeita seria capaz de estar eternamente próxima. Esse movimento centrípeto e centrífugo faz com que, no psiquismo do bebê, vá se construindo uma pessoa com base na confiança ou desconfiança de seu objeto cuidador (primeiro ambiente externo à psique). O movimento alternante e constante de aproximação e afastamento dá contornos subjetivos importantes e fundamentais ao desenvolvimento das capacidades extrovertidas e introvertidas da pessoa em edificação. Quem cuida do bebê (função materna) deve saber tanto estar presente quanto ausentar-se. Como já visto, essa capacidade dupla da função materna eficaz foi denominada por Winnicott de *mãe suficientemente boa*. A mãe suficientemente boa é aquela capaz de oferecer ao filho condições adequadas (físicas e psicológicas) às necessidades dele. É uma mãe não simbiótica, que supre as necessidades infantis, mas que também é falha e imperfeitamente humana. Trata-se de uma mãe que dá espaço para a confrontação das insatisfações pueris narcísicas. Uma mãe afetivamente próxima, mas não tanto a ponto de ser intrusiva ou envolvida, nem tão distante a ponto de ser ausente ou retraída.

No princípio o ambiente é a mãe, relação esta que será matriz das futuras e demais relações humanas. A mãe é o ambiente, e é por meio dela que o resto do mundo externo vai começando a se apresentar. A relação mãe-filho tanto é primordial como faz parte do roteiro básico da vida de qualquer ser humano, inescapável e inevitavelmente. Não há vida sem mãe. A função materna, portanto, é vital. Sem ela não existiria humanidade.

---

nização de personalidade de caráter imitativo, faltando-lhe autenticidade.

Pelo exposto, a forma de maternar tem influência direta no descortinar do mundo para a alma. O bebê é uma "pessoa em marcha", cujo impulso à vida e ao crescimento rumo à autonomia e à independência são inatos, porém dependentes de um ambiente que lhe facilite tal caminhar e desenvolvimento.

O psiquismo lactente usa o objeto cuidador (mãe) como base de segurança. À medida que o cuidador e o bebê interagem ao longo do tempo, paralelamente constrói-se na mente imatura em desenvolvimento um padrão de interação emocional e comportamental. Tal padrão (modelo interno de funcionamento) é denominado de *apego seguro*.[50] O psiquiatra e psicanalista inglês John Bowlby e a psicóloga norte-americana Mary Ainsworth apontam que um apego seguro no início da infância é necessário ao desenvolvimento da competência social na alma humana.

Os psicólogos e pesquisadores norte-americanos Cindy Hazan e Phillip Shaver[51] empregaram a teoria do apego em seus estudos sobre relacionamentos afetivos entre adultos, e observaram que as interações entre parceiros íntimos apresentavam similaridades com as interações infantis das crianças com seus principais cuidadores. A proximidade e presença física de um parceiro amoroso assossega o indivíduo, enquanto sua ausência provoca ansiedade e sentimentos relacionados à solidão.

Bowlby concebeu o apego como um mecanismo de comportamento biologicamente programado, que funciona como um sistema de controle homeostático. A homeostase é a tendência de certos organismos para o equilíbrio de componentes fisiológicos e do metabolismo (temperatura estável do corpo, por exemplo) por meio de alguns procedimentos de regulação inter-relacionados. Nesse sentido, dizia Bowlby, o relacionamento inicial do ser humano com seus progenitores é instaurado por meio de um conjunto de sinais inatos que são reivindicatórios de proximidade. Devido a essa demanda por proximidade no organismo e na natureza humana, verdadeiros vínculos afetivos se desenvolvem e se estabelecem.

---

50   Apego é um vínculo afetivo entre o indivíduo e o outro (figura de apego). Devido à condição neotênica do ser humano, enquanto criança pequena ele instintivamente se apega a quem dele cuida. O ser humano necessita na infância de segurança e proteção, e o encontro de um cuidador (objeto materno) que seja responsivo aos seus sinais propicia o crescimento da vivência de estados emocionais positivos e a diminuição da vivência de estados emocionais negativos. Esta maior vivência de estados emocionais positivos vai dando ao psiquismo pueril mais confiança na habilidade de autorregulação ou modulação afetiva.

51   Hazan, C. e Shaver, P., "Romantic Love Conceptualized as an Attachment Process", in *Journal of Personality and Social Psychology*, 52(3), 1987, p. 511-524.

Essas primeiras experiências relacionais se estenderão no psiquismo vida afora em nossas expectativas pessoais, com o mundo e com os outros. Isso ocorre porque representamos psiquicamente as experiências primitivas em modelos de funcionamento interno. O ser humano constrói um modelo representacional interno de si mesmo, em conformidade com a maneira com que foi cuidado. Através dos modelos internos de funcionamento, desenvolveremos uma tendência a recriar em nossas relações *a posteriori* (vida adulta) padrões psicológicos de apego primário. Dentro dessa perspectiva, pode-se afirmar que os padrões vinculares estabelecidos na infância psíquica inclinam-se a durar nas diversas etapas do ciclo de vida humano.

"No mais fundo de ti,
eu sei que traí, mãe

Tudo porque já não sou
o retrato adormecido
no fundo dos teus olhos.
(...)
Mas — tu sabes — a noite é enorme,
e todo o meu corpo cresceu.
Eu saí da moldura,
dei às aves os meus olhos a beber

Não me esqueci de nada, mãe.
Guardo a tua voz dentro de mim.
E deixo-te as rosas.

Boa noite. Eu vou com as aves."
(Eugénio de Andrade)

Objeto interno e objeto externo

Nascemos ocos de objetos. Na fase preliminar da vida a alma é anobjetal. Trata-se de um período inaugural do psiquismo humano frente à vida extrauterina. Podemos também chamar de uma etapa pré-objetal. Isto, porém, não significa dizer que o psiquismo é vazio. Não. O mundo interno da mente de um neonato já é povoado de emoções e pulsões, além de registros psíquicos da vida fetal anterior. Quando se fala em objetos estamos a falar de representações internas de vivências com objetos (pessoas, coisas, eventos) externos. O termo objeto interno refere-se a uma impressão mental (registro/imagem) de uma experiência com algo que para a psique é um não-Eu. Pela perspectiva intrapsíquica, o investimento libidinal (energia psíquica) está relacionado às reproduções dos objetos externos na mente. Estes têm significados e representações. Quando dizemos "eu amo fulano", estamos dizendo "eu amo o que fulano representa para mim". A energia psíquica não sai da mente e se dirige a algo exterior a ela. A energia psíquica é uma energia intrapsíquica.

Como vimos, o primeiro objeto externo (pessoa) da vida humana é a mãe (ou seu substituto), ou mais precisamente o seio – o chamemos de objeto primário ou objeto materno. Quando o bebê se amamenta no seio materno, experimenta sensações de enorme satisfação, seja pelo aspecto nutricional propriamente dito, seja também pelo prazer nele gerado. Tais experiências satisfatórias e prazerosas ficam registradas na memória psíquica. O seio, assim como a mãe, passa a se transformar introjetivamente em um objeto de memória (objeto interno).

Aqui se faz, portanto, útil abrir um espaço para as ideias kleinianas, que deram mais luz às profundezas da alma humana em seu período mais primitivo, arcaico e remoto.

PENSAMENTO KLEINIANO

A psicanalista austríaca Melanie Klein, junto a Freud, é uma importante e histórica desbravadora das profundezas da alma humana (fase oral). Ela entende que o bebê já nasce com uma espécie de Ego rudimentar no psiquismo e que é capaz, desde cedo, também de maneira rudimentar, de estabelecer uma relação objetal. Trata-se de um pressuposto Ego tosco, mas que abre espaço teórico para Klein formalizar diversos construtos impressionantemente válidos e úteis para entendermos e manejarmos o psiquismo humano. Nesse estágio bastante primitivo do Ego, Klein visualizou o bebê nascendo desde logo imerso no que ela chamou de *Posição Esquizo-Paranoide*. Segundo Klein, no nascimento já há um mínimo Ego suficiente para experimentar frustrações, fantasias e ansiedades. Tal Ego rudimentar é exposto desde cedo a uma relação tosca com o objeto externo (seio). Para ela a agressividade (energia agressiva) é inata e o bebê a vivencia com o objeto prematuramente.

As primeiras experiências com o objeto materno e as sensações sentidas pelo bebê são de duas ordens: agradáveis (prazerosas) e desagradáveis (desprazerosas). O psiquismo imaturo, percebendo que as sensações de prazer e desprazer, mormente as relacionadas com a amamentação, vêm do objeto, é ainda incapaz maturativamente de perceber que o objeto de onde lhe vem o prazer é o mesmo objeto que lhe frustra e, assim, mantém o desprazer. Dessa forma, a mente vivencia uma posição de duplo objeto. Um objeto alimenta e sacia a fome; o outro não alimenta (ou sonega) e lhe frustra. Por psiquicamente ainda não ser possível integrar os dois objetos em um (mãe/objeto total), o bebê parece estar se relacionando com um seio que gratifica e outro que lhe desaponta. Daí a ideia kleiniana de chamar o objeto da Posição Esquizo-Paranoide de *objeto parcial* (seio/objeto parcial).

Na Posição Esquizo-Paranoide o bebê dirige a agressividade ao objeto frustrador (por Klein chamado de *seio mau*) e a libido (afetos primitivamente amorosos) ao objeto gratificante (*seio bom*). O objeto materno é experimentado de maneira dual e dividida: seio bom e seio mau. Sendo, pois, a mente naturalmente imatura incapaz de perceber que não há seio bom (objeto parcial) e seio mau (objeto parcial), mas sim um objeto inteiro e total (mãe), que às vezes gratifica e que também às vezes frustra, a chamada Posição Esquizo-Paranoide é uma posição da psique em relação ao objeto materno cindida, isto é, uma relação divalente, em que o seio bom é idealizadamente ideal, pois qualquer coisa que for ruim ou desagradável vem do outro objeto (seio mau).

Dentro do universo teórico kleiniano também se observa a questão narcísica, tendo em vista as características de idealização e onipotência estarem projetadas no seio bom. Embora a linguagem kleiniana seja cheia de metáforas e imagens complexas, o que pode comprometer o leitor apressado a fazer uma leitura truncada e enviesada, ela é bastante esclarecedora tanto do funcionamento da alma humana em sua fase oral quanto do comportamento humano na vida inteira.

A Posição Esquizo-Paranoide é superada com o amadurecimento do psiquismo. Em condições saudáveis de desenvolvimento, o psiquismo primitivo começará a sentir e perceber que o seio bom e o seio mau são na realidade partes de um mesmo objeto que é a mãe (objeto total, não mais objeto parcial). Nesse sentido, perceber a mãe como total faz do Ego igualmente um Ego total, que é capaz de amar e odiar um mesmo objeto (ambivalência). Klein chamou a mudança da relação dividida com o objeto materno para uma relação ambivalente de *Posição Depressiva*. A Posição Depressiva é assim titulada porque a experiência afetiva de amar e odiar um mesmo objeto provoca na psique um inusitado afeto até então não sentido: o sentimento de culpa. Lembremos que em uma mente imatura e narcisista odiar significa o desejo de aniquilar e destruir, aniquilar e destruir um objeto que também se ama e que dele depende.

Segundo os postulados kleinianos, a agressividade tem raiz inata e se expressa como raiva, inveja, sadismo e ódio. Trata-se de um impulso (pulsão) destrutivo, sendo ele um elemento constitucional da alma. Tal visão não é compartilhada por muitos estudiosos do endopsiquismo, embora seja inegável que a agressividade é inerente à natureza humana de alguma maneira.

Nosso posicionamento entende que a agressividade que faz parte intrínseca da nossa natureza manifesta-se muito mais como resposta às frustrações. Para um psiquismo onipotente e narcisista é muito fácil se frustrar, afinal a realidade usualmente nos confronta e nos contraria. Nossa onipotência é constantemente negada pela realidade. Podemos, então, dizer que o ser humano é em sua relação com a realidade um homem contrariado.

O objeto externo materno nunca é totalmente disponível. Haverá momentos em que a mãe não estará tão disponível aos anseios vorazes do narcisismo. Esta mãe indisponível é a mãe frustrante, ou melhor, o objeto parcial (seio mau) frustrante.

Embora se possa discordar do postulado de que um núcleo de Ego já exista desde o nascimento, os construtos teóricos ofertados por Melanie Klein têm substancial relevância para um melhor entendimento dos porões da alma humana.

Klein avança sobre o assunto ao não se prender a concepções de fases ou etapas, mas sim ao enfatizar no tema a posição (Posição Esquizo-Paranoide e Posição Depressiva). Isso permite compreendermos o funcionamento mental infantil operante no psiquismo adulto.

Os objetos internos são uma cópia exata dos objetos externos. O relacionamento da mente com os objetos externos é contaminado e influenciado pelas emoções, sensações, fantasias e desejos. Desse modo, um objeto de cor amena pode ser internalizado com cores vívidas e berrantes. Nossas percepções não são uma câmara fotográfica a retratar uma cena *ipsis litteris*, pelo contrário, elas tendem, geralmente, inclusive, a distorcer o percebido. Até mesmo a visão de Eu de um indivíduo pode se encontrar distorcida pela sua base narcísica, fazendo que a pessoa se pense acima ou superior aos demais.

A Psicologia Cognitiva também entende a capacidade psíquica de desvirtuação através do processamento intelectivo de emoções equivocadas, em que esquemas[52] (crenças que a mente aceita sem questionar) mal adaptativos levam a enxergar a realidade de forma condizente com as suas convicções ou crenças. Tais distorções cognitivas são falseamentos lógicos, tipo: tudo-ou-nada, branco-ou-preto, seletividade psíquica, pensamento mágico, maximização ou minimização etc.

A presença dos objetos internalizados dá uma nova estrutura e dinâmica à psique, e são formados pelos vínculos com os objetos externos, que produzem o desenvolvimento mental. Os objetos internos, portanto, são representações de pessoas que a alma adquire por meio de introjeção e identificação. É importante lembrar que os primeiros objetos internos foram internalizados pelo psiquismo narcisista, razão pela qual eles têm forte força idealizadora.

As representações psíquicas vão povoando a alma humana e constituem os alicerces da vida mental. Elas estruturam a psique tanto consciente quanto inconscientemente. Quanto mais amadurece a mente, mais ela é preenchida de objetos internos. O próprio Eu pode ser, igualmente, uma representação psíquica, quando a mente toma a si própria como objeto, como autoimagem (noção de Eu).

A interiorização dos objetos externos tem papel fundamental na formação do Superego. Esse novo agente psíquico que vai se formar dentro da alma tem supor-

---

52 Um esquema é um padrão extremamente estável e duradouro que se desenvolve durante a infância e é aperfeiçoado durante toda a vida do indivíduo.

te nos mais remotos laços emocionais que o indivíduo viveu. Tal internalização é possível graças a um fenômeno psicológico importante chamado de *identificação*. Um ego, ao se identificar, sofre transformações. Qualidades antes pertencentes aos objetos externos são absorvidas e farão parte, então, do Ego que se assimila com o internalizado. A introjeção e incorporação do objeto externo são protótipos de identificação. A mente humana tem o predicado de se moldar de acordo com o outro, principalmente um outro significativo. Os nossos primeiros outros significativos são nossos pais (ou quem os representa). Por isso, resumidamente, é comum se definir Superego como a "internalização das figuras parentais". As imagens arcaicas dos objetos parentais da infância (imagos) vão desempenhar papel de modelo e paradigma ideais que fincam suas bases no psiquismo inconsciente da alma humana. Segundo Melanie Klein, a imago é um objeto introjetado fantasmaticamente com uma assimilação e percepção errônea e deturpada do objeto real, isto porque tais distorções psíquicas devem-se à imaturidade perceptiva da mente pueril, que é incapaz de perceber o objeto como ele é e em sua totalidade.

As representações mentais infantis acerca dos pais são construídas a partir das interações experimentadas no âmbito familiar e influenciam o psiquismo na forma como este interpreta e convive com a realidade. A dimensão afetiva, pois, tem destaque na maneira como as figuras parentais são internalizadas e transformadas em imagos parentais. Uma vez incorporadas e registradas, as imagos parentais continuarão permanentemente a funcionar no intrapsíquico.

Em conclusão, as imagos parentais, conjugadas ao Ego Ideal, formam o núcleo básico do Superego. Abre-se agora espaço para um importante construto sobre outro agente psíquico que atuará a partir do inconsciente humano e muito influenciará o psiquismo e o comportamento do homem a vida inteira: o *Ideal de Ego*.

> "O que o pai calou aparece na boca do filho,
> e muitas vezes descobri que o filho
> era o segredo revelado do pai."
> (Friedrich Nietzsche)

Ideal de ego

Embora no prólogo da vida o psiquismo não se perceba relacional, pois se encontra indiferenciado, na realidade o bebê vive em vinculação com as pessoas que lhe cuidam. O ponto de partida da vida humana é uma situação de intersubjetividade. Bebê isolado não existe. Estamos nesta etapa do desenvolvimento longe do *Eu existencial*.[53] O interpsicológico (relação de uma mente com outra) será transposto gradualmente para o intrapsíquico. A história psíquica de um indivíduo implica o entrecruzamento de suas experiências com os outros e de suas aprendizagens. Wallon enfatizava que o psiquismo do ser humano é um entrelaçamento de dois inconscientes: o inconsciente pessoal e o inconsciente social. E o primeiro social da criança são os pais. As influências modeladoras dos nossos pais, por conseguinte, vão incidir em nosso processo de subjetivação.

O adulto que cuida do bebê e o cria um dia já foi criança. Mesmo que sua mente já esteja amadurecida, em suas raízes e infraestrutura habitam a criança e o bebê que um dia ele foi. A base de qualquer psiquismo adulto é tão narcisista quanto a mente do bebê que agora ele ou ela toma conta. Não abandonamos o narcisismo infantil porque nos tornamos "homens-feitos". Nos subterrâneos inconscientes da alma o narcisismo ainda impera. No fundo, somos fundados em um *puer aeternus*.[54]

Vimos que o desenvolvimento de um Ego na alma humana consiste em um distanciar do narcisismo primário. O Ego Ideal, por sua vez, foi descrito como o "herdeiro do narcisismo infantil", uma espécie de remanescente psíquico do período em que a mente se achava ilusoriamente onipotente e perfeita – época em que a energia psíquica (libido) estava totalmente voltada à própria mente (psiquismo ensimesmado). Também vimos que a noção de objeto inicia-se com um esboço onde a mãe (objeto primevo) teria uma existência totalmente voltada para o bebê e que o amaria incondicionalmente (crença onipotente). A mãe, como uma pessoa com desejos particulares e independentes da criança, ainda não se faz presente ao entendimento humano. O desmembramento bebê-mãe ainda é nar-

---

53   Consciência de si como uma pessoa diferente das outras.
54   Expressão latina que significa "jovem eterno". O psiquiatra e psicanalista Carl Jung utilizava o termo *puer aeternus* para descrever o arquétipo da criança, retratado em personagens como Peter Pan e Pequeno Príncipe.

cisisticamente recusado. Porém, reconhecemos que a realidade dos fatos irá se firmar frente à alma, que descobrirá não ser onipotente.

O narcisismo, agora ferido em sua fantasia de perfeição e plenitude, descola-se para outra fantasia e idealização, a fantasia dos pais em relação à sua criança. Devemos nos lembrar de que antes de um filho nascer já há, por parte dos pais, uma expectativa impregnada de imaginação. A imagem mental que os pais fazem dos filhos é banhada de aspirações igualmente narcisistas, afinal qual é o pai e a mãe que não querem o melhor para seus filhos? Acontece que no melhor que os pais pensam para os filhos está infiltrado inconscientemente o Ego Ideal de ambos, doravante projetado[55] no bebê que nasce.

O Ego Ideal é uma construção intrapsíquica resultante da ilusão da onipotência, perfeição e narcisismo, usufruída pela alma humana no principiar de sua existência. Trata-se de uma sobrevivência nostálgica do narcisismo primário perdido. Por sua vez, o surgimento do Ideal de Ego é consequência da adequação do narcisismo como objeto do desejo parental. Trata-se de uma formação inter e intrapsíquica, ou seja, do psiquismo dos pais ao psiquismo do bebê. Assim, o Ego Ideal tem origem no processo de identificação com os objetos externos, ou mais precisamente com os ideais destes. Dessa maneira, não é difícil afirmar que o Superego no psiquismo infantil é formado a partir do Superego dos pais.

Sobre o exposto, observa-se que o Ideal de Ego se desenvolve por certo afastamento do narcisismo primário em direção a um ideal imposto de fora. Nesse sentido, o Ideal de Ego representa o abandono dos ideais de perfeição do Ego Ideal. Quando aqui mencionamos abandono não significa o desaparecimento do Ego Ideal na mente, mas sim o surgimento do Ideal de Ego na raiz daquilo que mais adiante conhecemos como Superego. Se a psique lactente falasse, ela diria algo como: "se eu não sou onipotente e ideal, mas o objeto o é, então serei o ideal dele".

Se o Ideal de Ego representa um desligar-se psíquico do Ego Ideal, é ao mesmo tempo produto das identificações com os narcisismos parentais. O ser humano chega ao mundo extrauterino como um pequenino corpo biologicamente frágil e vulnerável, sem nem saber quem ele é e nem por que está ali onde está. Esperanças, sonhos, anseios e expectativas são dirigidos ao neonato a partir dos psi-

---

55   Projeção é um mecanismo psíquico em que atributos pessoais são atribuídos à outra pessoa. Não é incomum que pais grávidos projetem em seu filho sonhado características narcísicas de ideal e perfeição.

quismos parentais. Não só desejos conscientes e imaginados são projetados no bebê, mas também desejos narcisisticamente inconscientes. De alguma forma, o filho virtualmente é "transformado" em uma extensão psíquica dos pais. Enquanto, na imagem do Ego Ideal, para este não lhe falta nada ("sou completo e perfeito"), no Ideal de Ego espaça-se um espaço, um corte, entre o ideal e o Ego. O Ego Ideal *cobra* perfeição, enquanto o Ideal de Ego *deseja* a perfeição.

O primeiro espelho da alma é o olhar e o rosto da mãe (objeto primordial). Esta irá investir psiquicamente em seu filho, e seu olhar sobre ele está em grande parte relacionado à imagem que ela traz em si do filho que desejaria ter. Trata-se de uma imagem antecipada da criança real. O psicanalista e escritor brasileiro Luiz Alfredo Garcia-Roza, em seu livro *Freud e o Inconsciente*,[56] diz que "o que a criança vê é um tipo de relação com seu semelhante. Essa experiência pode se dar tanto em face de um espelho, pela mãe ou pelo outro, mas no nível do Imaginário". O espelho materno, referia Winnicott, tem no rosto da mãe sua primeira imagem externa. O que o psiquismo pueril vê quando olha para o rosto da mãe é a si própria nele espelhado.[57] É nesse sentido que o olhar e o rosto materno funcionam como o primeiro espelho para a criança, e é o primeiro lugar em que se iniciam as trocas significativas com o mundo e o social.

O mundo mental em seus primeiros dias é um mundo de fantasias e ilusões. Somos naturalmente *homo fabulus*. Após a vida intrauterina, a mente humana, quando o bebê é lançado ao mundo extrauterino, necessita da ilusão de autossuficiência para fazer frente à angustia do desamparo. A onipotência ilusória é uma condição humana necessária ao equilíbrio psíquico dos primeiros instantes, e talvez, de maneira mais amena, pelo resto da vida inteira do indivíduo. Porém, aos poucos, a onipotência ilusória é confrontada com as frustrações da existência humana e as exigências da realidade. A mente passa a projetar a onipotência nas figuras parentais e com elas se identificar.

---

56   Zahar, 1999.
57   O psicanalista francês Jacques Lacan denominava de *fase do espelho* um período de vida do psiquismo infantil compreendido entre os primeiros seis e dezoito meses de vida, em que a psique lactente, ainda sem unidade corporal, vê a si mesma pelo olhar do objeto materno, sendo este o momento inaugural de se vislumbrar como um corpo unificado. O estágio do espelho, portanto, segundo Lacan, representa o nascimento do Eu enquanto imagem total.

Mas não é a mente infantil apenas que projeta seu narcisismo. Vimos que a dos pais também. Freud utilizou a expressão "sua majestade o bebê" para falar-nos do narcisismo dos pais revivido através dos filhos. Sua majestade o bebê não é referência ao egocentrismo da criança, porém o reprisar do narcisismo infantil dos pais que é assim renascido na esperança de que o filho ou a filha realize o que eles mesmos não conseguiram. Fantasmática e inconscientemente, o descendente continua a ser um prolongamento dos ideais parentais.

Temos, então, aqui, um confronto egoico, ou seja, o Ego Real, que nasce na psique como parte da mente em contato com o mundo externo e a realidade, vai se encontrar espremido entre duas instâncias psíquicas de origem narcisista: o Ego Ideal e o Ideal de Ego. Em outras palavras, temos o Ego que se *acha* perfeito (Ego Ideal), o Ego que se *percebe* imperfeito (Ego Real) e o Ego que *aspira* ser perfeito (Ideal de Ego). Se achar, se perceber e aspirar não são a mesma coisa, mas atuam interativamente no interior da alma humana.

A esfera da dominância psíquica do Ideal de Ego cobra internamente do Ego Real uma perfeição que ele jamais poderá alcançar, visto que tal perfeição coincide com a onipotência e a plenitude. Talvez provenha daí a eterna insatisfação humana. Todavia, graças a essa insatisfação e aspiração de grandiosidade pôde o homem avançar além dos limites impostos pela Natureza. Um dia o ser humano sonhou voar, porém não nascemos dotados de asas. Hoje não apenas voamos em aviões, mas já mandamos o homem à Lua e estamos próximos de colocar os pés em Marte. Se a alma humana não fosse em si pretensamente imponente e grandiosa estaríamos ainda morando nas cavernas.

Acontece que esta mesma insatisfação nos faz sofrer. Sofremos por não sermos perfeitos. A imperfeição nos aflige desde o narcisismo. Um Ideal de Ego de anseios colossais pode muito bem oprimir um Ego Real. Em sua insaciável fome de grandiosidade o Ideal de Ego está sempre cobrando do Ego Real a perfeição inatingível. Por mais que na realidade o Ego Real atinja algumas conquistas e ascensões, um Ideal de Ego excessivamente grandioso e psicoenergicamente forte estará constantemente cobrando mais, e pouco valorizando as vitórias do Ego Real. Quanto mais frágil for um Ego Real frente às exigências e humilhações autoimpostas pelo Ideal de Ego, mais o indivíduo sofrerá de baixa autoestima e sentimentos irreais de fracasso.

O Ideal de Ego, portanto, é uma instância psíquica posterior ao Ego Ideal, tendo sua origem na identificação primária com os pais ou mais precisamente com os ideais conscientes e inconscientes deles. A identificação com os ideais das figuras parentais, a fim de simplificar esta apresentação, será considerada a identificação com a mãe, afinal a mente primitivamente falando não faz distinção entre mãe e pai, pois todo o ambiente que a sustenta é materno.

Se o Ego Ideal falasse, diria "eu sou assim". E, se o Ideal de Ego falasse, diria "eu deverei ser assim". Considerando que o Ego Ideal é definido como o "herdeiro do narcisismo infantil perdido", o Ideal de Ego, por sua vez, pode ser resumido como o "herdeiro do narcisismo infantil dos pais". A força que têm os pais (o ambiente materno) sobre o psiquismo do bebê é enorme, afinal a ameaça da perda do amor parental (desamparo) é indescritivelmente aterrorizante para uma mente pueril. Corresponder psicologicamente às expectativas idealizantes dos pais que são na criança pequena projetadas é praticamente uma questão de sobrevivência psíquica nessa etapa oral e imatura do desenvolvimento. Assim, nosso psiquismo é muito plasmado tanto pelo narcisismo natural que nos é próprio como pelo narcisismo natural dos nossos genitores.

Ter humildade e sabedoria para aceitar que não se é perfeito e nem poderá sê-lo é a principal função da saúde e do equilíbrio mental da maturidade do Ego Real frente às demandas narcisistas que lhe cobram a partir das profundezas não conscientes dos porões da alma humana. Como orava Giovanni di Pietro di Bernardone, conhecido como São Francisco: "Senhor, dai-me força para mudar o que pode ser mudado. Resignação para aceitar o que não pode ser mudado. E sabedoria para distinguir uma coisa da outra".

Self

No final do século XIX, o americano William James, um dos fundadores da Psicologia moderna, concebeu a primeira sistematização psicológica do Self, dividindo-o em três partes: os componentes que lhe constituem, os sentimentos e as emoções que acarretam suas ações. James distinguiu o Self do Eu. O Eu é a esfera do psiquismo que conhece o mundo e as coisas, e o Self é o conhecimento que o psiquismo tem de si mesmo. O Self, portanto, é a ideia que o Eu tem de si próprio, e é o que define a identidade e a subjetividade do sujeito. Para Winnicott é o que representa a pessoa enquanto lugar de atividade psíquica.

O Self é ao mesmo tempo a consciência reflexiva, o que se relaciona com os outros e a capacidade humana de agir. Embora o Ego e o Self não sejam a mesma coisa, visto ser o Ego um conceito referente a uma instância interna na estrutura psíquica, o Self é uma construção do Ego. Nessa acepção o Self é a imagem que a mente tem si mesma.

O Eu nasce na alma humana na sua diferenciação física com o não-Eu. Já o Self nasce da experiência social, isto é, entre a subjetividade do Eu e a subjetividade do objeto. Em outras palavras, o Eu brota psiquicamente no organismo como uma reação deste às atitudes do mundo que o cerca, e o Self brota da relação dinâmica entre o psiquismo e o ambiente significativo. Para a antropóloga cultural norte-americana Margaret Mead, o Self é uma emersão psíquica da interação social. Quando o Eu entra em contato objetivo com o mundo circundante, subjetivamente apropria-se dos significados que mediam o sujeito e o objeto. Ao distinguir o Eu e o Mim, Mead concebeu o Eu como uma resposta às ações dos objetos externos, enquanto o Mim representaria a internalização daquelas ações. O Self, assim, se constrói de acordo com a história interpessoal e intersubjetiva.

Observemos a diferença entre alguém enunciar "eu vejo o mundo" e "eu me vejo no mundo". "Eu me vejo" é uma ação psíquica reflexiva em que o ser da pessoa está inserido no Eu da pessoa. "Eu me vejo" significa que o Eu se volta para dentro de si, enquanto no "eu vejo" o Eu se volta para fora. "Eu vejo" objetiva o Eu frente ao mundo, ao passo que "eu me vejo" designa que o Eu, ao mesmo tempo que está se abstraindo do mundo, está se inserindo nele. "Eu vejo" é o olhar do Eu que se exterioriza para o mundo, já "eu me vejo" é o olhar do Eu que se interioriza.

No sentido acima exposto o Eu e o Self são imbricados. Ambos compõem uma unidade. Não se pode entender Self sem Eu, e vice-versa. Quando se diz "eu vejo o mundo" o Self está ali representado, afinal não se pode ver o mundo sem o ser de quem o vê. O Self do Eu que vê o mundo determina o modo com que o mundo está sendo visto pelo Eu. O Self, por conseguinte, engloba os sentimentos, as emoções, as experiências e a história pessoal do Eu que naquele momento vê o mundo. O que o Eu vê é definido pelo modo (Self) como o Eu vê. O Eu percebe, o Self vivencia. O Eu tem o mundo como objeto, o mim tem o Eu como objeto. De acordo com o psicólogo Jorge Ponciano Ribeiro, o Self é a expressão interna do Eu. Talvez, retornando ao exemplo anterior, seja melhor complementar que além de uma expressão do Eu o Self também é uma impressão interna do Eu.

Tanto a autoimagem quanto o autoconceito que formam o Self se assentam nas experiências afetivas e sociais passadas. Porém, amplamente falando, o Self também engloba os estímulos presentes e as expectativas com o futuro. Nesse sentido, o Self é modificável, por ser ele a parte da organização psíquica em constante continuidade e crescimento.

A memória autobiográfica é a base do Self. No tocante à ideia de Self, *a pessoa é que o vivenciou*. Ou, como disse Freud, "não somos apenas o que pensamos ser. Somos mais: somos também o que lembramos e aquilo de que nos esquecemos". É como a personalidade se apresenta a si e se conhece; é como a pessoa se representa em sua consciência sensível. O Self é um Eu introspectivo.

O Self define a pessoa em sua subjetividade. Trata-se da essência do ser individual. Para a Psicologia do Self o Self, enquanto consciência do Eu, nasce posterior à construção estrutural do Ego. À medida que o ser humano infantil cresce, vai se consolidando dentro do seu psiquismo o Ego que, quando adquire autoconsciência, forma o Self. Como construto teórico, o Self é o lugar psíquico onde se encontram a biologia e as demandas relacionais. Nesse sentido não se pode falar de Self sem falar do Self-Objeto (*selfobject*), afinal o Self é um conceito vincular. A representação que o psiquismo faz de si mesmo é proveniente da relação estabelecida com os outros (intersubjetividade), através dos afetos e sentimentos.

Segundo Kohut, os self-objetos são os objetos sustentadores do Self, isto é, os pais, a família, os amigos e os outros significativos. Kohut fez uma analogia com a fisiologia do aparelho respiratório. Assim como o bebê necessita de um ambiente que contenha oxigênio para viver, o Self necessita de um ambiente que tenha pessoas que empaticamente sejam responsivas às suas necessidades psicológico-afetivas. O Self-Objeto, assim, é um termo que caracteriza o papel que objetos externos (pessoas) exercem para o Self.

Nossas primeiras necessidades psíquicas são necessidades narcísicas, tais como ser apaziguado (função continente) e ser validado em sua grandiosidade pelo objeto (espelhamento). O desenvolvimento da alma humana vai além do atendimento das necessidades fisiológicas. O desenvolvimento psíquico requer, no início, a idealização grandiosa de si mesmo e dos outros.

O Self, segundo Kohut, começa como um Self Grandioso. O Self Grandioso é a representação mais arcaica do Self e tem a ver com o narcisismo anímico. Em seu primitivismo o psiquismo infantil busca encontrar no outro (objeto) um espelhamento de sua própria grandiosidade, isto é, que o outro (objeto materno) o admire e o contemple com encantamento. Que o olhar da mãe expresse ser ele "a coisa mais linda do mundo". Seu exibicionismo, ao encontrar eco no objeto (resposta empática), resulta em uma internalização de um Self-Objeto empático e sintonizado com suas necessidades narcísicas, o que, por sua vez, propicia o desenvolvimento de um Self vigoroso e saudável, com inclinação à criatividade, à alegria e com anseios de crescimento, lastreados em uma boa autoestima e equilibrada autoconfiança, capaz de estabelecer relacionamentos empáticos e duradouros contínuos.

Se do Self Grandioso e de seu Self-Objeto derivam as ambições e as metas humanas, na idealização do Self-Objeto (Imago Parental Idealizada) surgem os ideais e as aspirações. A mente infantil é naturalmente idealizadora, tanto de si mesma quanto do objeto de quem depende. A Imago Parental Idealizada é outro aspecto do narcisismo rudimentar. Trata-se da fantasia do outro perfeito e do desejo de fusão com ele (simbiose normal), visto ser um objeto percebido como tranquilizador, potente, bondoso, apaziguador das angústias e que lhe proporciona equilíbrio emocional. Como descrevia Kohut, a Imago Parental Idealizada é uma configuração narcísica arcaica, que surge psiquicamente nas tentativas da psique em preservar a perfeição original. Kohut assim representou suas ideias teóricas: "eu sou perfeito" = Self Grandioso; "tu és perfeito, e eu sou parte de ti" = Imago Parental idealizada. A fantasia de completude entre Self e Self-Objeto idealizado transforma-se no desejo de ser como o objeto amado. Futuramente, em uma mente amadurecida, enquanto o Self Grandioso é o combustível para as ambições saudáveis e a base da autoestima, a Imago Parental Idealizada é o componente da organização psíquica que forma os ideais humanos.

Todavia, se o psiquismo infante não puder contar com Self-Objetos empáticos, o narcisismo anímico tende a sofrer paradas em seu desenvolvimento rumo a um narcisismo normal e saudável. Se a criança sofreu elevados desapontamentos narcísicos em relação aos seus Self-Objetos (especular e idealizado), então tanto o Self Grandioso quanto a Imago Parental Idealizada podem ficar enclausurados no fundo da alma, retidos de forma inalterada. Como disse Kohut, a Imago Parental Idealizada "não é transformada em estrutura psíquica reguladora de tensão e não alcança o estatuto de objeto introjetado acessível; em vez disso, continua sendo um self-objeto arcaico, transicional, indispensável para a manutenção da homeostase narcísica".[58]

Observa-se que a idealização psíquica da fase narcisista não tem em si um caráter negativo, pelo contrário, participa como fator integrativo para o amadurecimento psíquico. Não se abandona o narcisismo, se o modifica, e, transformado, ele passa a integrar a personalidade adulta. Enquanto nossas ambições nos empurram, nossos ideais nos puxam.

Falhas significativas nos cuidados maternos na fase inicial do psiquismo acarretam prejuízos na construção do Ego e do Self. A primeira visão de mundo da alma humana é a visão de sua mãe (objetor cuidador). Uma mãe sintonizada com as necessidades afetivas e narcísicas de seu bebê permite a continuidade do ser em formação. A potencialidade herdada do lactente encontra espaço psicológico para gradualmente se desenvolver. Porém, se o psiquismo do lactente não encontrar espaço psicológico para crescer, a continuidade do ser fica severamente comprometida, e a personalidade vai se formando defensivamente às sensações intrusivas de um ambiente não provedor de um crescimento autêntico e saudável. Para tal crescimento é necessário uma atmosfera psicológica que dê ao psiquismo primitivo sentido de amparo, bem-estar e reconhecimento. Conforme Erik Erikson, é essencial provedores atenciosos, pacientes e carinhosos para que sentimentos de confiança e segurança se consolidem no interior psíquico. Falta de confiança pode gerar futuramente transtornos depressivos e distímicos, sensações de desesperança e vazio, esquizoidia, drogadição, personalidade esquiva, entre outros prejuízos severos ao desenvolvimento emocional do ser. Torna-se um ser descontinuado, ou interrompido, desde logo no seu nascedouro. Um ser abortado em suas potencialidades e autenticidade (Falso Self).

Se para Freud na gênese da angústia do Ego está a fantasia da aniquilação, para o Self – segundo Winnicott – a angústia é engendrada pela descontinuidade do ser na experiência da vida. A ameaça de aniquilação do Self, portanto, reside em seu isolamento silencioso no interior da alma tamponada por uma pseudopersonalidade, isto é, por um Self que não representa o verdadeiro Self. Lembremos que o

---

58   Apud Allen M. Siegel, *Heinz Kohut e a Psicologia do Self*, Casa do Psicólogo, 2005.

Self é o somatório de todas as vivências subjetivas experimentadas pelo psiquismo infantil que se conjugam em um Eu que vive as experiências de estar vivo.

> "Se você conhece o inimigo e conhece a si mesmo, não precisa temer o resultado de cem batalhas. Se você se conhece, mas não conhece o inimigo, para cada vitória ganha sofrerá também uma derrota. Se você não conhece nem o inimigo nem a si mesmo, perderá todas as batalhas."
> (Sun Tzu)

O psiquismo verbal

O ser humano é um ser que fala, um ser de linguagem. Pela linguagem o homem experimenta, representa e interpreta a realidade e o seu estar no mundo. Com ela nos afirmamos como sujeitos e nos comunicamos, expressando ideias e emoções. A fala é, pois, inseparável do humano; é com ela que damos forma e modelamos os pensamentos e sentimentos. É com ela que agimos.

O homem vive e respira linguagem. Desde cedo somos inseridos em um universo simbólico,[59] e na sua aprendizagem ingressamos no mundo humano, pois a humanidade é feita de diálogos – com os outros e com nós próprios. Através da linguagem, inclusive, podemos dar e modificar nosso sentido de vida, criar, significar coisas e momentos, transformar nosso pessoal estilo de ser. Como disse o filósofo austríaco Ludwig Wittgenstein, "as fronteiras da minha linguagem são as fronteiras do meu universo".

O homem é um ser que fala. Porém, não nascemos falantes, simbólicos. O próprio termo infância assim faz menção. Infância vem do latim *infantia*, que significa "aquele que não fala". Ainda. Em nossa natural condição neotênica inicial

---

59 O símbolo é um representante ideativo que está em lugar de algo. É comum diferenciar linguagem simbólica e linguagem conceitual, entendendo-se a simbólica como a que opera por analogias e metáforas, uma linguagem que tem sentido figurado e figurativo. A linguagem simbólica tem uma natureza imaginativa ou imagética, e é fortemente emocional e afetiva. A linguagem simbólica, assim entendida, faz conhecer o mundo criando outro, e oferece ao sujeito linguístico palavras polissêmicas carregadas de múltiplos sentidos, simultâneos e diferentes, opostos e contrários.

à vida, necessitamos do outro para sobreviver. O outro (função materna) nos nutre, higieniza e protege. Mas o outro também nos fala, comunica-se com o bebê mesmo antes de este vir ao mundo extrauterino. Cabe à mãe (objeto cuidador) tornar real aquilo que o psiquismo do bebê está prestes a descobrir.

A criança chegante vai ser adotada no campo da linguagem, e a linguagem entra no organismo infantil primeiramente pelo ouvido. Nosso cérebro será invadido/estimulado pela linguagem que será suporte dos nossos pensamentos, crenças, sonhos, fantasias, desejos e tudo o mais que compõe o aparelho psíquico.

A linguagem inicialmente vivenciada pelo psiquismo lactente é uma linguagem não verbal, isto é, uma linguagem de materialidade física, como segurar, dar colo, conter, sossegar, acolher. A mãe, como dizia Winnicott, exerce a função de *holding*[60] físico, e, através dele, de *holding* psíquico. A intercomunicação entre mãe e bebê é sensível e sutil. É feita de respirações, pulsações, cheiros, calor, quenturas corporais e toda uma sucessão de comunicações físicas que perdurarão à aquisição da linguagem verbal pelo psiquismo infante.

Com a aquisição da linguagem temos, então, a passagem do *infans* (aquele que não fala) para o sujeito falante. É na linguagem que o ser humano firma-se como ser partícipe do mundo. *A linguagem é a casa do ser. É nessa morada que habita o homem*, afirmava o filósofo alemão Martin Heidegger.

Já desde bebês, embora nessa época ainda não dominemos a linguagem simbólica, nos comunicamos por meio de choros e risos. Esta é considerada a fase pré-intelectual da linguagem, nos dizeres do psicólogo russo Lev Vygotsky. É o período da inteligência prática que se manifesta em sons, berreiros e gestos.

A alma humana nascente é vazia de palavras. Ela é ainda totalmente regida pelo Princípio do Prazer e pelo Processo Primário de Pensamento.[61] Em termos freudianos clássicos, é uma psique sem Ego. O mundo vai gradualmente sendo descoberto pelas sensações e sentidos. Segundo Piaget, o bebê conhece os objetos por meio de suas ações físicas sobre eles. Tais ações tornam-se esquemas que são

---

60   Do verbo inglês *to hold*, que significa manter, segurar, sustentar. O *holding* é o suporte materno que protege o bebê dos perigos. Do ponto de vista psicológico, ele dá amparo ao psiquismo iniciante em seu desenvolvimento, e tem a ver com a sustentação emocional que a mãe dá em relação às angústias e às ansiedades de seu filho pequeno.

61   No Processo Primário de Pensamento não há linguagem verbal, noção de dimensão espaço-temporal nem noção de limite e realidade. É um pensamento emocional-impulsivo. Em um psiquismo mais amadurecido, representa a maneira de pensar do inconsciente.

bases para o pensamento cognitivo posterior. Primeiro as crianças compreendem e organizam o mundo através de suas ações para, depois, compreendê-lo e organizá-lo pelos pensamentos. É o tempo do narcisismo natural.

Comumente, a primeira palavra que a mente articula está relacionada com a pessoa que lhe cuida: *mamãe*. Nela estão embutidos o calor e a proteção materna, e representa, portanto, em termos simbólicos, a imagem psíquica do objeto mãe. O mundo externo, assim, vai se objetivando internamente, e os primeiros objetos externos vão tomando significado social.

Imagens verbais vão povoando o psiquismo, que sai do seu período pré-linguístico (Processo Primário de Pensamento) e entra cada vez mais rumo a sua maturação verbal. O Ego, anteriormente corporal, torna-se um Ego falante. Nesse importante marco do desenvolvimento humano a fala se estabelece como o elo mais essencial que liga o psiquismo ao mundo e seus semelhantes. Torna-se, também, o meio interno como lidamos com nossos processos mentais e dialogamos intrapsiquicamente.

Pelo exposto, a alma humana sofre sua *virada linguística*. O bebê dos choros e dos resmungos transforma-se em um ser humano que percebe, sente e pensa com palavras. Palavras e pensamentos se fundem no processo secundário de pensamento, ao ponto de não mais conseguirmos cognitivamente pensar sem palavras, pois agora se torna impossível um pensamento que prescinda da linguagem, que não somente traduz o pensar, mas faz do ser humano um sujeito que toma seu lugar no mundo e no seu próprio corpo. Como afirmou Wittgenstein, *as fronteiras da minha linguagem são as fronteiras do meu universo*.

Sob a ótica psicanalítica, o processo primário de pensamento, modo original de funcionamento do aparelho psíquico, é um funcionamento típico do Id e do Ego corporal dos primeiros instantes, quando seu sistema funcional ainda é bastante imaturo. Nessa forma embrionária de pensar, a energia psíquica (libido) se encontra solta, tendendo, portanto, à descarga imediata (impulsividade). Aqui reside uma importante diferenciação proposta por Freud no tocante à distinção desses dois modos de funcionamento psíquico (primário e secundário), que corresponde à ideia de circulação interna da energia psíquica: a energia livre (Processo Primário de Pensamento) e a energia ligada (Processo Secundário de Pensamento). Escreve Luiz Garcia-Roza em *Freud e o Inconsciente*[62]: "A energia

---

62   Op. cit.

psíquica é dita livre quando tende para a descarga da forma mais direta possível, e é dita ligada quando sua descarga é retardada ou controlada". E essa forma de funcionar primariamente nos acompanhará como pano de fundo a vida inteira – como podemos observar quando agimos e depois dizemos *"agi sem pensar".* Sim, agir sem pensar é atuar um impulso sem o crivo do Processo Secundário de Pensamento (pensar, refletir, avaliar, ponderar). A linguagem é, pois, uma grande aliada da mente na sua função de se autocontrolar.

Com palavras percebemos o mundo, tomamos consciência dele, e através do pensamento linguístico e simbólico (verbal) tomamos consciência dos conteúdos internos da nossa mente. Tudo que nos é informado pelos sentidos é "traduzido" pelo pensamento verbal. Com as palavras tornamos as experiências apenas sensório-motoras em experiências da consciência. Desse modo, não só os objetos externos, as coisas e os eventos se tornam conscientes para nós, mas também nossos sentimentos, fantasias, imagens, pensamentos e lembranças. O mundo, assim, deixa de ser apenas sentido e passa a ser significado. Podemos sintetizar a questão na seguinte expressão: *o nascimento do sujeito humano se faz por meio de um entendimento entre o corpo e o mundo através das palavras.* Enfim, o sujeito humano é um sujeito verbal.

A linguagem rompe o silêncio primordial agitante e fervente de pulsões, dando sentido à experiência vivida. A alma, antes sensível, preenche-se de significações e entendimentos simbólicos. A psique e o mundo agora se "casam" em um Ego Cogito que verbalmente pensa e fala. A escritora e prêmio Nobel de Literatura em 1993, Toni Morrison, declarou que "nós morremos. Esse pode ser o sentido da vida. Mas nós fazemos a linguagem. Essa pode ser a medida das nossas vidas".

Escutemos o interior de nossa mente. Ela fala. Ela fala com palavras. Não há nada na nossa consciência mental – sentimentos, coisas, ideias, imaginação, memória – que não tenha uma palavra correspondente. Tanto coisas que nos são externas e reais quanto coisas que não existem, como Papai Noel, assombrações, divindades e demônios, têm palavras em nosso psiquismo ao percebê-las. Podemos imaginar até um animal que não existe, e construí-lo imaginariamente como um Frankenstein, mas qualquer parte ou retalho que dele fazemos tem em nossa imaginação suas palavras equivalentes. Mesmo o tempo subjetivo, com seu passado, presente e futuro, é entendimento, percebido, resgatado ou sonhado com palavras. Na consciência de nossa alma madura nada escapa ao rótulo das palavras.

Os porões psíquicos humanos (o inconsciente da alma), por sua vez, são, à primeira vista, inacessíveis, porque lá não existem palavras. No fundo da alma reside o Processo Primário de Pensamento, nosso interior mais profundo, que é escuro exatamente pela ausência de verbos e palavras. Acessá-lo é possível somente pela iluminação de suas trevas e negrumes por meio das palavras. O inexpressível se exprime quando a ele chegam as palavras e seus conteúdos simbólicos e linguísticos. Tornar consciente o inconsciente – como expressava Freud.

Mas também as palavras podem exagerar a experiência e até torná-la irracional ou equivocada e distorcida, maximizá-la ou minimizá-la. Afinal, se pensamos adultamente com palavras podemos igualmente com elas promover distorções cognitivas. Interpretações errôneas do que ocorre ao redor ou em nós podem gerar inúmeras consequências negativas ou danosas. Não basta pensar; a alma precisa saber pensar. Pensamentos dicotômicos (tudo ou nada, preto ou branco), catastróficos (negativos e intensificados), rotuladores e generalizantes ("de noite todos os gatos são pardos"), são exemplos disso. Pensamento não é exatamente realidade. Nossas emoções, traumas, biografia e personalidade podem fazer do uso psíquico da palavra uma ferramenta disfuncional a serviço da neurose ou das crenças centrais[63] e intermediárias[64] historicamente construídas.

Somos o que pensamos, já disse alguém. Somos aquilo que interpretamos daquilo que pensamos, poderia dizer outro alguém. Mas também somos o que esquecemos, contra-argumentaria um terceiro. Parece que somos tantos que acabamos não sabendo quem realmente somos. Expressava o poeta Fernando Pessoa: *não sei quem sou, que alma tenho*.

O termo *insight*, tão largamente utilizado em muitas abordagens psicoterápicas, está relacionado com a compreensão súbita de algo ou de uma situação. Uma espécie de epifania. Tal clareza repentina na mente é como se fosse uma luz sobre um espaço psíquico até então nebuloso ou não visto. Trata-se de uma compreensão repentina de uma determinada coisa: uma descoberta psíquica. Por ser um acon-

---

63 Crenças centrais são constructos cognitivos que a pessoa tem a respeito de si e do mundo. Tais crenças, ou ideias, se enraízam no psiquismo desde a infância e são incorporadas como verdades absolutas.
64 Crenças intermediárias se baseiam nas crenças centrais. São pressupostos, regras e atitudes que norteiam a vida de um indivíduo, e que devem ser seguidas, que se expressam como "eu deveria...", "eu tenho de...", "eu não posso...".

tecimento cognitivo ele é feito por meio da palavra. Contudo, o verdadeiro *insight* não é um fenômeno tão somente intelectual, mas sim emocional e cognitivo. Ou seja, *insight* significa ligar a representação psíquica e simbólica a seu devido afeto. Havendo simbolização permite-se, assim, uma nova organização psíquica.

Há uma expressão que diz: *sentimento que não se pensa é cego*. Sim, as emoções quando atuam sem passarem pelo mediador e pelo filtro da reflexão e do cogito são verdadeiras descargas afetivas irracionais. Emoção vem de *emovere*, sendo *e* energia e *movere* movimento. A emoção é uma resposta química e neural brutal quando o sistema límbico é estimulado e acionado. Já o sentimento é uma resposta à emoção e diz respeito a como o indivíduo pensa e se sente diante da emoção. Enquanto a emoção é repentina e não passa pelo crivo cognitivo, o sentimento é uma tomada de consciência. Sem pensar o sentimento é cego, vira somente emoção. Sentimento pensado, por outro lado, é uma emoção falada, isto é, uma emoção da qual o Ego toma consciência.

Segundo o neurologista e neurocientista português António Damásio, a emoção precede o sentimento, e ter um sentimento não é a mesma coisa que conhecer o sentimento. Para ele, enquanto as emoções acontecem dentro do corpo, os sentimentos são experiências mentais do que se passa no corpo. Através da linguagem, destarte, podemos entender nossas emoções e conhecer nossos sentimentos.

Quando o homem amadurece e passa a psicologicamente funcionar pelo Processo Secundário de Pensamento (Ego Cogito), o Processo Primário de Pensamento deixa de existir? Não é bem assim. No psiquismo como um todo coabitam as duas formas de pensar, sendo o processo primário inconsciente e o processo secundário consciente. Mesmo sendo na maioria das vezes inconsciente, o processo primário pode emergir à vida consciente, como acontece nas psicopatologias. Em casos assim, principalmente na esquizofrenia, não é que o indivíduo deixe de pensar com palavras, mas sua capacidade de simbolização fica comprometida a ponto de o pensamento se concretizar, isto é, ele perde sua capacidade simbólica, e o que deveria ser abstrato se transforma em coisa (reificação). Logo, em um surto psicótico, confunde-se fantasia com realidade. Já os momentos psíquicos em que a maneira primária de pensar predomina sobre a secundária são conhecidos como *regressão*.[65]

---

65 Típico mecanismo psíquico de defesa contra a angústia e a frustração, quando a mente

Em meados dos anos 70 do século XX, o psicólogo Richard Bandler e o linguista Jonh Grinder, ambos norte-americanos, desenvolveram uma metodologia de estudo da estrutura subjetiva do ser humano que foi chamada de *Programação Neurolinguística* (PNL). Observou-se que por detrás dos padrões externos de comportamento havia uma estrutura interna de pensamentos e emoções que influenciavam as ações humanas. A PNL concebe ser possível programar ou reprogramar a mente das pessoas por meio da linguagem. Parte-se do princípio de que o psiquismo, o corpo e a linguagem interatuam na produção das percepções que cada indivíduo tem do mundo e de si. O mundo percebido não é igual ao mundo real. Embora vivamos em um mundo real, vivemos em um mundo subjetivo. E as palavras que usamos modificam nossas experiências subjetivas.

A maneira com que o indivíduo humano pensa (valores e crenças) cria estados emocionais. A maneira de pensar os estados emocionais, por sua vez, produz o comportamento. A mente cria modelos de realidade através dos sentidos, e tais modelos são "filtrados" ou "coados" pela focalização da atenção. Experimenta-se o mundo através dos sentidos e as informações sensoriais são transformadas em processos de raciocínio (conscientes e inconscientes). Tais processos, por conseguinte, ativam o sistema neurológico, que, por seu turno, sensibilizam a fisiologia, as emoções e o comportamento.

Usamos a linguagem para interpretar o mundo e as nossas experiências. As palavras que povoam nossa mente não descrevem apenas significados, elas criam a realidade interpretada. Podemos modificar esta realidade quando a ressignificamos, ou seja, atribuímos um novo significado a velhos significados que damos a situações, pessoas, eventos, contextos e circunstâncias, através de um novo olhar cognitivo a respeito deles. Ressignificar[66] é um processo de modificação do filtro pelo qual percebemos o mundo.

---

retrocede a níveis infantis de funcionamento e expressão. É uma espécie de recuo temporal psicológico (não o tempo cronológico, mas o tempo subjetivo), quando uma psique madura utiliza-se de expedientes infantis. A título de exemplo temos situações de crianças de maior idade que voltam a urinar na cama quando da chegada de um irmão recém-nascido. Para Freud é uma involução da libido (energia psíquica), ou do Ego, para graus inferiores do desenvolvimento.

66   Ressignificar nada mais é do que atribuir novo significado a coisas antigas, através de uma mudança de perspectiva. Um olhar diferente, como se diz, mas que é na verdade um pensar diferente sobre antigas ideias, conceitos, cenários e leituras de si mesmo, dos outros e da vida. É um reescrever de uma experiência com novo entendimento cognitivo e emocional.

O homem é um animal que fala, pois nossa mente em sua parte amadurecida (Ego Cogito) funciona linguisticamente. Essa parte da mente, a que temos acesso conscientemente, está cheia de palavras, e nem sequer sabe ficar em total silêncio. É nesta porção consciente do psiquismo que a noção de Eu habita e funciona por meio de representações simbólicas. Tais representações designam os conteúdos dos nossos pensamentos, ideias, imagens, lembranças, sonhos, fantasias, desejos...

Como vimos anteriormente, as funções mentais verbais e conceituais começaram a emergir de um Ego simplesmente corporal e indiferenciado e, em seguida, evoluíram para um Ego diferenciado e complexo. Nosso psiquismo entrou, assim, a partir dos dois anos de idade em média, no mundo dos símbolos, do cognitivo propriamente dito e dos conceitos. Deixamos de ser apenas instintivos imediatos e impulsivos, e nos tornamos linguísticos. Como disse o linguista americano Robert Hall, "a linguagem é a forma de existir no mundo não presente". É por isso que podemos pensar nas coisas na ausência das próprias coisas: transcendemos o imediato.

Graças às palavras podemos nos lançar imaginariamente no futuro, fazer planos e projetos, adiar e controlar desejos, resgatar lembranças, perceber as tramas complexas do mundo e da vida além do instante e do imediato. Deixando de ser um psiquismo somente dominado pelos impulsos e exigências instintivas e pulsionais, a mente humana se diferencia do corpo e emerge como um sujeito cônscio e verbal. O Eu rudimentar amorfo transforma-se, pois, em um Eu com sensação de identidade e pessoalidade.

O que chamamos de realidade é na verdade um mundo fenomênico; afinal, como dizia o psiquiatra e filósofo alemão Karl Jaspers, vivemos dentro do horizonte dos nossos conhecimentos, e por mais que o expandamos jamais chegaremos ao ponto em que o horizonte limitador desapareça. Ou, como afirmava Immanuel Kant, filósofo prussiano do século XVIII, o mundo não se torna um objeto para o Eu, o mundo é apenas uma ideia. Em outras palavras, quando morrermos o nosso mundo morrerá conosco, porém a realidade ficará. Ela sempre fica, pois ela é, e independe de nós.

Filosofias à parte, a linguagem dirige nossos pensamentos e nossas ações. São com as palavras que pensamos que podemos ampliar nossos horizontes ou limitá-los. Sim, as palavras possuem forças positivas e negativas. Com elas podemos nos alegrar ou nos deprimir, nos libertar ou oprimir. E quantas palavras e pensamentos permeiam nossa mente em um mísero dia? Inúmeros, vários e incontáveis pensamentos e palavras. Alguns são verbalizados, muitos outros não. Damo-nos conta de alguns, de muitos outros não. O Eu (Ego Cogito) pensa, mas o resto da mente também pensa. O Eu é que não se apercebe disso.

O nascimento do sujeito humano tem, portanto, dois começos: o primeiro quando ele percebe a existência do não-Eu (objeto externo), e o segundo quando em sua cabeça surge a primeira palavra, "mã", "dã", "gá", seja ela qual for.

"Não me importa a palavra, esta corriqueira.
Quero é o esplêndido caos de onde emerge a sintaxe,
os sítios escuros onde nasce o «de», o «aliás»,
o «o», o «porém» e o «que», esta incompreensível
muleta que me apoia.
Quem entender a linguagem entende Deus
cujo Filho é Verbo. Morre quem entender.
A palavra é disfarce de uma coisa mais grave, surda-muda,
foi inventada para ser calada.
Em momentos de graça, infrequentíssimos,
se poderá apanhá-la: um peixe vivo com a mão.
Puro susto e terror."
(Adélia Prado)

MUNDO DOS AFETOS

> O sentimento abre as portas da prisão com
> que o pensamento fecha a alma.
> *Fernando Pessoa*

Vida afetiva: emoções e sentimentos

Afeto é aquilo que nos afeta. O termo tem sua origem na palavra latina *affectus*, que é particípio passado do verbo *afficere*, que significa tocar, comover a alma. O ser humano é um ser afetivo, e graças a esta capacidade ele pode expressar sua afetividade através de emoções e sentimentos. O homem, portanto, nasce com suscetibilidade de experimentar as várias mudanças que acontecem no mundo que lhe é exterior e, também, em seu próprio interior.

O afeto é uma força mobilizadora que *e-mociona*, sendo a emoção, assim, o movimento subjetivo que nos predispõe a agir. No *Dicionário Técnico de Psicologia*, de Álvaro Cabral e Eva Nick,[67] afeto é descrito como "qualquer espécie de sentimento e/ou emoção associada a ideias ou complexo de ideias". Nesse sentido, o afeto influencia intimamente a forma de pensar sobre algo, sendo ele um agente ativo nas mudanças do comportamento.

A afetividade é um importante aspecto da vida psíquica que abarca emoções e sentimentos. Ao atingir diretamente nossos pensamentos, os afetos são reconhecidos como uma energia que tanto nos movimenta quanto dá colorido e forma aos nossos pensamentos. Em termos freudianos o afeto é uma energia, sendo o pensamento (ideia) uma representação psíquica. Qualquer coisa somente se torna consciente quando adquire significação simbólica e passa a ser uma representação

---

67   Cultrix, 2006.

constituída de afeto (energia) e de uma ideia. Para Freud, uma representação à qual não se liga a pulsão afetiva se torna inconsciente. Desse modo, podemos especular que o oposto também pode ser verdadeiro, isto é, um afeto que não se liga a uma representação (ideia) se torna igualmente inconsciente (afeto inconsciente).

Pode, à primeira vista, soar estranho a expressão *afeto inconsciente*. Talvez de fato não possa existir afeto puramente inconsciente, mas, seguindo a teoria freudiana, podemos entender que o que se reprime é a representação (que se torna inacessível à consciência), porém o afeto dela desligado se liga a outra ideia ou pode ser somatizado. Teoricamente, portanto, quem sofre a repressão é a representação, mas o afeto originário transforma-se em inconsciente ao se ligar a outra representação que não é a originária. O emprego da expressão *afeto inconsciente*, pois, é na verdade a consequência da vicissitude que sofre a energia afetiva, que pode se transformar, inclusive, em ansiedade.

O mecanismo de repressão psíquica, também denominado por outros de recalque,[68] não impele o afeto ao inconsciente – o que pode ser jogado na inconsciência da alma é a ideia (representação) à qual o afeto estava ligado. O afeto, por esses argumentos, pode ser suprimido, inibido ou até eliminado, mas não recalcado. Mas, poder-se-ia perguntar, o que acontece com o afeto (energia) quando desligado da ideia? Classicamente, segundo Freud, seriam três os destinos do afeto: ser descarregado no corpo (conversão), ser deslocado para outra ideia (obsessão ou fobia) ou ser substituído por outro afeto (angústia).

Já que a alma humana é naturalmente afetável, ou seja, sujeita aos afetos, evidentemente que a chamada vida afetiva interfere no cotidiano humano. Há na afetividade um caráter subjetivo. Por fazer parte integrante da dimensão psicológica, os afetos englobam as emoções e os sentimentos, e comumente os dividimos em dois blocos, a saber: afetos positivos e afetos negativos. Como positivos são vários os afetos, o amor sendo, talvez, o mais sublime entre eles. Alegria, ternura, empolgação, gratidão, sossego, afeição, entre outros, são afetos positivos. Já entre

---

68 Mecanismo de defesa mental contra representações incompatíveis com o Ego. Há autores que distinguem repressão de recalque, por exemplo, Laplanche e Pontalis, para quem repressão seria uma espécie de censura entre o consciente e o pré-consciente, tendo a motivação moral papel preponderante. A repressão, para esses autores, inibe ou suprime o afeto. Seja como for, repressão ou recalque são mecanismos psíquicos cuja função é lidar com os conflitos internos entre os desejos irreconciliáveis e antagônicos, conflitos ou desejos que constituem uma ameaça egoica à autoimagem que o indivíduo tem de si.

os afetos negativos temos a raiva, o ciúme, o medo, a ansiedade, a tristeza, a inveja. A polarização entre positivo-negativo vai do amor ao ódio. E, como dizia o padre português António Vieira, missionário no Brasil pela Companhia de Jesus (jesuítas), "amor e ódio são os dois mais poderosos afetos da vontade humana".

A vida afetiva, como exposto, abarca emoções e sentimentos. Embora algumas pessoas falem de ambos quase como sinônimos, eles são diferentes. Emoção é um conjunto de respostas neuroquímicas que surge quando o cérebro recebe um estímulo. Já o sentimento é uma resposta à emoção; é como o indivíduo se sente emocionalmente. Sentimento é uma tomada de consciência.

Assim, a emoção precede o sentimento. Essa estreita relação entre ambos pode ser comparada a de dois irmãos gêmeos univitelinos, sendo aquele que nasce primeiro a emoção.

Em termos da Psicologia Evolucionista,[69] as emoções funcionam como sinais e alertas para situações potencialmente perigosas. Não se deve desprezar a "sapiência" emocional do cérebro, razão pela qual existem aqueles que consideram a importância da intuição como uma espécie de "sexto sentido" ou "faro psíquico". Como função perceptiva ela prescinde da racionalidade. O raciocínio, na questão intuitiva, é inconsciente, pois a intuição consiste em pressentir algo sem entender bem o porquê, isto é, conhecer algo sem entender seu funcionamento. Essa *pequena voz silenciosa* é um valioso equipamento psíquico de sobrevivência – devemos aprender a escutá-la melhor.

Considerando a ótica evolutiva, os norte-americanos Leda Cosmides e John Tooby, psicóloga cognitiva e antropólogo, respectivamente, aventam que nosso psiquismo é um aglomerado de programas tanto mentais quanto comportamentais que nos auxiliam a lidar com os desafios da sobrevivência. Por essa perspectiva, as emoções têm a função de nos ajudar a compreender o que fazer em determinada ocasião. Segundo a Teoria James-Lange,[70] quando o indivíduo

---

69   A Psicologia Evolucionista ou Evolucionária tem suas bases na Teoria da Evolução de Charles Darwin. Busca explicar o psiquismo como resultado da seleção natural e de seu caráter adaptativo. A Psicologia Evolucionista propõe que muito do funcionamento do cérebro humano é consequência de adaptações psicológicas que foram evoluindo durante o tempo.
70   Teoria proposta no século XIX pelos médicos-psicólogos William James (norte-americano) e Carl Lange (dinamarquês), entende que os estímulos produzem modificações corporais que, por sua vez, produzem emoções. Nesse sentido, os estímulos estão associados a respostas somáticas que somente após são interpretadas como emoções.

encontra-se em uma situação que estimula uma resposta emocional, o corpo reage primeiro. Desse modo, o reagir somatopsíquico aos estímulos precede a experiência subjetiva da emoção. Todavia, existem posicionamentos divergentes à teoria James-Lange, entre eles a Teoria Cannon-Bard,[71] que entende que primeiro vem o sentir da emoção para imediatamente haver uma reação física. Seja como for, tudo parece indicar que nossas emoções mais básicas são heranças evolutivas importantes legadas pelos nossos ancestrais. No entanto, é claro que, apesar de o homem não viver mais no cenário inóspito dos tempos das cavernas, cheio de dinossauros, tiranossauros e outros predadores, os tempos atuais também mantêm lá seus perigos.

As sensações e os frenesis que o corpo gera (tais como frio no estômago, tremedeira, taquicardia, ruborização facial, vertigem, falta de ar, sudorese, entre outros) são demonstrações físicas de estados emocionais, quer dizer, assim como impulsos neurais, as emoções conduzem o organismo ao movimento. O que se sente nos momentos em que se emociona é reconhecido como sentimento. O sentimento, portanto, é como o "tradutor" das emoções, passando pela região cognitiva cerebral. Assim comparando, percebe-se que, enquanto a emoção é inconsciente (independe da cognição) e menos durável, o sentimento é consciente e mais durável.

Bebês não falam (*enfans*), porém se comunicam pelas expressões corpóreas e faciais. A alma expressa sua emotividade através do sensorial (toque), da audição (percepção de sons), do olfato (cheiro), da visão (movimento ocular) e do choro, apenas não vocalizando palavras. Um bebê não sabe sentir (dizer para si mesmo) que está triste ou alegre, feliz, com raiva ou com medo. "Sente" sensações, mas não sabe o que é. São as emoções que já se fazem presente desde cedo. São as emoções básicas, também chamadas de *afetos primários*. Medo, surpresa, raiva, angústia, são exemplo de afetos primários.

As expressões faciais e os gestos de um bebê são demonstrações de que a alma humana também é naturalmente emocional e efervescente (o Id freudiano é o cavalo preto de Platão).[72] Devido a isso iremos, nas páginas a seguir, aprofundar

---

71   Teoria proposta na primeira metade do século XX pelos cientistas americanos Walter Cannon e Phillip Bard. Eles propuseram que as reações fisiológicas e a interpretação emocional atuam como dois sistemas distintos e simultâneos com velocidades diferentes. Assim, as respostas emocionais seriam mais velozes que as reações físicas decorrentes.
72   Vide mais adiante o capítulo "A alma tripartite".

um pouco mais o tema, discernindo os principais sentimentos e emoções que acompanham o ser humano por sua vida inteira.

> "Existe um caminho que vai dos olhos
> ao coração sem passar pelo intelecto."
> (Gilbert Chesterton)

Angústia

De todas as emoções humanas, a angústia talvez seja a mais primal. O psicanalista austríaco Otto Rank, contemporâneo de Freud, colocou o momento do nascimento como o protótipo da reação de angústia. A própria índole traumática do nascimento desde muito impressionou o ser humano, haja vista ser este o instante em que se finda o sono fetal e inicia-se o enfrentar da vida rumo à autonomia e à independência. Trata-se da ruptura vital de um equilíbrio até então predominante. A expressão "dar à luz" significa mais do que somente parir, e sim fazer o até então feto abrir os olhos, ver a luz pela primeira vez. Isso representa simbolicamente iluminar a mente, fazê-la tomar consciência do mundo e da vida.

Embora biologicamente o feto possa ter atingido seu pleno desenvolvimento e esteja, assim, pronto para o parto, psicologicamente isso provavelmente não ocorre. Freud, se bem que discordasse de Rank no tocante a atribuir ao trauma do nascimento a origem de todas as fobias humanas, compreendia que o choro do neonato representa fisiologicamente a angústia. Tal *angústia primária*[73] seria inscrita na alma como uma insuficiência de elaboração psíquica das excitações somáticas advindas do excesso de estímulos novos que o ex-feto passa a experimentar por ocasião de seus primeiros instantes de vida extrauterina.

---

73 Para Otto Rank, o nascimento constitui um abalo profundo no psiquismo fetal, criando, assim, uma espécie de reservatório de angústia que durante a vida será liberada ou descarregada. Para Rank, o *trauma do nascimento* é a raiz de todos os males neuróticos do ser humano. Freud renegou tal concepção, considerando que no nascimento o que há é um perigo objetivo à conservação da vida, mas que psicologicamente a psique não tem consciência desse perigo. Disse ele: "o perigo do nascimento não possui ainda nenhum conteúdo psíquico" (em *Inibição, sintoma e angústia*, 1926, Imago, 1976).

Decididamente se pode observar e inferir claros sinais de angústia[74] nas expressões físicas de um bebê. Porém, trata-se de uma angústia livre e flutuante, isto é, sem objeto específico. Vivencia-se a angústia, mas o psiquismo ainda é imaturo para processá-la. Sair de um estado mental fetal em que a psique enclausurada no útero até então vivera 100% para uma experiência psíquica de *lugar nenhum*, com a inusitada sensação aterrorizante da vivência do medo de cair no vazio, é algo indescritível com palavras. Toda uma homeostase anterior desaparece quase de repente.

A angústia acompanha a alma, de maneira subjacente, pela vida inteira. Quem, aqui e acolá, já não vivenciou o seu mal-estar, que se caracteriza por sensações de sufocamento, peito apertado, bolo na garganta, ansiedade difusa, inquietude interior, dolorosa opressão subjetiva, apreensão intensa e desespero, acompanhadas de abafamento psicológico e insegurança dilacerante? A dor da angústia é atormentadora e praticamente intolerável. Parece que todo o Ego irá se fragmentar.

Por mais desassossegadora que possa ser, a angústia é uma emoção do nosso repertório emocional de sobrevivência. É um sinal de alarme ou alerta que precede algo ameaçador. Acontece que a ameaça pode ser real ou resultado psicológico da imaginação (consciente ou inconsciente). Seja como for, ela é uma verdadeira, e talvez a maior, *dor emocional*.

Etimologicamente, angústia vem do latim *angustia*, que significa estreiteza, e tal estado afetivo é um medo fisiológico perante um perigo. Uma reação que implica intensamente o corpo, mas que se trata de uma resposta própria da natureza humana e que é necessária à preservação da vida ou à integridade física e/ou psíquica do indivíduo. A angústia, pois, é uma ansiedade fisiológica proveniente de um medo fisiológico.

Devido à prematuridade com que nasce o bebê humano, seu psiquismo – até então fetal – encontra-se desaparelhado para lidar com a irrupção de estímulos e

---

74 Angústia e ansiedade são semelhantes, mas há diferenças descritivas significativas entre ambas. A ansiedade é uma angústia com objeto específico, geralmente relacionado ao futuro. Exemplo: "estou ansioso por que vou fazer uma entrevista de seleção para emprego". Já na angústia não há objeto específico. Não há nada visível e externo que a justifique; nenhuma preocupação, stress ou ameaça de perda. Trata-se de uma experiência sofrível estranha e indefinida. Segundo o psiquiatra Paulo Dalgalarrondo, a angústia tem conotação mais corporal e está relacionada ao passado. No contexto resumido deste livro, angústia e ansiedade serão muitas vezes utilizadas como representando, em termos de desconforto e aflição física e psíquica, sinônimos. Sem trocadilhos, podemos dizer que a angústia é uma ansiedade sem nome, enquanto a ansiedade é uma angústia com nome.

excitações suscitados pelo nascimento. Tal perturbação psíquica corresponde à sensação de desamparo e desvalimento, que é a maior ameaça à continuidade biológica e psicológica do ser humano. Embora indescritível, o desamparo é uma terrível sensação equivalente ao abandono absoluto e à completa falta de apoio, como deve ser o pavor de um bebê caindo sem ninguém para segurá-lo. Não se trata de uma percepção de solidão existencial, no sentido onipotente já relatado, mas de uma solidão profunda, isomorfa à de um órfão que se sente completamente só, impotente e vulnerável no mundo.

A intensa angústia do desamparo é o protótipo de todas as demais angústias que sentirá o homem ao longo de toda sua existência. O maior de todos os nossos medos. Freud muito bem assim a descreveu: "a angústia surgiu originalmente como uma reação ao estado de perigo, e é reproduzida sempre que um estado dessa espécie se repete". E continua: "a angústia é um produto do desamparo mental da criança, o qual é um símile natural de seu desamparo biológico".[75]

Se biologicamente no parto temos a separação física do feto em relação ao corpo da mãe, no nascimento psicologicamente temos a angústia e o medo da separação. Apesar de o nosso natural narcisismo primário nos impedir de perceber psiquicamente o objeto cuidador enquanto objeto externo (mãe), fisiologicamente percebe-se as mudanças físicas que sua presença e ausência propiciam. Trata-se de uma espécie de *abandono narcísico*, tão impactante, terrificante e intensamente penoso e ameaçador quanto o abandono físico/biológico. É a pior das impotências: a impotência frente à desagregação, ao despedaçamento e à morte. Como certa vez escreveu o filósofo alemão Martin Heidegger, "a angústia é a disposição fundamental que nos coloca perante o nada".

Em outro momento, refletindo e escrevendo sobre o nada, abrimos uma crônica com as seguintes palavras:

> De que é feito o nada? Como pode haver o nada? Depois de tudo que vivi e que ainda viverei é isto o que me resta: o nada? O tudo vira nada? E o que é o nada? Ausência do tudo? O vazio absoluto? Vácuo sem fim? Qual o maldito que inventou o nada? Dizem que viemos do nada e para o nada iremos. Mas não quero ir pro nada. Prefiro ficar por aqui

---

75 Inibição, sintoma e angústia, op. cit.

cercado de interrogações no afogar das minhas tantas incertezas, afinal se o nada é feito de nada então ele é um lugar-nenhum, um oposto de mim que está além e depois de mim. E se assim for, o nada será o absoluto negativo de mim.

Será o nada o oposto da vida? Mas o oposto da vida não é a morte, por que então existe o nada? Ou será que ele inexiste? Às vezes chego a crer que a vida é um aparecimento no meio do nada, e o nada é o seu desaparecimento. Vai ver que na verdade somos nada; o que somos – ou acreditamos que somos – são apenas ilusões psicológicas. Vai ver que tudo é psicológico e emocional, e no fim o que temos é nada. Por isso que não consigo pensar no nada, pois não há psicologia de onde vem o nada.[76]

O temor trágico do abandono é ainda mais acentuado psiquicamente quando a mente menos imatura já reconhece tanto a existência do objeto cuidador quanto sua absoluta dependência em relação a este. Primitivas angústias de separação são revividas à luz da tosca tomada de consciência do outro, a quem se é sujeitada a própria existência de si. Tal temor angustiante não se resume apenas ao medo de perder o objeto cuidador, mas é como (devido ao narcisismo característico dessa fase) se fosse também perder uma parte do Ego, ou o Ego todo, que desapareceria no desaparecimento do objeto.

A angústia é a manifestação da nossa insuficiência psíquica. O mais absoluto oposto da mais absoluta onipotência narcísica. Do somático para o psíquico, a angústia é um sinal da nossa própria insuficiência negada e desconhecida pela mente imaturamente pueril. Essa falta psíquica, pois, se traduz e se expressa no corpo e seus gemidos. Se assim não o fosse, caso nunca tivéssemos angústia, não seríamos capazes de conhecer nossa existência vulnerável e nossa carência. Sem angústia na alma humana talvez a alma nunca se tornasse humana em toda sua real fragilidade e efemeridade.

Não há vida psíquica sem angústia ou sem a possibilidade constante de seu despertar na alma. O narcisismo da autossuficiência é uma ilusão que não se sustenta. O ser humano é condenado por sua própria condição a ser um ser de

---

76   "Nada" (5/7/2015), em blog *Literalmente* (literalmente-literalmente.blogspot.com.br).

faltas. A perda das ilusões narcisistas nos revela o vazio do interior anímico. Viver, humanamente falando, pois, é uma constante busca de preencher a falta e o vazio. E é neste sentido que se pode afirmar que a vida humana é marcada pela angústia. O psiquismo humano, portanto, em grande parte se desenvolve e se estrutura por meios de mecanismos mentais defensivos contra a angústia. O sentir da angústia impõe à mente o trabalho de evitá-la, pois ela nos ameaça invasivamente com a falência do próprio psiquismo.

A alma humana, embora não queira e nem goste, reconhece sua debilidade humana. Somos imperfeitos, incompletos e inacabados. Nossa existência é tênue e frágil, e somos muito dependentes das contingências da vida, das circunstâncias e das adversidades. O mundo, a contragosto da alma, não existe para ela e até existe sem ela. A finitude nos apavora. Não há viver humano sem sofrimento, dor, decepções, inseguranças, frustrações, fracassos, doenças, injustiças, envelhecimentos, perdas e mortes. O psiquismo é constantemente levado a lidar com os obstáculos e as derrotas, que são inerentes ao existir, e a superá-los. Resumidamente, não há vida humana sem angústia.

O nada sombreia o homem e seu viver. Tudo é passageiro. Nada é sólido, e o que é sólido se desmancha no ar. Como afirmava Heidegger, somos um ser para a morte e a morte nos priva do sentido da vida. Temos a consciência dos términos e das decadências. Disse Heidegger: "o mundo surge diante do homem aniquilando todas as coisas particulares que o rodeiam e, portanto, apontando para o nada".[77]

"A vida é uma história contada por um idiota, cheia de som e de fúria, e sem sentido algum",[78] escreveu o dramaturgo inglês William Shakespeare. Se a vida não tem sentido algum, cabe a cada ser humano dar sentido a sua vida. Criar sentido para a vida ontogênica e dar rumo a ela é tarefa psíquica de todo indivíduo humano. Quem perde o sentido e a direção da vida está exposto à angústia. Por mais que não queira sofrer, o sofrimento da angústia é sinal e alerta de que algo não está bem com a alma em sua moldura de vida. A angústia também pode servir de bússola e nos anunciar que estamos perdidos. Nem sempre ela é nossa inimiga, ainda que doa. Ou, como poetizou Fernando Pessoa:

---

77   Apud Marilena Chauí, prefácio *Heidegger, Vida e Obra*, coleção "Os Pensadores", Nova Cultural, 1996.
78   Da peça teatral *Macbeth*, escrita no início do século XVII.

> "Esta velha angústia,
> Esta angústia que trago há séculos em mim,
> Transbordou da vasilha,
> Em lágrimas, em grandes imaginações,
> Em sonhos em estilo de pesadelo sem terror,
> Em grandes emoções súbitas sem sentido nenhum.
> Transbordou.
> Mal sei como conduzir-me na vida
> Com este mal-estar a fazer-me pregas na alma!..."[79]

Sim, angústia outrossim é transbordamento. Toda alma humana é naturalmente grandiosa. Há na natureza do homem a eterna pretensão de expandir. Os limites nos sufocam. Há os limites da realidade, porém há os limites de um Eu que se sente inferior, pequeno, envergonhado, medroso e com baixa autoestima. Lembremos que o Eu (Ego Cogito) é a pessoa que nasce dentro do psiquismo em contato com a realidade física e social. No desenvolvimento deste Eu pode-se formar falsos selfs. O Verdadeiro Self[80] fica como que aprisionado e reprimido. Uma alma reprimida por muito tempo tende um dia a transbordar. O extravasar de uma alma coibida é muitas vezes sentido como angústia e depressão. Posição análoga tinha o médico e psicanalista austríaco-americano Heinz Kohut, para quem a angústia vivenciada por um Self enfraquecido é comparável à angústia vivenciada nas neuroses estruturais.

Por isso muitas psicoterapias visam lidar com a angústia através do falar da pessoa angustiada (paciente). É preciso simbolizar o vazio e o reprimido da alma, pois a angústia tende a desvanecer na presença das palavras. Se a angústia não tem objeto, falar da angústia a transforma em objeto. Lembremos, o homem é um ser que fala. E não há sofrimento maior do que o medo sentido sem palavras, isto é, a angústia.

---

79   Trecho inicial do poema "Esta Velha Angústia", assinado pelo heterônimo Álvaro de Campos.
80   O Verdadeiro Self inclui aspectos dos primórdios da organização subjetiva. Teoricamente engloba o conjunto de expressões criativas do psiquismo desde o início da vida. É o que há de mais autêntico e genuíno no interior do sujeito humano, seus potenciais. Como dizia Winnicott, o Verdadeiro Self se manifesta através dos gestos espontâneos e das ideias pessoais. O Verdadeiro Self, assim, representa abstratamente a pessoa como ela verdadeiramente é.

Como escreveu o poeta mexicano Alfonso Reyes, "um dia, descerrando as pálpebras, e chorando, pensei: 'vivo'. Então começou a angústia, este sopro de animal estranho". Esse animal estranho nada mais é, então, que a angústia humana de se perceber vivo.

> "Levantei-me há cerca de trinta dias,
> mas julgo que ainda não me restabeleci completamente.
> Das visões que me perseguiam naquelas noites compridas
> umas sombras permanecem, sombras que se misturam
> à realidade e me produzem calafrios."
> (Graciliano Ramos)

Raiva

Normalmente a raiva é um afeto reclamante, um protesto consequente da frustração. A raiva é detonada quando a alma é ferida ou ameaçada. Como emoção ela é explosiva e passageira. Como sentimento ela pode perdurar e se transformar em rancor e ódio. A raiva também é um mecanismo emocional de proteção frente a uma afronta. Como seres frágeis que somos, não sobreviveríamos ao longo dos milênios desde a Pré-História se não fôssemos agressivos, naturalmente agressivos.

Assim, a raiva é uma qualidade da nossa própria natureza animal. Ela é constitucional e necessária à sobrevivência do indivíduo e da espécie humana. Temos, como animais, o instinto agressivo. Está na raiz da nossa autopreservação.

Raiva dói. Senti-la é se apropriar da emoção que a acompanha e está por detrás dela. Como emoção, repitamos, a raiva é explosiva, ou seja, é a agressividade se exprimindo diretamente, isto é, é o cérebro impelindo a emoção sem passar pelo crivo dos limites do pensar. Nesse sentido, a agressividade é uma energia muito intensa, feito a erupção de um vulcão. É uma energia que se sente por debaixo da pele.

É comum a criança sentir e expressar raiva. É comum um adulto sentir e, às vezes, expressar raiva. A questão não é presença ou ausência, porém excesso. O psicólogo espanhol Bernabé Tierno alertava que por detrás da raiva demasiada e descontrolada há sempre uma criança frustrada e com medo. A criança a quem fazia menção Tierno é consequência de uma baixa autoestima, de um egoísmo egocêntrico, de uma escassa tolerância à frustração; enfim, de uma imaturidade emocional. Quase sempre a raiva exorbitante e descomedida é uma couraça com que o psiquismo do indivíduo se protege de sua própria falta de onipotência.

Faz-se aqui necessário diferenciar ira, raiva e ódio. A ira, como escreveu David Zimerman em *Os quatro vínculos: amor, ódio, conhecimento e reconhecimento na psicanálise e em nossas vidas*,[81] se expressa através de um rompante de raiva, sendo disruptiva, aguda, porém transitória. Não é acompanhada necessariamente de ódio. O ódio, por sua vez, é um derivativo da raiva que pode adquirir configuração mais duradoura e até crônica. Se fôssemos fazer uma escala em termos de danosidade, diríamos que a raiva é menos danosa que a ira e o ódio mais periculoso do que a ira. Em outras palavras, a raiva é menos abrupta e mais passageira que a ira, e o ódio é mais durável que a ira e o ponto mais elevado da agressividade.

A raiva, enquanto energia agressiva, tem sua fonte em nossos instintos e pulsões. E é no Id (parte primitiva da mente) que se encontram os impulsos mais viscerais. Em princípio, podemos considerar que a energia agressiva opera por reflexo. Em termos basais, tal energia busca descarga pelo canal ou caminho mais curto – por isso ela pode se tornar uma potência destrutiva e destruidora.

Não há como negar, a agressividade é inata ao homem. No senso comum, afirma-se que o ódio é o oposto do amor, mas não é bem assim, visto serem dois afetos de qualidades distintas. O amor está relacionado à libido (energia sexual), enquanto o ódio está relacionado à destrutividade (energia agressiva). Mesmo que tenham raízes na mesma psique, ambos são mecanismos psíquicos de dinâmicas diferentes, se bem que próximas. Freud, em 1915, inclusive, cogitou que "os verdadeiros protótipos da relação de ódio não provêm da vida sexual, mas da luta do Ego para preservar-se e manter-se".[82]

Inicialmente, o Ego acha-se dependente do objeto cuidador. Crescer e amadurecer é, pois, diminuir a dependência, sair da *simbiose normal* (Margaret Mahler chama esse processo de *separação-individuação*). Devido à completa dependência do Ego[83] e do bebê em relação ao objeto cuidador, inclusive provocando sua identificação indiferenciada com o objeto (fusão), o afastamento do objeto é sentido como aniquilação (angústia) pelo Ego ainda rudimentar. Falta à psique primitiva

---

81   Artmed, 2010.
82   *A pulsão e suas vicissitudes*, Imago, 1974.
83   Parte do psiquismo em contato com o mundo externo e a realidade.

obter certo grau de constância objetal.[84] Pensemos assim: o bebê sente fome, porém a mãe não está presente. Ocorre, então, uma experiência emocional negativa para o Self. Ao contrário de uma experiência emocional positiva – quando o bebê é amamentado e logo saciado de sua fome –, a experiência frustrante (o seio ausente) é geradora de intenso medo e raiva. A mente busca no objeto alimentador não um prazer em si, mas um alívio do desprazer.

No exemplo exposto, o desejo de livrar-se do incômodo que a fome proporciona é frustrado. Um desejo insatisfeito, principalmente para um psiquismo narcísico, desperta a agressividade que nos é inata. É como se a psique estivesse sofrendo um ataque por parte do objeto cuidador. O objeto primário (o seio, segundo Melanie Klein) ainda faz parte da ilusão narcísica de autossuficiência individual, quando o psiquismo espera do seio (que o fantasia como um prolongamento de si) que todos seus desejos sejam realizados. Contudo, é impossível a qualquer cuidador (mãe) saciar todos os desejos e imediatismos infantes. Sempre haverá experiências de frustração, afinal nenhuma mãe é, ou consegue ser, perfeita. Um objeto parcial (seio) perfeito seria aquele que nunca deixaria de estar presente para satisfazer todo mínimo desejo narcísico (seio ideal). O que, na realidade, não é o caso. Por mais atenta, presente, alimentadora e cuidadora que seja uma mãe, ela jamais poderá estar sempre pronta para cobrir todas as necessidades e desejos do filho, muito menos no exato instante em que os impulsos são nele despertados. É por isso que Freud disse que *o objeto nasce do ódio*. Somente em um paraíso narcísico o seio é alimentador constante e eterno – um escravo a serviço de um tirânico ditador. No cenário paradisíaco narcísico nem existiria o objeto como objeto, isto é, o objeto reconhecido como separado do corpo e do psiquismo imaturo (o objeto seria um prolongamento da psique lactente). O objeto vai ser forçadamente reconhecido como independente do bebê que lhe é dependente absoluto, graças às experiências de frustração que ele, dentro de um contexto de realidade, inevitavelmente fornece. Essa sequência será matriz perene em toda a existência da alma humana, ou seja, quanto mais imperial for o desejo e mais idealizado for o objeto, maior será a frustração e, consequentemente, maior será a raiva, a agressividade e o ódio.

---

84 Manutenção da representação psíquica do objeto na ausência deste. Isso implica na capacidade mental de tolerar a ausência e de aguentar a separação temporária do objeto.

A agressividade e a raiva fazem parte do repertório da alma humana e nos acompanham desde cedo. Todos os seres humanos, inclusive os demais animais, trazem em si impulsos agressivos. Nem sempre é fácil controlar a raiva. Seu disparador clássico é a sensação de estar em perigo, que tanto pode ser uma ameaça à integridade física quanto psicológica. A percepção real ou imaginária de perigo dispara no cérebro uma espécie de jorro límbico em que o organismo apronta-se para a luta ou a fuga. Tudo de uma maneira instintivamente rápida e imediata. Observa-se, assim, uma forte correlação entre raiva e medo.

Na neurobiologia da raiva o complexo amigdaloide[85] parece ser o "botão disparador", sendo o hipotálamo, em conexão com a amígdala central, a via de descarga das reações subsequentes. Mesmo que seja normal sentir raiva, ela é uma forma de stress emocional. Adrenalina e outros hormônios são despejados no corpo, e todo um conjunto de respostas fisiológicas é posto a atuar.

Narcisisticamente a alma humana se sente ameaçada por tudo aquilo que lhe fira. Em seu imperialismo onipotente, a frustração lhe é mais do que uma dor. Mesmo que o indivíduo não esteja em real perigo, o narcisismo humano não tolera ser desapontado. Aqui se abre espaço para falar da inveja, que não deixa de ser também um sentimento de raiva. Raiva perante o que o objeto tem ou possui que o psiquismo invejoso não tem. Nesse sentido, uma alma narcisisticamente ferida pode se sentir inferiorizada pelo objeto, a quem projeta o poder de sua fantasia onipotente e idealizada. Trata-se de um forte afeto destrutivo dirigido ao objeto invejado. Também se compreende que quanto mais uma mente idealiza um objeto, maior será sua inveja dele. O que o narcisismo inveja é a perfeição que credita ter o objeto idealizado no todo ou em parte. Assim escreveu o filósofo dinamarquês do século XIX Soren Kierkegaard:

> A inveja é uma admiração que se dissimula. O admirador que sente a impossibilidade de ser feliz cedendo à sua admiração, toma o partido de invejar. Usa então duma linguagem diferente, segundo a qual o que no fundo admira deixa de ter importância, não é mais do que

---

85   A amígdala é uma estrutura primitiva do cérebro. De maneira basilar, ela é responsável por relacionar o acontecimento negativo a emoções desagradáveis. Experimentos em que animais têm removida a amígdala mostram que eles apresentam-se dóceis e apáticos frente ao perigo.

patetice insípida, extravagância. A admiração é um abandono de nós próprios penetrado de felicidade, a inveja, uma reivindicação infeliz do eu.[86]

Do ponto de vista kleiniano, inveja-se o seio materno que nos acolhe e nos nutre. A ilusão do seio ideal é acompanhada do sentimento de nossa impotência em sermos nós mesmos ideais. Para Melanie Klein a inveja é endógena e inata. Porém, esta não é uma visão unânime nos estudiosos das entranhas psíquicas. Para Winnicott, por exemplo, a agressividade não tem uma raiz única nem um significado unívoco. Segundo ele, a agressividade está diretamente relacionada com as respostas ambientais, e ela se manifesta nos instantes primeiros da vida extrauterina, não sendo uma agressividade propriamente dita, pois o recém-nascido carece da intenção de ser agressivo. O que ele manifesta é voracidade, que foi chamada por Winnicott de *amor-apetite-primário*. A selvageria da voracidade do bebê ao sugar é menos agressividade destrutiva ou sádica e mais uma avidez esfomeada e desesperada.

Temos de considerar que no início o psiquismo imaturo se acha incapaz de discernir mundo interno e mundo externo, Self e objeto. As excitações corpóreas vividas geram tensão instintual, impulsos e urgências. Busca-se o alívio imediato da tensão. A mente em seu estado bruto não sabe o que está se passando, apenas recebe os estímulos desconcertantes que provêm do corpo em fome e inquietação. A chegada do seio alivia o estado de desequilíbrio e leva ao retorno à homeostase inicial.[87] Somente quando o seio é objetificado, isto é, quando o psiquismo reconhece sua relação objetal com a mãe, e não é ele que, ilusoriamente, cria o seio, é que se pode, segundo Winnicott, falar em agressividade em termos de destrutividade dirigida ao objeto.

Seja a inveja um afeto primário (visão kleiniana), de fator interno ou endógeno, ou um afeto secundário (visão winnicottiana), como resposta às falhas ambientais, sua presença compromete significativamente as relações interpessoais. Precocemente ela provoca solapamento nas raízes dos sentimentos positivos ou amorosos, afetando a mais basilar das relações humanas: a relação com a mãe (objeto cuida-

---

86   *O desespero humano*, Unesp, 2010, p. 87.
87   O psiquismo tende a manter a quantidade de excitação em um nível baixo o mais constante possível. Freud denominava tal tendência psíquica de *"Princípio da Constância"*.

dor). Sentimentos de inveja intensos em períodos moldais do desenvolvimento são precedentes comprometedores à saúde mental do indivíduo mais adiante, pois dificultam importantes experiências positivas (*confiança básica*),[88] necessárias a uma boa integração psíquica.

Discussões à parte sobre a origem da inveja (se primária ou secundária), compreendemos que o que há de mais endógeno na alma humana é seu narcisismo natural. E é sobre tal base ou suporte que se desenvolverão as primeiras experiências emocionais. Para uma mente rudimentar que se credita onipotente e perfeita, ou que vê como poderoso e perfeito o objeto que cuida dela (objeto ideal), inevitavelmente nesse cenário serão dois os principais embriões do afeto raivoso: medo e inveja. Raiva como saída ao medo (fantasioso ou não) de um ataque ao equilíbrio psicossomático, ou raiva como uma refutação à inveja que lhe provoca o objeto ilusoriamente ideal ao lhe "sonegar" o atendimento de todas as necessidades físicas e/ou psicológicas do pequeno infante.

Um ser onipotente mesmo jamais se sentiria ameaçado, pois não haveria como ser machucado ou danificado por algo ou alguma coisa. Em um mundo perfeito, à sua imagem e semelhança, nada lhe frustraria, pois tudo apenas seria a plena realização de todo e qualquer mínimo desejo. Como diz Caetano Veloso, "é que narciso acha feio o que não é espelho/e à mente apavora ainda o que não é mesmo velho". Ou como certa vez escreveu no século XIX o escritor francês Honoré de Balzac: "é tão natural destruir o que não se pode possuir, negar o que não se compreende, insultar o que se inveja".

Pelo exposto, percebe-se uma correlação intrínseca entre os afetos de inveja ou raiva e a autoestima. É como uma relação inversamente proporcional: quanto menor a autoestima mais podem se elevar os sentimentos de inveja e raiva, muitas vezes devido a nossa própria imperfeição e mácula. Outras, e ainda devido a nossa própria imperfeição e mácula, quando idealizamos que "a grama do vizinho

---

[88] Na Teoria Psicossocial do Desenvolvimento de Erik Erikson, o ser humano mantém seu primeiro contato social com seus provedores (objeto materno). Quem provê o bebê é visto por ele como mágico, poderoso e supremo, o objeto que lhe dá tudo de que ele necessita. Nas idas e vindas do objeto cuidador o psiquismo infante tende a construir sentimentos de confiança ou desconfiança em relação a seus provedores externos. Com o amadurecer da confiança básica, a criança se organiza psicologicamente de maneira mais equilibrada e, sentindo-se com segurança e objeto de afeto dos pais, passa a melhor confiar em si, nas pessoas e no ambiente que a rodeia, lançando-se, assim, com mais otimismo no explorar o mundo e a vida.

é sempre mais verde". Pode até não ser uma regra geral, mas quem muito admira, em algum momento, um dia, tem forte tendência a sentir essa dilacerante dor emocional e anímica que é a inveja.

"A raiva é um veneno que bebemos esperando que os outros morram."
(William Shakespeare)

Medo

Talvez o medo seja a emoção mais estudada. Talvez o medo seja a mais medular das emoções. Quando um animal se sente em perigo, sente medo. Trata-se da emoção ligada ao perigo e serve como escudo protetor e obriga o indivíduo a reagir e enfrentar a ameaça. O organismo humano segrega adrenalina e o coração acelera, elevando o nível de açúcar no sangue, e as pupilas se dilatam. Há quem afirme ser este o mais primário dos afetos, a mais básica das emoções que, direta ou indiretamente, permeia ou sombreia os demais sentimentos. O estado de medo provoca uma série de respostas comportamentais.

Como parte do nosso sistema defensivo, o medo, assim como a ansiedade e a raiva, é ativado em situações potencialmente ameaçadoras ou realmente perigosas. A espécime humana sobreviveu e se desenvolveu até os tempos atuais graças, entre outras coisas, ao medo. Do ponto de vista evolutivo, perante situações de ameaça (real ou fantasiosa) padrões automáticos de respostas são acionados. Diversas são as reações de medo, entre elas a evitação ou fuga, a paralização, o reflexo ou resposta agressiva, e até mesmo a sujeição. O medo é, inegavelmente, um componente básico da experiência animal.

Embora se trate de uma reação biológica comum nos animais, no tocante à esfera humana o medo se torna mais complexo, visto que, inclusive, ele pode ser provocado pelo processo psíquico imaginativo. Há, também, medos que provêm da cultura ou de determinadas crenças socioculturais. Como o ser humano é um animal que pensa, tanto o medo como outras emoções e sentimentos têm uma estreita relação com o julgamento ou a interpretação de um determinado evento. Assim sendo, o medo não é unicamente uma reação emocional e biológica, mas pode incluir com igual força crenças e aprendizagens sócio-historicamente construídas.

A reação de medo não provém apenas de estímulos externos ou físicos, mas também de estímulos mentais produzidos pela imaginação, fantasias, crenças e interpretações. Tais processos psíquicos são capazes de gerar respostas fisiológicas tão intensas e "verdadeiras" quanto estímulos externos.

Como todas as emoções, o medo surge desde cedo. A própria infância é terreno fértil ao desenvolvimento de inúmeros medos que vão influenciar comportamentos nas idades mais avançadas do indivíduo. Vários são os medos que os adultos têm cujas origens encontram-se nas qualidades das experiências vividas no período infantil. É comum que um psiquismo ainda não maduro apresente reações de medo frente a inúmeros estímulos advindos de um ambiente que ainda lhe é desconhecido e inexplorado. As sensações fisiológicas do medo e as percepções de perigo vão sendo apresentadas, em uma psique em formação, como experiências subjetivas.

No córtex cerebral humano existe um *cérebro emocional*. Segundo Joseph LeDoux, neurocientista americano, cujo campo de pesquisa é focado nos fundamentos biológicos da emoção, o medo, assim como outras emoções, existe devido a um intricado e complexo sistema neurobiológico em que, por meio dos órgãos sensoriais, o cérebro recebe informações do mundo externo indicando a existência ou ameaça de um perigo. Circuitos cerebrais acionam a amígdala que, por sua vez, dispara um alarme corporal. Uma importante estrutura cerebral envolvida no *circuito do medo* é o hipocampo, uma estrutura subcortical que não se encontra totalmente formada no nascimento, tendo em média dois anos para se desenvolver e ficar pronta. O hipocampo é responsável pelo abastecimento de informações em relação ao contexto que gera a emotividade primitiva manifestada pela amígdala. Podemos dizer que a emoção propriamente dita se passa na amígdala, enquanto o hipocampo associa a emoção às circunstâncias em que se dá o evento.

O hipocampo encontra-se situado dentro do lóbulo temporal do cérebro e é parte importante do sistema límbico, que é a porção responsável pelas emoções e comportamentos sociais. O hipocampo é associado à memória. Quando o sinal de alarme é acionado pela amígdala, o hipocampo processa as lembranças como que para confirmar se a situação é perigosa ou não, informando ao córtex pré-frontal sua "leitura" para que este assuma o comando da ação. Caso tanto o hipocampo quanto o córtex pré-frontal não conseguirem "desligar" o alarme anteriormente disparado pela amígdala, a sensação de medo se intensifica até a instalação do pânico.

Qual é o maior medo humano? O medo do desamparo. O desamparo equivale à sensação que um bebê pequeno tem se, ao cair, não houver ninguém para segurá-lo. Desde que nasce o homem, em sua condição ainda de neonato, necessita de ajuda alheia. Desde que nasce, pois, o ser humano já sente o medo do desamparo. Em seu *Vocabulário da psicanálise*, Laplanche e Pontalis[89] dizem que "para o adulto, o estado de desamparo é o protótipo da situação traumática geradora de angústia".

Pelo ângulo narcísico, o desamparo representa que o objeto cuidador não é onipotente. Sofremos, destarte, o desamparo devido a nossa pré-maturação, pois, diferentemente da maioria dos animais, somos completamente desaparelhados à sobrevivência. Dependemos absolutamente de um cuidador para nossas necessidades, mesmo as mais basais. Quem nos protege do mundo e de seus perigos, depois que saímos da vida intrauterina, é o objeto (mãe), e por causa de nossa condição neotênica a grandeza do objeto é onipotentemente mais do que grandiosa. O objeto que nos cuida é tudo para o bebê que é cuidado. Daí, como dizia Freud, o fator biológico de dependência absoluta cria a necessidade humana de ser amado.

A ansiedade é um estado que deriva do medo, e o medo gera sintomas de ansiedade. A ansiedade é notadamente marcada por sensações corporais desagradáveis, como aumento do batimento cardíaco, tensão muscular, sudorese, tremores periféricos, respiração ofegante ou falta de ar, entre outras. Medo e ansiedade são tão próximos que é comum associarmos ambos.

Podemos dizer que a primeira sensação de medo sentida é a angústia. Lembremos que a diferenciação entre angústia e ansiedade deve-se à presença ou ausência de objeto que justifique o forte mal-estar psíquico.[90] Como no principiar da vida extrauterina, a mente humana vive um momento psicológico pré-objetal e autista (*autismo normal*), isto é, ainda incapaz de diferenciar mundo interno e mundo externo, bem como de perceber a existência de qualquer objeto externo, e o medo indefinido sentido por uma psique puramente Id é um temor frente ao nada, pois a alma humana até então se sente em uma solidão existencial (só existe ela). Com o gradual amadurecimento psicofisiológico, a alma humana vai se dando conta de

---

89   Martins Fontes, 10. ed., 1988.
90   Para o psicanalista francês Jacques Lacan, a angústia não é sem objeto, ela indica que há algo, embora não se saiba o quê.

que ela não está só e nem que é autossuficiente. Existe o objeto que lhe é externo, separado dela, de quem ela depende integralmente. Sobre o peso de tal dependência, o grande medo psíquico agora é que o objeto desapareça. Chamemos esta inquietação e ansiedade de *medo da perda do objeto*. Trata-se de um momento do desenvolvimento em que predomina a ansiedade da separação.[91]

Se há reconhecimento psíquico tanto da existência do objeto externo quanto de sua essencial e indispensável importância, a fantasia do desaparecimento deste objeto representa um abandono vital insuportável. Se a mente pudesse naquele instante falar, possivelmente diria ao objeto "não consigo viver sem você". Realmente se de fato o objeto desaparecesse, o bebê vulnerável e impotente como é não conseguiria sobreviver. Voltamos, pois, ao grande medo da alma humana: o medo do desamparo.

Outro medo subsequente ao medo da perda do objeto é o *medo da perda do amor do objeto*. Com um maior amadurecimento psíquico, a mente já é capaz não somente de consolidar uma internalização do objeto externo (representação psíquica do objeto externo), como um certo grau de *constância objetal*. A constância objetal é caracterizada pela capacidade mental de representar internamente o objeto de amor ausente. Escreveu Margareth Mahler: "no estado de constância objetal, o objeto de amor não será rejeitado ou trocado por outro caso que não possa mais proporcionar satisfação, quando este estado predomina o objeto ainda é desejado e não rejeitado (odiado) como insatisfatório por estar ausente".[92] Lembremos que em uma Posição Esquizo-Paranoide a mente dirige afetos positivos (amorosos) ao seio ideal (objeto gratificante) e afetos agressivos (odiosos) ao seio mau (objeto frustrante).

Com a manutenção da constância objetal, o afastamento da mãe em relação ao seu bebê já não provoca nele o medo da perda do objeto. Porém, agora, a alma humana percebe necessitar não somente da presença do objeto cuidador, mas também e tanto quanto do amor deste objeto.

O modelo traumático proposto por Freud é o da separação do objeto primordial (objeto materno) e não o trauma do nascimento a que fazia menção Otto Rank,

---

91 Período do desenvolvimento humano infantil em que o psiquismo teme o afastamento do objeto como se representasse uma perda.
92 *O nascimento psicológico da criança: simbiose e individuação.* Artes Médicas, 1993.

pois o nascimento não seria sentido psicologicamente como uma separação, já que o objeto é pela mente fetal desconhecido. O medo da separação implica falta, e em um psiquismo totalmente narcisista (anobjetal) não há nenhum objeto para se sentir falta. É a ausência do objeto percebido que geraria a situação traumática propriamente dita. Sua não presença, pois, é provocadora de medo e ansiedade.[93] A dor da angústia, para Freud, proveria da reação à perda do objeto.

Segundo a psicanalista Myriam Uchite, embora o nascimento não traga consigo a angústia da perda do objeto, representa, por sua vez, outra perda (mais primordial ainda) que é a perda da homeostase da vida fetal. Como diz ela, "a primeira reação do bebê no nascimento mostra os indícios de uma 'angústia automática', ativada pela preparação congênita dos dispositivos para reagir ante os perigos reais".[94] Assim, a passagem da angústia automática do desamparo sem objeto para o medo da perda do objeto em que se ampara produz na alma o seu primigênio sinal de alarme frente ao perigo: a ansiedade.

Necessitamos tanto de amparo físico quanto de amparo afetivo. Se o corpo necessita do leite materno para sobreviver e crescer, a alma precisa sentir-se amada para florescer. Uma mãe que cuida do seu bebê com carinho, ternura, afeição e amor, contribui marcadamente para a mente pueril se sentir segura e gostar de si. Falta de amor materno causa na alma um vazio, uma falta básica. A consequência dessa falta no desenvolvimento psicológico da alma ocasiona o que o psicanalista húngaro Michael Balint denominou de *falha básica*. Segundo ele, se a discrepância entre as necessidades psicológicas da mente infantil e os cuidados e carinhos que recebe for grande, formar-se-á na organização da psique um estado de deficiência resultante dos vestígios das primeiras experiências amorosas. Tal deficiência, ou falha básica, contribuirá determinantemente para a constituição da personalidade. É como se fosse uma espécie de cicatriz na alma que, embora possa eventualmente cicatrizar, jamais desaparece, permanecendo como uma marca indelével na formação do ser.

O ser humano, em sua primeira fase desenvolvimental, muito necessita ser amado. O amor dedicado ao filho pelo objeto cuidador vai servir de base para os

---

93 Nossa posição é que as sensações de temor sentidas na fase anobjetal são o protótipo da angústia. O medo da ausência ou perda do objeto são, por sua vez, a matriz primeira dos estados da ansiedade humana.
94 *Neurose traumática*, Casa do Psicólogo, 2001.

outros relacionamentos afetivos, bem como para sua autoestima. A infância é estrutural para a autoestima. Por sua vez, a autoestima é fundamental na formação do psiquismo e, em grande parte, define a qualidade de vida de uma pessoa.

Em Psicologia, a autoestima integra a avaliação subjetiva que uma pessoa faz de si mesma. Envolve tanto sentimentos quanto crenças que o Self tem de si próprio. Esse *sentimento de estima de si* implica e influencia diretamente a autoimagem, a autoaceitação e a autoconfiança. Trata-se do valor que o sujeito se dá, e tal valor ou julgamento é intrínseco à capacidade de se gostar.

A alma humana, depois que sai da cápsula autista da solidão existencial do narcisismo primário (autismo normal) e da ilusão igualmente narcísica de ser única para a mãe (simbiose normal), necessita, como uma planta necessita de água e sol, se sentir especial para seus genitores ou substitutos. Mal regada, a alma tende a se desenvolver com baixa autoestima e, em casos extremados, progredir para uma patologia psíquica, na qual pode existir uma séria distorção da autoestima e da autoimagem, como nos casos de depressão (em que a autoestima vai ao chão) ou nos casos de estados maníacos (em que a autoestima vai à estratosfera). Como veremos mais adiante, uma autoestima hiperelevada com arrogância narcísica pode escamotear, no fundo, uma baixa autoestima.

O medo da perda do objeto é o medo do desamparo vital. O medo da perda do amor do objeto é o medo do desamparo afetivo. Enquanto a reação de ansiedade à perda do objeto é um temor relacionado à sobrevivência (medo de morrer), a reação de ansiedade à perda do amor do objeto é um temor relacionado à castração, isto é, uma mutilação na qualidade do crescimento psicoafetivo. Freud assim teceu sobre o assunto:

> Portanto, a primeira condição para a angústia, que o próprio Eu introduz, é a da perda da percepção [do objeto], que é equiparada à da perda do objeto. Uma perda do amor ainda não entra em consideração. Mais tarde, a experiência ensina à criança que o objeto pode continuar existindo, mas estar zangado com ela, e então a perda do amor do objeto torna-se um novo, bem mais persistente perigo e condição de angústia.[95]

---

95   *O futuro de uma ilusão* (1927), Companhia das Letras, 2014, p. 88.

O medo, portanto, sempre nos acompanhará pela vida inteira. É parte inerente do existir e viver. Afinal, a vida é feita também de perigos reais. Porém, o medo aqui abordado é um medo psicologicamente criado; um temor da alma humana. É um medo que pode transformar o mundo percebido em um mundo hostil e destrutivo, em vez de um ambiente de beleza, oportunidades e prazeres. Um lugar para a autorrealização. Como já dizia Stendhal, escritor francês, cerca de dois séculos atrás: "o medo nunca está no perigo, mas em nós".

"Medo de ver a polícia estacionar à minha porta.
Medo de dormir à noite.
Medo de não dormir.
Medo de que o passado desperte.
Medo de que o presente alce voo.
Medo do telefone que toca no silêncio da noite.
Medo de tempestades elétricas.
Medo da faxineira que tem uma pinta no queixo!
Medo de cães que supostamente não mordem.
Medo da ansiedade!
Medo de ter que identificar o corpo de um amigo morto.
Medo de ficar sem dinheiro.
Medo de ter demais, mesmo que ninguém vá acreditar nisso.
Medo de perfis psicológicos.
Medo de me atrasar e medo de ser o primeiro a chegar.
Medo de ver a letra dos meus filhos em envelopes.
Medo de que eles morram antes de mim, e que eu me sinta culpado.
Medo de ter que morar com a minha mãe em sua velhice, e na minha.
Medo da confusão.
Medo de que este dia termine com uma nota infeliz.
Medo de acordar e ver que você partiu.
Medo de não amar e medo de não amar o bastante.
Medo de que o que amo se prove letal para aqueles que amo.
Medo da morte.

Medo de viver demais.
Medo da morte."[96]

Sim, foi feliz Jung quando afirmou que "em todo adulto espreita uma criança – uma criança eterna, algo que está sempre vindo a ser, que nunca está completo, e que solicita cuidado, atenção e educação incessantes. Essa é a parte da personalidade humana que quer desenvolver-se e tornar-se completa".[97] A alma humana, por mais amadurecida que possa chegar, nunca deixará de ter as suas raízes infantis. Muitos dos medos humanos, portanto, têm um pé (às vezes os dois) na sua própria meninice.

Alegria/Tristeza

O humor funciona como um termômetro emocional que mede nossas oscilações humorais. É normal oscilarmos em momentos alegres e momentos tristes. Tal flutuação é pertinente com o pulsar da vida e é normal. Mais do que normal, saudável.

Como reconhecia o cronista Rubens Alves, "A gente está alegre, não é alegre. Porque esse sentimento não se mantém para sempre. Surge, colore o mundo e some feito bola de sabão. Quando se está triste, bom saber, acontece igualzinho". Tanto a alegria quanto a tristeza surgem e desaparecem. São emoções que colorem a alma humana. A alegria e a tristeza fazem parte das quatro emoções básicas, a saber: o medo (angústia/ansiedade), a raiva, a alegria e a tristeza. Alegria é gozo. Tristeza é desgozo. A alma tem uma fome inesgotável de prazer. Vive em busca do prazer e evita o desprazer. A alma anseia pelo Nirvana, pela ausência plena de todo e qualquer sofrimento. Porém, o sofrimento é intrínseco à vida. Já disse o filósofo alemão Arthur Schopenhauer, *viver é sofrer*. A alma visa o gozo inacabável e a plenitude; perfeição esta que jamais será alcançada. Neste sentido, a alma já sofre por si mesma, ou seja, sofre por não ser perfeita e por não alcançar a plenitude e o gozo infindo. Para Schopenhauer, a *vontade*[98] é a força motriz huma-

---

96   Poema "Medo", do poeta e escritor norte-americano Raymond Carver.
97   *O desenvolvimento da personalidade* (1910), Vozes, 1981, p. 175.
98   "Vontade" em Schopenhauer equivale a desejo (libido) em Freud.

na, mas também razão de seu sofrimento. Vontade, na noção do filósofo, é fome: fome de perfeição. Exprimiu ele: "a vontade é não somente livre, mas onipotente". Na nossa trágica fatalidade de não sermos perfeitos, oscilamos na vida às vezes com o humor pra cima (alegria), outras vezes com o humor pra baixo (tristeza). A alegria às vezes se acende, em outras se apaga. Tristeza idem. Nenhuma é um estado constante. Como emoção, a alegria é expansão. Já a tristeza é contração. Ficamos alegres quando não somos contrariados, e tristes quando somos. Frequentemente a tristeza advém quando de uma perda ou privação. Nela habita a fraqueza de não sermos onipotentes. A potência dos deuses não nos pertence. Se a alma humana é naturalmente narcísica (e ilusoriamente onipotente), então somos naturalmente frustrados. A frustração, sim, nos pertence. A alma humana é uma alma frustrada, ferida narcisicamente. Este é, pois, o destino de toda alma humana: *ser um deus fracassado*. Como revelou o dramaturgo alemão Bertolt Brecht, "terrível é a tentação de querer ser Deus".

Um bebê demonstra alegria quando do retorno da mãe para perto dele. É uma alegria de sossegamento e segurança. Uma alegria pelo desvanecer do medo. Um bem-estar pelo restituir da homeostase e equilíbrio. O aprazimento pela proteção que a presença do objeto cuidador propicia. Um deleite e regozijo. Um estado de satisfação.

O que muito dificulta sentir alegria é o sentimento de culpa. Digamos que a criança é mais aberta e receptiva à animação da alegria. É o que se observa em geral no reino animal, onde os filhotes são brincalhões e facilmente alegres. Parece que a maturação psíquica vai limitando a espontaneidade, o entusiasmo e o divertimento tão característicos da natureza e ludicidade infantis. Talvez não seja o maturar psíquico em si, mas é em tal maturação que a mente humana vai desenvolvendo crenças, morais, regras, autocontrole, autoestima, pensamentos judicativos e sentimentos vários que não estavam presentes no início da alma, entre eles a própria culpa, vergonha, pudor, acanhamento e medos de ordem social. Dependendo de como cada indivíduo cresce e forma sua personalidade, um grau maior ou menor de severidade, cautela, comedimento, conspicuidade e circunspecção vai prevalecendo na alma que um dia foi acriançada. É difícil que uma pessoa bastante rígida e limitada, assim como com baixa-autoestima e pouca autoconfiança, tenha largo espaço emocional para a alegria. Pessoas assim geralmente são tristes e desanimadas, sentindo-se infelizes. A alma humana, com o tempo e com o amadurecimento, tende a ficar com uma roupagem, necessária, porém, de certa seriedade e sisudez. Acontece que para alguns a alma tende a ficar mais triste do que alegre.

Como já dissemos, nascemos nus; a alma também. Como Adão e Eva, comemos o fruto do conhecimento e fomos, assim, expulsos do paraíso. Psiquicamente o paraíso é o ser perfeito. Ele não existe, e a mente vai tomando consciência disso e de si como um ser imperfeito. Porém, isso não impede a espontaneidade da alegria. O que a limita, em grande parte, é a perda da inocência infantil e o excesso de vestimentas morais que vão encobrindo a alma antes nua. Ninguém, por exemplo, nasce com vergonha ou culpa.

A sensação de bem-estar que a alegria nos evoca tem seus mecanismos bioquímicos. O humor é muito modulado pelos neurotransmissores. A serotonina, por exemplo, tem efeito sedativo que melhora o humor e, consequentemente, facilita o sentir da alegria. A serotonina, inclusive, é apelidada de "hormônio da alegria". Além da serotonina, nosso organismo produz neurotransmissores excitatórios que contribuem para um humor equilibrado e alegre: a noradrenalina e a dopamina, que atuam como espécies de coadjuvantes da serotonina.

Se a alegria é uma emoção positiva, sentimento prazeroso e de satisfação interior – talvez o sentimento mais próximo da plenitude –, a tristeza é o seu oposto. Na condição de que a alegria está associada ao prazer, a tristeza está associada à falta de prazer.

Aristóteles considerava a tristeza uma das "paixões da alma", o que foi corroborado pelo psiquiatra francês Esquirol, do século XIX, que dizia ser uma "paixão triste". Já Espinosa afirmava que "a tristeza é a passagem do homem de uma perfeição maior para uma menor". A origem etimológica da palavra já nos é reveladora deste estado afetivo: do latim *tristia* que significa aflição. É um afeto de insatisfação que se inicia com as primeiras perdas narcísicas. Como escreveu em seu verso a portuguesa Florbela Espanca, "é triste, diz a gente, a vastidão". Sim, deve ser triste, muito triste, perder a ilusão da perfeição do narcisismo primário. Perder a enganosa sensação de ser autossuficiente e onipotente. Perder, para sair depois da *simbiose normal*, a mãe nas várias vezes em que ela se afasta. Perder. Em suas raízes mais remotas a tristeza advém de um narcisismo contrariado.

Pelo sentido acima, a tristeza é parte integrante e normal do amadurecimento psíquico. Margaret Mahler entendia a importância da tristeza e a capacidade de senti-la como uma conquista emocional. A alma necessita saber sentir e lidar com a tristeza desde cedo, para poder saber sentir e lidar com ela pela vida inteira. Ou, repetindo Espinosa, saber e aceitar a potência diminuída.

A relação entre tristeza e perda é direta e indissociável. Trata-se de uma reação normal à perda ou a um acontecimento que não atenda às expectativas prévias, diferente da depressão, que é um transtorno mental muitas vezes ligado a distúrbios neuroquímicos do cérebro. Na depressão a tristeza é crônica e profunda, a ponto de se perder o interesse em atividades antes prazerosas. A tristeza profunda da depressão não é momentânea como a tristeza cotidiana da não depressão, ela é desesperançosa e se entranha nos ossos da alma como se a própria alma ela fosse. É como recita o poeta João Cabral de Melo Neto nestes seus versos: "quem é alguém que caminha/toda a manhã com tristeza/dentro de minhas roupas, perdido/além do sonho e da rua?".

Quando perdemos alguém querido, ou algo significativo, é normal reagir frente tal perda com tristeza e luto. A morte, por exemplo, é a maior das nossas perdas. Tudo o que amamos, gostamos e nos dá prazer e satisfação, um dia morrerá. Tudo acaba. Tudo é transitório, inclusive a própria vida. A morte, o fim das coisas, é uma interrupção em nossos anseios de eternidade e infinitude. A morte se impõe de maneira inegociável. A morte nos esvazia por fora e por dentro. A tristeza é um afeto inescapável, portanto, assim como também o luto, que é um processo psíquico-temporal necessário à elaboração da perda. Alguém até já disse que a vida é um enterro sem fim.

Começamos a vida na ilusão da perfeição e da plenitude. Sair dela nos entristece. Mas é saindo dela que crescemos emocional e psicologicamente. É necessário superar o príncipe idealizado que um dia fomos em nossas fantasias pueris. Não mais ser o objeto único de nossas mães e passar pela tristeza primordial da desidealização da fusão inicial entre a mãe e nós. E continuaremos a nos entristecer, pois iremos igualmente deixar, ou ser expulsos, da *Terra do Nunca*.[99] Assim considerando, podemos dizer que a alma humana tem sempre um quê de tristeza.

---

99   Ilha fictícia descrita por James Matthew Barrier em seu livro *Peter Pan*. Terra do Nunca é uma alegoria do comportamento eternamente infantil. Em 1983 o psicólogo norte-americano Dan Kiley publicou o livro *Síndrome de Peter Pan* (no Brasil publicado pela Melhoramentos) para caracterizar o homem que nunca cresce.

É como escreveu o poeta Rui Espinheira Filho no seguinte trecho do seu poema "Aniversário":

> "Perdi colegas, namoradas, cães.
> Perdi árvores, pássaros, perdi um rio
> e eu mesmo nele me banhando.
> Isto o que ganhei: essas perdas. Isto
> o que ficou: esse tesouro
> de ausências."

Momentos, ao longo da vida, de tristeza e de baixa na autoestima são normais. A tristeza é ocasional e é passageira. Em grande parte das vezes, tal sentimento está relacionado à dificuldade humana de lidar com a falta da felicidade. Felicidade aqui entendida como aspiração de completude e perfeição, resultado da idealização narcísica da alma. Dizia Freud que *a felicidade é a realização de um desejo pré-histórico da infância*. Seria uma felicidade plena, baseada no Princípio do Prazer, porém, tal princípio, alicerce do psiquismo em seu estado mais bruto, não encontra amparo ou eco na realidade. O mundo e a vida não estão aí para nos atender em todos os nossos pleitos. O prazer irrestrito e absoluto é inalcançável. E é nesse sentido que a felicidade idealizada é impossível, razão pela qual a alma humana tende a ser ou se sentir mais infeliz do que feliz.

É triste não sermos felizes como manda nosso narcisismo. Mas não ser assim tão feliz não é sinônimo de infelicidade. Apenas não temos acesso à felicidade plena. Isso não é uma fatalidade, porém uma inevitável condição do existir. Talvez a alma menos sofresse se abandonasse esse projeto idealizado de felicidade e mais aceitasse os estados de alegria, tranquilidade e contentamento, embora por si mesmo transitórios.

A consciência do existir (Ego Cogito) cobra ao humano seu preço. A experiência da consciência nos revela a tristeza por se saber finito. Outros animais também sentem tristeza, mas a tristeza do homem tem um componente que os demais animais não têm: a consciência da existência. Sêneca, escritor e filósofo romano no século IV a.C., em uma de suas cartas, escreve que "cada dia, cada hora mostram-nos o pouco que valemos e qualquer outra importante situação relembra nossa fragilidade esquecida. Nós que sonhávamos com a eternidade, somos obrigados a encarar a morte".[100]

Há no sentimento de tristeza sempre algum pesar. A vida nos propicia alegrias e tristezas, assim como também momentos de ansiedade, raiva e medo. Uma das coisas mais humanas que temos é viver a vida com afetos, emoções e sentimentos. Somos vulneráveis e imperfeitos. Embora possa a natureza narcísica da alma tentar negar, isto é a nossa realidade. Saber sentir e lidar com tais afetos e emoções é necessário ao desenvolvimento e maturidade psíquica. Como afirmou o escritor e filósofo Albert Camus, "não existe felicidade sem dor".

"As tristezas não foram feitas para os animais,
mas para os homens; mas se os homens as sentem muito,
tornam-se animais."
(Miguel de Cervantes)

Ciúme

O ciúme é um afeto provocado por uma sensação de ameaça. Trata-se de um estado emocional complexo e penoso relacionado a algo ou alguém de quem se sente ou se pretende ser possuidor ou exclusivo. O ciúme é um sentimento que envolve vários outros sentimentos, tais como medo, amor, desconfiança, possessividade, inveja, egoísmo, inquietude, apego, zelo, mágoa, angústia, raiva etc. Como dizia o escritor francês Marcel Proust, "O ciúme é muitas vezes uma inquieta necessidade de tirania aplicada às coisas do amor".

Como sentimento desagradável, o ciúme muitas vezes é sentido quando uma pessoa querida demonstra poder vir a gostar ou gostar mais de outro do que de nós mesmos. É, por conseguinte, uma afecção afetiva derivada de uma ameaça de perda. O ciúme, em si, é um sentimento normal da alma, a ponto, inclusive, de Santo Agostinho haver afirmado que "quem não tem ciúme, não ama". Como sentimento, o ciúme permeia de vez em quando a alma humana.

---

100 *Sobre a brevidade da vida*, L&PM, 2008, p. 114.

Do ponto de vista etimológico, ciúme encontra sua origem na palavra grega *zelosus*. Em latim o termo é *zelúmen*. Ambas as origens nos remetem a *zêlos*, que em grego significa zelo. Zelo se traduz em carinho e afeição ardente por alguém ou alguma coisa. Uma pessoa zelosa é aquela que tem bastante cuidado e consideração por uma coisa ou outra pessoa.

Não nascemos com sentimentos de ciúme na alma pelo simples fato de inexistir, em seus momentos iniciais, percepção da existência de objetos externos. Mesmo após o reconhecimento do objeto materno, o psiquismo ainda não percebe outros objetos que possam atrair o interesse e a afeição da mãe (objeto primário). Somente quando a mente se dá conta da triangularização afetiva da existência, isto é, que ele (a criança) não é o único alvo do amor do objeto amado (mãe), é que a alma pode se ver invadida pelo ciúme.

É natural, como vimos anteriormente, que o objeto materno seja o nosso primeiro objeto de amor, afinal, como descreveu Melanie Klein, "no começo ele (o bebê) ama a mãe no momento em que ela satisfaz suas necessidades de alimento, alivia suas sensações de fome, e lhe oferece o prazer sensual quando sua boca é estimulada pelo sugar do seio"[101]. Com o desenvolvimento, temos a primeira vivência triangulada, ou seja, a extinção da idealizada relação dual (criança-mãe) com a entrada de uma terceira pessoa (criança-mãe-outro). Isso quer dizer, como já mencionado, que se nosso primeiro não-Eu é a mãe, o outro será nosso primeiro não-mãe. Esse primeiro não-mãe pode ser o pai, um irmão ou qualquer outra pessoa (objeto) a quem a mãe dirija libido além de seu filho. Assim, a triangulação leva o psiquismo infantil a poder reorganizar as suas relações objetais (antes narcísica e dual) em uma estrutura com três objetos (pessoas), que no início não existia à sua percepção. Nessa fase maturativa, o psiquismo pode se observar como um terceiro. Com a triangulação, a criança inicia seu processo de socialização. Quebra-se, desse modo, o padrão narcísico de uma relação diádica, levando a criança a conviver e se relacionar com mais pessoas ao mesmo tempo. Nesse sentido, a triangulação é necessária ao desenvolvimento psicossocial da alma humana.

O escritor e filósofo francês Roland Barthes certa vez disse que "como ciumento sofro quatro vezes: por ser excluído, por ser agressivo, por ser doido e por ser

---

101 *Amor, ódio e reparação*, Imago, 1975.

vulgar". O ciúme é normal no existir da alma humana. Aqui e acolá, ao longo da vida, teremos ciúmes. A questão não está em ter ou não ciúmes, mas em como vivenciamos este sentimento.

É normal recear perder o amor do objeto para outro objeto. Contudo, se tal medo se torna intenso, corre-se o risco de vir a se tornar ciúme patológico. Quando o ciúme se transforma em um fenômeno afetivo doentio, vários sentimentos perturbadores dele fazem parte.

Em seu texto de 1922, "Alguns mecanismos neuróticos no ciúme, na paranoia e no homossexualismo",[102] Freud analisou três tipos de ciúmes: competitivo, projetado e delirante. O primeiro é o ciúme normal e tem a ver com o medo de perder o objeto amado para um terceiro (rival). Embora não seja um ciúme com características patológicas, perder o amor do objeto amado para outro fere narcisisticamente a alma humana. Os restantes tipos de ciúme, por sua vez, representam ciúmes doentios. No ciúme projetivo atribui-se ao objeto amado desejos e impulsos próprios de infidelidade. Já no ciúme delirante, segundo Freud, o que ocorre é uma negação de uma homossexualidade reprimida. Nesse sentido, os aspectos homossexuais inconscientes são projetados não no objeto amado, mas no objeto que o psiquismo considera seu rival. As defesas de tais impulsos homossexuais se expressam na seguinte fórmula: "*eu não o amo* (objeto rival), *é ela* (objeto amado) *que o ama*".

As fantasias quanto à infidelidade do objeto amado podem levar o psiquismo ao delírio e à obsessão. O psiquiatra inglês John Todd chegou a denominar o ciúme delirante de "Síndrome de Otelo".[103] Trata-se de um ciúme patológico em que o enciumado psicologicamente ultrapassa a fronteira entre a fantasia e a realidade. Um indivíduo assim cometido vive constantemente em busca de confissões e evidências da suposta traição do objeto amado. Chega-se a ficar obcecado com a ideia de traição e, por mais que as evidências apontem o contrário, ele não se dá por satisfeito e não aceita a realidade. Em sua paranoia, o enciumado pode chegar a matar o objeto amado.

Para o narcisismo anímico é inaceitável não ser exclusivo, não ser o centro do mundo e dos afetos dos outros. Ser secundário lhe é uma ferida narcísica. Não é

---

102   *Obras completas*, v. XV, Companhia das Letras, 2011.
103   "Otelo, o mouro de Veneza" é uma peça teatral escrita por Shakespeare no início do século XVII, cujo enredo gira em torno da rivalidade, da traição, do ciúme e da inveja.

fácil constatar que não somos tão importantes assim; que às vezes o outro prefere outro ao invés de nós. O ciúme é uma revelação de que não se é onipotente, de que não se consegue controlar o desejo e o sentimento do outro, e no fundo isso ofende a pretensão narcisista da alma.

O ciúme, normalmente falando, tem um quê de luto. Luto pela perda da ilusória posição narcísica de se pretender ser sempre o centro das atenções. Luto pelo afastamento da grandiosidade de se querer ser o único objeto de desejo do outro. Luto por ser forçado a abandonar a idealizada onipotência de controlar e possuir a subjetividade do objeto amado. O ciúme, em doses homeopáticas, é a exposição da alma humana frente à realidade de sua pequenez e impotência. É mais uma constatação de que afetivamente nunca deixamos plenamente nossa infância.

"O ciúme satisfez-se, mas o vingado estava louco."
(Machado de Assis)

Inveja

O ciúme nos revela que não se é dono dos desejos e sentimentos do outro. Já a inveja demonstra que não temos tudo que o outro tem. A inveja é um afeto gerado pela frustração e pelo rancor de não se achar possuidor de atributos ou qualidades do objeto externo. Tanto a inveja quanto o ciúme são angústias e tormentos afetivos por desejar frustradamente algo do objeto – no caso do ciúme, seus desejos; no caso da inveja, suas qualidades.

A inveja é a infelicidade sentida diante do bem do outro. Quando despertada na alma, ela tem um objetivo mesquinho: destruir ou privar o outro daquilo que o gratifica e é invejável por quem lhe inveja. O filósofo Baruch Espinoza definia a inveja como o ódio que afeta o homem de tal maneira que se entristece com a felicidade de outrem.

A inveja tem raiz narcísica. Como disse Bertrand Russel, "o invejoso, em vez de sentir prazer com o que possui, sofre com o que os outros têm". É como se a alma se indagasse "espelho, espelho meu, há no mundo alguém mais belo do que eu?", e não gostasse da resposta.

Segundo Melanie Klein, a inveja é uma emoção arcaica, da fase oral. Mais precisamente, é o principal afeto da Posição Esquizo-Paranoide.[104] Ela surge cedo na alma humana, no momento em que o psiquismo lactente se reconhece impotente frente ao objeto externo (objeto cuidador), afinal é dele que vem o atendimento de suas necessidades mais básicas. O seio nutridor (objeto parcial) é o seio ideal. E o seio, por ser ideal, é invejado como se ele contivesse os mais preciosos tesouros desejados pela alma.

Freud postulava sobre *a inveja do pênis*. Klein, sobre a *inveja do seio*. Trata-se de uma inveja primária dirigida ao seio-fálico, isto é, ao seio (objeto) poderoso, fértil e abastado. Na inveja primitiva, o psiquismo quer sugar todo o poder idealizado no seio bom. Em toda voracidade do psiquismo rudimentar, o impulso invejoso quer se apropriar do poder do objeto destruindo-o. Paradoxalmente, é da fruição e da gratificação obtidas com o seio bom (ideal) que suscitam os impulsos destrutivos da inveja.

A inveja primária, segundo Klein, é o afeto selvagem que é desencadeado pelo anseio narcisista de querer solapar a bondade do seio bom. E o seio bom só é bom porque atende e gratifica as necessidades físicas e psíquicas do bebê. O que o psiquismo lactante quer é ser ele mesmo autossuficiente. O narcisismo anímico é naturalmente invejoso. Somos originariamente narcísicos e, consequentemente, invejosos. A inveja plantou suas primeiras sementes e raízes nas bases profundas e remotas da alma humana.

O homem é um ser de desejos por ser ele um ser de faltas. Deseja-se o que se falta. Por isso, a inveja é tão inerente à alma quanto o narcisismo. A psique, quando inveja, sofre por aquilo que lhe falta. E o que mais falta à alma? A onipotência e a perfeição. O seio bom (objeto parcial) é idealizado de poder e plenitude. Mas não se fica só aí. A inveja é seguida de ataques invejosos.

Quando se inveja se odeia. Odeia-se o objeto invejado. Essa é a dupla face da inveja: deseja-se o que não se tem ou se é, e por não poder ter ou ser, odeia-se o invejado. Melanie Klein contava a seguinte fábula: certa vez, um homem, extremamente invejoso de seu vizinho, recebeu a visita de uma fada, que lhe ofereceu a chance de realizar um desejo. "Você pode pedir o que quiser desde que seu vi-

---

104   Vide parte referente ao objeto interno e objeto externo do capítulo "O nascimento do sujeito".

zinho receba o mesmo e em dobro", sentenciou. O invejoso, então, respondeu que queria que ela lhe arrancasse um olho. Se para Freud a libido é o representante da pulsão de vida, para Klein a inveja representa a pulsão de morte.

A inveja é um poderoso afeto doloroso que só se assossega com a desgraça ou a destruição do objeto invejado. Pesquisas e estudos contemporâneos levados a cabo pelo neurocientista japonês Hidehiko Takahashi, mediante análises do cérebro por ressonância magnética, identificou que o sentimento de inveja é processado cerebralmente no córtex cingulado anterior. Essa região do cérebro é responsável pelo processamento da dor física. A inveja dói, ou melhor, a inveja faz sofrer.

Não se inveja o que não se admira ou se idealiza. É conhecida a história do compositor operístico italiano Antonio Salieri, que jamais suportou a genialidade de Mozart. Tal história foi dramatizada cinematograficamente por Milos Forman em seu filme de 1984, "Amadeus". Após a morte de Mozart, em 1791, anos depois se espalhou um boato de que ele havia sido envenenado por Salieri. Embora provavelmente tenha sido um rumor falso, ficou-se a lenda da inveja de Salieri por Mozart.

É comum a alma sentir inveja. Ela tanto pode ser destrutiva quanto construtiva. A inveja é construtiva quando o invejoso a tem como motivação para melhorar e tentar ser o mais próximo possível de quem invejosamente admira. Já a inveja destrutiva age contra o objeto invejado ou contra si próprio. Nesse sentido, a inveja destrutiva pode ser hostil ou depressiva. A primeira ocorre quando o invejoso se torna extremamente triste por não conseguir ser o que ele inveja. A segunda, quando o invejoso passa a atacar direta ou indiretamente o objeto invejado, seja através de calúnias, difamações, maledicências, armações, seja por meio de golpes, perseguições ou agressões físicas e/ou verbais.

Quanto mais uma pessoa apresentar baixa autoestima, insegurança e sentimentos de inferioridade, mais passível a sentir inveja ela se encontrará. O sentimento de inveja em um psiquismo não mais infantil é sinal de que o amor-próprio está comprometido. Como dizia o escritor espanhol Miguel de Cervantes. "a inveja vê sempre tudo com lentes de aumento que transformam pequenas coisas em grandiosas, anões em gigantes, indícios em certezas". Assim, a inveja acomete o narcisismo frustrado de um indivíduo que crê no narcisismo realizado do outro.

"O homem que não tiver virtude própria sempre invejará a virtude dos outros. A razão disso é que a alma humana nutre-se do bem próprio ou do mal alheio, e aquela que carece de um, aspira a obter o outro, e aquele que está longe de esperar obter méritos de outrem, procurará nivelar-se com ele, destruindo-lhe a fortuna."
(Francis Bacon)

DESENVOLVIMENTO MORAL

O medo é o pai da moralidade.
Friedrich Nietzsche

A pré-história da culpa

A culpa não é um afeto primário ou inato. A alma humana não nasce com sentimento de culpa. A princípio, trata-se de um afeto social, isto é, vai se desenvolver a partir das relações sociais do indivíduo. Assim como a vergonha e o pudor, a culpa é chamada de *"emoção moral"*.

A culpa é um sentimento que, quando sentido, gera sofrimento. Do ponto de vista do *Ego Cogito* (Ego consciente), tal aflição psíquica é resultado da transgressão da própria consciência moral do sujeito. Envolve uma autoavaliação negativa de determinado ato ou comportamento que, por sua vez, engendra uma tensão interna e subjetiva que se converte em arrependimento, constrição e remorso. Observa-se que a geração psíquica de tal sentimento é consequência de uma formação moral da alma humana.

O ser humano, por natureza, está fadado a viver junto a outras pessoas – ao menos pelo tempo que necessita ser cuidado e alimentado por terceiros. Salvo raras exceções, mesmo adulto o ser humano convive com outros, vive em sociedade. Ao contrário do que afirmava Aristóteles ("o homem é um animal político"), o homem é um animal egoísta por natureza. Porém, sua natureza traz em seu bojo uma contradição: embora egoísta, o ser humano não conseguiria sobreviver sozinho. Em seu estado natural,[105] "o homem é o lobo do homem", segundo Thomas Hobbes, teórico político e filósofo inglês do século XVII. Para Hobbes, o ser humano em situação de estado natural (pré-social) vivia uma *"bellum omnium con-*

---

105 Estado anterior ao surgimento da sociedade civilmente organizada/estruturada. No estado de natureza não há leis ou regras sociais ou morais.

tra omnes" (a guerra de todos contra todos). Para evitar a própria extinção, a humanidade em algum momento histórico precisou melhor se agrupar para garantir a subsistência e conservação. Para tal, fez-se necessário limitar o egoísmo humano. Se o egoísmo puro predominasse, não existiria sociedade. Os demais animais gregários assim vivem pelos instintos. Nós, humanos, carecemos para tal de regras sociais.

Ainda segundo Hobbes, a moralidade é uma criação humana para resolver problemas funcionais e práticos para a convivência pacífica entre seres tão autointeressados. Para uma coexistência harmônica e cooperativa é necessário ordem social, e esta é alcançada por meio de regras morais. Em um estado de pura natureza – ponderou Hobbes – a vida do homem seria solitária, pobre, embrutecida e curta. Em um estado de natureza é "cada um por si". Em algum momento remoto da história humana se criou o que se convencionou chamar de *contrato social*.[106]

No principiar da vida, a alma humana é anômica, isto é, sem normas e regras. A alma ainda não sente os limites que a restringem, nem físicos, nem sociais. No início, vivemos a ilusão psicológica de uma *solidão existencial*. Estamos no âmbito, pois, do nosso natural narcisismo primário. O psiquismo imaturo não é imoral, porém amoral – sem noção de moral. Nenhum bebê recém-nascido conhece as leis morais e as regras do ambiente social em que ele vive. Somos primariamente associais. Há quem diga que possuímos inatamente um senso moral moldado pela evolução para nossa sobrevivência, como o psicólogo americano canadense Paul Bloom.[107] Para este pesquisador cognitivo, o ser humano já vem ao mundo com alguma noção rudimentar de moralidade. Discussões à parte, este não é o escopo do presente livro. Contudo, deixemos a polêmica em aberto.

Para o psicólogo suíço Jean Piaget, os valores morais serão construídos a partir das interações do indivíduo com os diversos ambientes sociais em que ele estará inserido. Por essa perspectiva, isso leva tempo para se processar psicologicamente em um psiquismo inaugural anômico. Na visão piagetiana, o desenvolvimento da moral segue três etapas ou fases: anomia, heteronomia e autonomia. Contudo, o que nos interessa neste instante do texto é abordar o afeto da culpa antes do

---

106 O contratualismo é um conjunto de teorias que buscam entender a formação da ordem social. O filósofo francês do século XVIII Jean-Jacques Rousseau postulou que o contrato social é a passagem do estado de natureza para o estado de sociedade civil.
107 Autor do livro *O que nos faz bons ou maus*, Best Seller, 2014.

estabelecimento do julgamento moral psíquico propriamente dito. Chamemos de *culpa pré-moral*.

A culpa pré-moral seria embrionária em relação à culpa resultante do conflito interno entre desejo x moral. Trata-se de uma culpa pré-social propriamente dita, ou seja, uma culpa que teria algo de rusticamente social (pela percepção da existência do objeto externo) e muito ainda do egoísmo e onipotência natural do narcisismo primário. Uma culpa parida da própria onipotência que, paradoxalmente, se conflita consigo mesma. Uma espécie de pesar e pungimento pela agressividade destrutiva das fantasias primitivas. Melanie Klein chamou-a de *ansiedade depressiva*, ansiedade típica da Posição Depressiva.[108] A culpa onipotente.

A culpa onipotente é a culpa da arrogância narcísica do psiquismo ainda em formação. Para o psiquismo ainda imaturo, seu primeiro objeto é a mãe (ou mais precisamente, nos dizeres kleinianos, o seio).[109] Frente a esse objeto primordial, a mente dirige seus afetos positivos e negativos. Ou, como disse Melanie Klein, o bebê ama a mãe no instante em que ela lhe alivia o desconforto da fome e lhe possibilita o prazer sensual da oralidade representado pela sucção ao seio; mas quando o bebê não tem seus desejos gratificados e sua fome saciada, a situação se inverte: sentimentos de agressividade e de ódio são nele despertados.

Os estudos feitos por Melanie Klein apontam que o psiquismo da fase oral se posiciona de duas maneiras distintas frente a seu primeiro objeto: de maneira esquizo-paranoide e de maneira depressiva. A Posição Depressiva, posterior à Esquizo-Paranoide, é caracterizada pelo reconhecimento do objeto materno inteiro, isto é, não mais seio bom e seio mau (divalência), mas sim o bom e o mau em um mesmo objeto: mãe (objeto total). Trata-se de uma posição ambivalente (amor e ódio dirigidos ao mesmo objeto). Por ainda ser a mente bastante imatura, com predominância do narcisismo primário, as fantasias desse período são

---

108 A Posição Depressiva se inicia com a capacidade da mente em perceber a mãe como um objeto total e, dessa forma, também perceber que seus ataques ao seio mau (objeto parcial) igualmente atingem e ferem o seio bom.
109 O seio (objeto parcial) é um objeto emocional, possuidor de uma função, antes de ser uma realidade física. O termo kleiniano objeto parcial faz menção a uma relação psíquica da mente lactente não com a anatomia do seio, mas com a amamentação, cuja utilidade é a de aplacar as necessidades fisiológicas imediatas do bebê. Quando o seio satisfaz as necessidades, ele é sentido como seio bom, mas quando deixa o bebê na espera (não satisfazendo de imediato as necessidades), ele é sentido como seio mau.

fantasias primitivamente onipotentes.[110] Quando um bebê fisicamente morde o seio materno com sua voracidade, ele fica exposto – segundo as hipóteses kleinianas – a sentimentos de perda irreparável por acreditar fantasiosamente ter o poder de destruir, com seu ódio e agressividade, o objeto atacado. Tal fantasia expõe ao psiquismo pueril a ilusão de que se sua onipotência pode destruir o objeto materno, ela estaria assim destruindo não somente o que odeia nele (seio mau), mas também o que ama e necessita dele (seio bom), visto a psique já processar que o objeto é único e inteiro (mãe).

As fantasias primitivas da alma humana são fantasias associadas às experiências de dor, alívio, prazer, ansiedade e medo. Por se tratar de uma mente em seus estágios iniciais do desenvolvimento, tais fantasias sofrem influência direta do corpo (Ego Corporal) e dos seus instintos e impulsos. Para Melanie Klein e seguidores, considerando que os impulsos primários já se encontram presentes desde o nascimento, o desenvolvimento do Ego no psiquismo se faz sob o predomínio do somático e psiquicamente interpretados sob a luz das fantasias. Tais *pensamentos fantasiosos primários*, portanto, que representam na psique a sofreguidão dos instintos e impulsos em relação ao objeto primordial, serão sempre *fantasias inconscientes*. Lembremos que o período oral (primeiro ano de vida) é um período pré-verbal e não linguístico.

A perspectiva kleiniana enfoca as fantasias primárias em sua dimensão puramente imaginária, fruto de um psiquismo pueril e bastante imaturo. Por essa razão, qualquer estímulo as provoca, sejam estímulos desprazerosos ou sofrentes (que acarretam fantasias agressivas), sejam estímulos prazerosos (que acarretam fantasias aprazíveis). O alvo de tais fantasias é, inevitavelmente, o primeiro objeto, isto é, inicialmente o seio (objeto parcial) e depois a mãe (objeto total). São produções fantasmáticas ilógicas, incongruentes, irracionais, volúveis e até mesmo antagônicas – características, pois, de um psiquismo rudimentar e tosco. Embora sejam fantasias inacessíveis pela mente mais amadurecida (fantasias inconscientes), elas são a base e a raiz de toda a produção fantasiosa *a posteriori*. Sendo assim, a

---

110 Segundo Hinshelwood (*Dicionário do pensamento kleiniano*, Artes Médicas, 1992), "tais fantasias são denominadas de fantasias inconscientes e estão subjacentes a todo processo mental e acompanham toda atividade mental. Elas são a representação mental daqueles eventos somáticos no corpo que abrangem as pulsões, e são sensações físicas interpretadas como relacionamentos com objetos que causam essas sensações".

culpa pré-moral da fase oral não é uma culpa consequente de um embate interno entre desejo x moral, mas sim da onipotência consigo mesma.

A culpa pré-moral é uma culpa primária, decorrência da agressividade que é inata. É uma culpa sem penitência desencadeada pela fantasia de danificação do objeto cuidador. Em sua gênese temos, pois, a onipotência, a fantasia e a agressividade. É uma culpa consequente da Posição Depressiva frente ao objeto (ambivalência) que, de certa forma, nunca é totalmente elaborada e nos acompanha subjacente em muitas situações de perda que reavivam essa outrora e narcísica experiência depressiva/culposa. Por exemplo, uma pessoa adulta é capaz de remoer internamente pensamentos e sentimentos autoacusatórios pela perda de um ente querido como se ele fosse culpado pela sua morte, ou como se, se estivesse próximo no dia do falecimento, teria podido salvá-lo.

A culpa onipotente é uma culpa que a mente sente como se ela fosse a causa primária do mundo, inclusive, pela manutenção da vida ou pela destruição e morte de todas as coisas. É uma culpabilidade relacionada à arrogância narcísica da alma humana. Em seu período infantil, o psiquismo tem a ilusão do controle onipotente, ou seja, fantasiosamente acredita que seus desejos se tornam realidade pelo simples fato de desejá-los. Todavia, tal ilusão de controle onipotente, geradora de culpa primária, é também responsável pelo remorso narcísico. O psiquismo pueril em sua ficção de onipotência evolui para a capacidade de reparar a agressão e o dano psicologicamente feito.

Do ponto de vista da realidade externa ao psiquismo, não há ou não houve dano ao objeto externo. Tudo são fantasias psíquicas; portanto, fazem parte do mundo interno da criança, isto é, o objeto atacado, machucado, destruído, é a representação psíquica do objeto externo (objeto interno). Desse modo, o impulso ou desejo reparatório é direcionado ao objeto materno existente dentro da mente. Graças a essas fantasias de anseio reparatório pode a psique infantil "corrigir" o mal que fez ao objeto interno. A reparação, assim, é um mecanismo psíquico defensivo contra a culpabilidade onipotente e a angústia e remorso rudimentar decorrente. A reparação proporciona a superação da culpa inerente à Posição Depressiva. Temos nesse momento o germe e a gênese do sentimento amoroso. A reparação, psicologicamente falando, é consequência dos impulsos criativos e construtivos da mente humana. A reparação psíquica, por sua vez, proporciona no indivíduo atitudes e comportamentos compensatórios e sublimatórios que o levam a ter com os outros (objetos externos) relações de empatia, amor e ternura.

A reparação é um construto teórico elaborado por Melanie Klein que tem a ver com os desejos do psiquismo lactente de restaurar o objeto materno interno. Trata-se de um mecanismo mental característico da Posição Depressiva, quando a psique introjeta o objeto total (mãe), que é amado e odiado simultaneamente (ambivalência). Nessa relação com o objeto emocionalmente ambivalente, o psiquismo sente-se culpado (culpa pré-moral) pelas fantasias destrutivas dirigidas ao objeto, surgindo, assim, o anseio de reparar o suposto mal que a mente lactente acha que fez. Para Klein, a reparação é o fator primário dos impulsos construtivos e criativos do psiquismo humano, sendo essencial nas posteriores relações amorosas do indivíduo de um modo geral.

Com suas importantes contribuições à compreensão da dinâmica psíquica em suas mais profundas raízes, Melanie Klein nos possibilitou entender que o comportamento adulto deve ser olhado através da compreensão do desenvolvimento emocional da mente humana. A estrutura da personalidade, segundo Klein, tem seus alicerces e base nesse importante período infantil que é a fase oral, que repercutirá na alma do indivíduo pelo resto de sua vida.

Como escreveu há mais de um século o poeta inglês William Wordsworth, *a criança é o pai do homem*. Sim, o psiquismo infantil forma o psiquismo adulto. Ou, como igualmente afirmava outro poeta inglês do século XVII, John Milton, "a infância apresenta o homem assim como a manhã apresenta o dia".

"É próprio da natureza humana, lamentavelmente,
sentir necessidade de culpar os outros
dos nossos desastres e das nossas desventuras."
(Luigi Pirandello)

A natureza da culpa

Não existe um instinto ou impulso culposo. Não nascemos com tal afeto. Um neonato, um bebê, não manifesta sentir nenhuma culpa, por nada. Manifesta ansiedade, medo, raiva, mas não culpa, assim como não manifesta sentir vergonha, pudor, ciúme, empatia e outros afetos. Estes não são afetos primários, são secundários, isto é, desenvolvidos a partir de nossas relações interpessoais. Por isso, os norte-americanos os chamam de *afetos sociais*. Para sentirmos culpa, o psiquismo necessita compreender que de alguma forma violou algum preceito moral e/ou ético. Habitualmente referimos como um sentimento penoso decorrente da consciência de se ter transgredido alguma regra. Porém, a psicanálise nos introduz o conceito de *culpa inconsciente*, ou seja, a que se manifesta de várias maneiras indiretas (punição) sem que a pessoa tenha consciência de qualquer ato infrator de sua parte e, consequentemente, conscientemente não sinta culpa, apenas suas consequências (castigo).

Do ponto de vista freudiano, a culpa origina-se do medo. Medo da autoridade paterna e da energia agressiva que o sujeito dirige a este devido à interdição de satisfações de cunho pulsional. O medo é o medo de perder o amor paterno (representação e modelo de figura de autoridade) em decorrência do ódio e da agressividade em relação a ele. A agressividade (energia agressiva), inicialmente dirigida à figura do pai (objeto paterno), é introjetada ou internalizada, isto é, volta-se ao próprio Ego da criança em formação, originando, assim, aquilo que Freud denominou de Superego.

Já para o filósofo alemão Friedrich Nietzsche, o sentimento de culpa é inseparável da moral judaico-cristã. Segundo o filósofo, o homem, para ser feliz, precisa afirmar sua potência de vida (*vontade de potência*).[111] Devido à moral, ela é reprimida, levando, dessa maneira, o ser humano a uma existência submissa e apenas reativa. E, assim, o homem vive constantemente no conflito entre a moral que reprime e a vontade de potência que quer se exprimir. Como também ensinava Schopenhauer, outro filósofo alemão do século XIX, a vontade é cega, insaciável, uma força que, absolutamente livre, nos destruiria. Para ele, a vontade necessita de freios. Para Nietzsche, a vontade representa um eterno *dizer-sim*. Pode-se ver, portanto, dois lados de uma mesma moeda: a vontade como liberta-

---

111   Para Nietzsche a *vontade de potência* (poder) está presente em tudo na vida, e não se limita somente ao orgânico, mas também à psique humana. O ser humano não busca apenas adaptar-se às condições do presente, porém dominar e dar sentido à vida. A vontade de potência visa sempre mais potência (ela é definida por estar em contínua expansão). A vontade de potência é uma vida com vontade de vida.

dora e a moral com repressora; a moral como necessária e a vontade como perigosa se plenamente liberta.

Todavia, a culpa não é necessariamente resultado do embate entre moral x desejo (impulso). O buraco, como se diz no popular, pode ser ainda mais embaixo. Lá embaixo, ou melhor, lá no fundo da alma humana onde somos todos narcísicos. Em nosso narcisismo original e anímico, acreditamos que podemos controlar tudo, inclusive a vida e o mundo. Quando frustrado, o psiquismo, em seu narcisismo essencial, pode vir a se sentir "culpado"; afinal, lá no fundo a mente se acha onipotente. Ainda nesse sentido bem primário, a culpa não é sentida por algo que realmente se fez, mas sim consequência de uma sensação ilusória de poder, embora a vida, de fato, ocorra indiferente a nossos desejos narcisistas. Assim, a culpa de caráter oral é resultado da não aceitação de nossa insignificância frente à vida e ao universo. No fundo, no fundo, a mente humana não aceita que sejamos falhos, defeituosos, impotentes e que erremos e falhemos. "Errar é humano" é apenas para a parte racional e superior do psiquismo que, assim, reconhece sua falibilidade. No fundo das nossas entranhas psíquicas nos exigimos corresponder a um Ego Ideal.

Por outro lado, embora o cérebro sozinho não gere culpa, a sua disfuncionalidade neuroquímica incrementa culpas existentes e/ou imaginárias. Isso ocorre, por exemplo, na depressão e nos estados de ansiedade (angústia). Uma dessincronia e excesso de trocas neuronais de sinais entre o córtex pré-frontal e o sistema límbico contribui para a recorrência de pensamentos negativos e autodepreciativos que se encontram na base da ruminação culposa de pessoas com desequilíbrio neuroquímico.

No tocante à culpa proveniente da grandeza, como acima foi citada, a pessoa necessita desenvolver a aceitação de que ela não é nem tão poderosa nem tão controladora da vida como gostaria de ser; afinal, uma coisa é você ser responsável por seus atos, a outra é acreditar que as coisas têm de acontecer como você quer. É como se necessitasse do seguinte diálogo interno: "porque falhei, por que errei?" – "porque você é humano, ora bolas!".

Na articulação entre o narcisismo e o sentimento de culpa, verifica-se a exacerbação deste último na construção do sujeito contemporâneo, principalmente quanto às exigências socioculturais pós-modernas de beleza, juventude e gozo. Se a culpa como elemento civilizatório do laço social declina em uma sociedade cada vez mais individualizada e narcisista, por outro lado acentua-se no tocante ao indivíduo em relação consigo mesmo pela frustração e incompetência de corresponder a uma imagem de perfeição, sucesso inteiro e plenitude que nos é diariamente imposta e que encontra eco psíquico naquilo que convencionamos chamar de Ego Ideal (vide mais adiante o capítulo "Narcisismo em tempos narcísicos").

O narcisismo primário, segundo Freud, é o terreno psicológico de onde irá paulatinamente emergir o sujeito humano. Todavia, o narcisismo cultural parece conservar o narcisismo em suas características primárias em nossa mente mesmo após a infância e a adolescência. A angústia de impotência em um sujeito ilusoriamente onipotente é gerador de raízes inconscientes de culpa, culpa por não conseguir ser o que o Ego Ideal cobra que ele seja, ou de não corresponder aos ideais ufanistas demandados pelo Ideal de Ego. Aqui não se fala de uma culpabilização pela relação com o outro (Superego propriamente dito), mas sim de uma culpabilidade em relação aos ideais grandiosos e grandiloquentes ainda mais fomentados pelas cobranças midiáticas de eterna juventude e beleza apolínica. Se na contemporaneidade a repressividade sociomoral diminuiu por um lado, por outro, eleva-se a culpa narcísica. Até parece aquela expressão popular que diz "se correr o bicho pega, se ficar o bicho come".

É inescapável ao ser humano, portanto, sentir culpa. Do ponto de vista da condição humana, o bicho homem está fadado a sentir culpa. Sem um mínimo de sentimento de culpa estaríamos no âmbito da psicopatia propriamente dita.[112] Freud foi perspicaz ao afirmar que "o preço que pagamos por nosso avanço em termos de civilização é uma perda de felicidade pela intensificação do sentimento de culpa". O eterno conflito humano entre o Princípio do Prazer, o Princípio de Realidade e o Princípio do Dever nos coloca fadadamente frente à culpa. Freud também percebeu duas origens para a culpa, isto é, aquela que surge por temor da autoridade (origem externa) e a que surge posteriormente do medo do Superego (origem interna). Desejos proibidos e renunciados, porém vivos internamen-

---

112 Psicopatia é uma denominação dada a um indivíduo cuja organização de personalidade é caracterizada por comportamentos antissociais e pouca ou nenhuma capacidade de empatia e remorso. Em termos estruturais e psicodinâmicos, é uma patologia do Superego (representante psíquico da norma internalizada), isto é, a instância superegoica é frágil e com pouco poder de conter o Id e suas exacerbações.

te e que não podem ser escondidos do juiz interno (Superego), são fonte constante de sofrimento psíquico. Para alguns mais, para outros menos.

Chegamos, pois, à conclusão de que o sentimento de culpa é fundamental para a humanidade no que tange à própria construção da civilização humana. Os sentimentos de responsabilidade e arrependimento são, por natureza, necessários ao existir humano. Talvez o que possa incomodar seja os seus excessos. Embora comumente coloquemos a culpa no conjunto dos afetos negativos – assim como o medo, a raiva, a inveja e a tristeza, entre outros –, todos eles são positivos para que o humano seja realmente um ser humano. Assim sendo, o sentimento de culpa é um importante mecanismo psicológico utilizado pela civilização para domar a agressividade e o egoísmo humanos.

> "A principal e mais grave punição para quem cometeu uma culpa está em sentir-se culpado."
> (Sêneca)

Culpa, vergonha e Superego

O psiquismo inicialmente é nu de qualquer moral, quer dizer, primariamente ele é naturalmente amoral. Seguindo a ótica freudiana, no princípio da alma só existe Id. Dele nascerá o Ego, que é a parte da mente em contato com a realidade e com o mundo externo. Com a formação gradual do Ego, mais adiante surgirá no psiquismo uma terceira instância conhecida como Superego. Em grande parte, o Superego representa os valores morais adquiridos. A mente, antes conflituosa entre os impulsos irracionais do Id e o controle do Ego sobre eles, encontrará na formação do Superego um importante e forte aliado na luta pela limitação do Id e de sua inconsequência e destrutividade. Se o Ego está a serviço do Princípio de Realidade, agora a mente terá uma instância psíquica à serviço do Princípio do Dever, isto é, com proibições e prescrições morais do Superego. Nesse sentido, o Superego tem função de inibir impulsos transgressores às regras e à moral da sociedade onde o indivíduo vive e convive. A força inibidora do Superego reside no sentimento de culpa ou medo de punição.

Todavia, antes que o Superego se instale como instância relacionada à moral, sua formação e origem encontram-se no psiquismo rudimentar em desenvolvimento. Quando a realidade vai se impondo à mente narcisista dos primeiros meses, que terá que abandonar a ilusão da solidão existencial e da onipotência, tal narcisismo residual permanecerá psiquicamente no que convencionamos chamar de Ego Ideal.[113] O prolongamento do narcisismo (Ego Ideal) tem força opressora frente ao Ego Real. Como força opressora e cobradora, o Ego Ideal é a primeira subestrutura que formará o Superego. O Ego ideal, como já visto, representa um herdeiro do narcisismo primário no psiquismo, que postula e exige que o indivíduo corresponda na realidade às demandas idealizadas e inalcançáveis da alma humana em seu mais puro narcisismo.

O Ego Ideal pode muito bem ser bastante opressor psíquico. Suas imposições para que correspondamos na vida real às suas idealizações e perfeições tende a afrontar e a humilhar o Ego Real, podendo abalar consideravelmente sua autoestima. Igualmente acontece com a formação do Ideal de Ego. Este, que é formado pela idealização parental em relação ao filho, constituirá em uma segunda subestrutura superegoica. A mente, assim, não somente cobra de si mesma uma perfeição inalcançável, mas também que corresponda às demandas dos outros de um filho ideal, demandas estas que passam a ser demandas internas suas. "Como devo ser" tem tanta força opressora e cobradora quanto "como quero ser".

Um narcisismo ainda muito forte no psiquismo de um sujeito leva-o a sentimentos de fracasso e vergonha. O que o Ego Real realiza ou conquista é pouco ou insignificante ao um "Eu sou" exigente do Ego Ideal, que é calcado nas fantasias narcisistas de perfeição. Por mais que o sujeito se esforce, se o seu narcisismo ainda é psiquicamente muito operante, o Ego Real vive uma frustração constante em não conseguir ser como exige o Ego Ideal.

Outra subestrutura intrapsíquica narcísica é o Ideal de Ego. Ela é resultado não apenas das projeções idealizadas em relação aos genitores, vistos como poderosos

---

113 O Ego Ideal se distingue teoricamente do conceito de Ego, embora seu surgimento esteja intrinsicamente relacionado aos primórdios egoicos em que o psiquismo pueril se achava possuidor de toda perfeição e valor. Como disse o psicanalista francês Jean Laplanche, o Ego Ideal corresponde "*ao ideal narcísico onipotente forjado a partir do modelo do narcisismo infantil*". Trata-se de uma instância originária da fase primária do psiquismo, quando a psique primitiva toma a si mesma como objeto libidinal (energia psíquica). É a época primordial da mente que crê na onipotência de suas ilusões e fantasias.

e grandiosos, mas também da projeção dos mesmos em um psiquismo em formação e bastante moldável. Estamos a lembrar do filho idealizado dos pais.[114] Frente a uma necessidade de ser amado e admirado narcisicamente, o psiquismo infantil, em parte, tende a corresponder a essa imagem modelar e maravilhosa que os pais, consciente e inconscientemente, depositam nele. A mente, assim, busca tanto parecer com seus pais idealizados por ela mesma quanto corresponder à idealização dos mesmos. A mente quer ser grande. Quer ser grandiosa.

Podemos considerar que o Ideal de Ego tem sua origem no Ego Ideal das figuras parentais, projetado na representação dos filhos idealizados, com a qual o psiquismo infantil narcisicamente se identifica e, com isso, internaliza. As expectativas, muitas vezes inconscientes, dos pais são como que depositadas no interior da mente da criança, e passam a ter força de cobrança em corresponder aos mandamentos idealizados dos genitores agora incorporados psiquicamente como uma estrutura superegoica. Essa dinâmica psíquica é fundamental para a organização e estruturação mental, a ponto de Freud chegar a afirmar que "para o ego, viver significa o mesmo que ser amado pelo Superego".

Outro componente constituinte do Ideal de Ego é igualmente narcisista. Tem a ver com a idealização que a mente infantil tem de seus pais. Os objetos externos parentais, assim idealizados, são introjetados psiquicamente e vão corresponder no psiquismo infante ao determinante "eu quero ser como eles". Nesse sentido, o Ideal de Ego forma-se como modelo a ser seguido, isto é, levando o psiquismo a querer se igualizar com as representações idealizadas das figuras parentais. Há nessa acepção, portanto, uma leitura do Ideal de Ego como uma espécie de "espelho de dupla face", ou seja, por um lado o Ideal de Ego é fundado pelo narcisismo dos pais plantado do psiquismo infantil e, por outro, pelo próprio narcisismo infante projetado nas figuras parentais, reintrojetado na internalização dessas mesmas figuras mediante à identificação com os próprios.

A moral internalizada tem, assim, raízes também narcísicas, que se mesclam com as respostas às recompensas e punições impostas pelos pais reais. Em seu processo educacional e socializador (socialização primária), a psique incorpora

---

114 A psiquiatra e psicanalista francesa de origem italiana Piera Aulagnier destacava que na gravidez existe uma vinculação imaginária na qual o bebê é para a mãe um *corpo imaginado*, isto é, ideado como um bebê já completo e não ainda como um feto. Segundo Aulagnier, é nesse corpo imaginado que a mãe investe sua libido.

normas e regras (padrões morais parentais) impostas, formando, com o tempo, um autocontrole (consciente e inconsciente) substituto do controle parental. Da heteronomia (a norma vindo de fora/do outro) alcança-se a autonomia (a norma agora vindo de dentro/da consciência moral e do Superego).

Em seu projeto narcisista, o psiquismo acaba por gerar um conflito nele mesmo. Quer ser grandioso e perfeito por um lado, mas se sente inferior por outro. O Ego Real, ante a megalomania narcísica do Ego Ideal e do Ideal do Ego, torna-se uma espécie de devedor perpétuo de uma dívida impagável: ser perfeito. Tal frustração em não condizer com a ficção de plenitude demandada pelas subestruturas intrapsíquicas herdeiras do narcisismo anímico gera a culpa de não ser perfeito camuflada em sentimento de vergonha. O psiquiatra e psicanalista de origem egípcia André Green compreendia que era uma vergonha oriunda do que denominou de "*narcisismo moral*". Dessa maneira, afirmava Green, O Ego Real não se sente culpado, mas "tem vergonha de ser apenas o que é ou de pretender ser mais do que é".[115]

Preserva o psiquismo pela vida inteira o ideal narcísico de onipotência. Uma parcela psíquica cobra que seja perfeito, como um dia se achou que foi. Outra parcela cobra a idealização advinda da idealização primária com o outro (mãe) investido de fantasias onipotentes, assim como cobra refletir a própria idealização do objeto idealizado sobre si.

Assim, a alma humana inicialmente narcisista desdobra-se em duas: uma porção mantém-se narcísica e outra, em contato com a realidade, torna-se o Ego Real. Esta parte chamada de Ego Real é pressionada pelo componente narcísico da psique, e, dependendo do constrangimento narcisista sobre ele, pode se ver abalada em sua autoestima e autoconfiança. Como bem escreveu o psicólogo, psicanalista e um dos fundadores da Bioenergética, o estadunidense Alexander Lowen, "o grau em que a pessoa se identifica com seus sentimentos é inversamente proporcional ao grau de narcisismo. Quanto mais narcisista ela é, menos está identificada com seus próprios sentimentos"[116] (denegação do Verdadeiro Self). Em sua arrogância e grandiosidade, o narcisismo gera uma discrepância entre a autoimagem e o Self (Ego Real). Deste embate não se vê a culpa, mas sim a vergonha, a baixa autoestima e sentimentos depressivos de vazio. Comenta Lowen que pessoas assim psiqui-

---

115 *Narcisismo de vida, narcisismo de morte*, Escuta, 1988.
116 *Narcisismo: negação do verdadeiro self*, Cultrix, 1985.

camente oprimidas "descrevem uma ausência de sentimentos, um vazio interior, uma sensação profunda de frustração e de insatisfação com o que lograram realizar na vida". Pessoas assim sofrem por psicologicamente identificaram-se com a imagem idealizada, e têm dificuldade de discriminar a imagem do que se imaginam ser, e a imagem do que gostariam de ser, da imagem do realmente são.

No tocante ao Ideal de Ego de cada um de nós, ele nos força desde cedo a querer gratificar as necessidades inconscientes dos nossos pais, mesmo que à custa das nossas próprias. O Ideal de Ego torna-se, assim, um modelo psíquico que tenta fazer o Ego Real a ele se submeter. Ambas as subestruturas (Ego Ideal e Ideal de Ego) atormentam a parte do psiquismo em contato com o mundo externo (Ego Real), constituindo endopsiquicamente uma cobrança da mente sobre ela mesma.

A vergonha proveniente do narcisismo moral é uma espécie de culpa às avessas, ou seja, é a mente culpando a mente por não ser perfeita. Enquanto o sentimento de culpa propriamente dito está relacionado à transgressão, ao delito e ao pecado; o sentimento de vergonha de origem narcísica está relacionado à falta e à falha (falta de não ser perfeito; falha em não conseguir sê-lo).

A vergonha é um substrato afetivo do Ideal de Ego. É como se fosse um sangramento da ferida narcísica da psique, que não consegue corresponder ao "eu deveria ser assim". Uma espécie de culpa oculta pelo fracasso de não ser perfeito. Como escreveu o psicanalista Zeferino Rocha,

> o Ego sente-se esmagado pelas exigências do Ideal do Ego, sobretudo quando este regride às dimensões narcísicas do Ego ideal. A vergonha passa, então, a exprimir um sentimento de menos valia que de nós se apodera, porque não fomos capazes de corresponder às expectativas que nos foram confiadas por aqueles que admiramos e idealizamos.[117]

Como distingue Zeferino, a culpa é um afeto reparatório a uma falta cometida, enquanto a vergonha é um afeto que encobre uma imagem que a psique tem de si aquém do Ego Ideal e do ideal de Ego.

---

117 *Paixão, violência e solidão: o drama de Abelardo e Heloísa no contexto cultural do século XII*, Editora Universitária da UFPE, 1996, p. 270.

Além dessas duas subestruturas, o Superego se consolidará com uma terceira, que é o Superego propriamente dito. Essa terceira subestrutura é constituída pelo conjunto das forças inibidoras intimidadoras desenvolvidas na mente humana em seu processo de socialização. O ambiente cultural, primariamente representado pelas figuras parentais, será interiorizado pelo psiquismo, que incorporará para si os valores que lhe são passados.[118]

Conscientemente, o Superego manifesta-se na chamada *consciência moral*, que é a capacidade psíquica de discernir racionalmente valores como certos e errados e de julgar a si mesmo. O ser humano não é apenas um animal racional, mas também um animal que julga, inclusive, a si próprio. Somos feitos de instintos, pensamentos e arbitragens. Como dizia o dramaturgo alemão Bertolt Brecht, "primeiro vem o estômago, depois a moral".

No entanto, o Superego propriamente dito é inconsciente ao Ego Cogito. A escritora sueca Selma Lagerlöf já dizia que a cultura é tudo o que nos resta depois de se ter esquecido tudo o que se aprendeu. Os nãos externos dos objetos cuidadores (heteronomia) vão nos socializando e passam a ser nãos internos (autonomia). Se antes um pai ou mãe dizia a uma criança que isto ou aquilo era certo ou errado, com o tempo é a própria criança que diz a si mesma que isto ou aquilo é para ela certo ou errado. Tanto a consciência moral tem pressão quanto o Superego inconsciente.

As proibições parentais vão se instalando dentro da mente e vão auxiliar o Ego em sua luta por reprimir os impulsos provenientes do Id. Para isso contribuirá sobremaneira o processo psicológico conhecido como *identificação*. A identificação é um fenômeno psíquico de assimilação de atributos, aspectos e qualidades de um objeto externo que passam a integrar o psiquismo do sujeito identificado. Traços do objeto passam a ser traços do Self. Tal processo de incorporação é inconsciente. Mediante à identificação, é comum expressarmos que o psiquismo infante internaliza em si as figuras parentais.

Conquanto a formação mental do Superego represente um importante auxílio ao Ego em seu esforço por controlar o Id, o Ego perderá assim maior autonomia, afinal, o próprio Ego também ficará em grande parte regido pela presença supere-

---

118   A internalização é um processo psíquico de introjeção em que a mente inconscientemente introduz em si regras, normas e valores do mundo cultural externo.

goica. Se por um lado o Superego é um aliado do Ego, por outro também será o seu senhor. Formado no psiquismo infantil um Superego, o Ego terá agora que lidar não somente com as demandas do Id, mas também com as exigências superegoicas.

O Superego inconsciente gerará culpas inconscientes. Embora a culpa inconsciente não seja percebida como tal pela parte consciente do Ego, a mesma se manifestará em mal-estar e punição. Como escreveu Freud em "O futuro de uma ilusão" (1927),[119] "no decorrer do nosso trabalho analítico, descobrimos, para nossa surpresa, que talvez toda a neurose oculte uma quota de sentimento inconsciente de culpa, o qual, por sua vez, fortifica os sintomas, fazendo uso deles como uma punição". A culpa inconsciente[120] não é um sentimento vivenciado, mas sim reproduzido em condutas de efeitos punitivos e de fracasso. Em outras palavras, a culpa inconsciente é a culpa que não se faz presente à consciência psíquica em forma de sentimento, porém se expressa em procedimentos e comportamentos que geram autopunições. O sujeito que assim age (castigando-se) não percebe a intencionalidade penalizante de seus atos advindos de um *masoquismo moral* inconsciente. Cometer atos e escolhas que geram castigos, punições e fracasso, muitas vezes pode ocultar expiações de culpas inconscientes.

Educar e socializar é dar limites, dizer não. Desejos e impulsos primários e infantis devem ser reprimidos em troca de comportamentos pró-sociais. No imperialismo dos desejos, o psiquismo haverá de ser frustrado para atingir tal fim. Sabemos que da frustração brotam a raiva e a agressividade. Muito da hostilidade que a psique dirigiria às figuras parentais volta, com a formação do Superego, para si mesma. A renúncia dos desejos, principalmente edipianos, amorosos e/ou hostis, e a agressividade correspondente, são a fonte psicodinamicamente energética do Superego. Por isso Freud entendia que o Superego tinha raízes profundas no Id. Escreveu o psicanalista americano Charles Brenner em seu livro *Noções básicas de Psicanálise*:[121] "é a intensidade dos próprios impulsos hostis da criança para com seus pais, durante a fase edípica,[122] o fator principal que determina a severi-

---

119 *Obras completas de Freud*, v. XXI, Imago, 1974, p. 138.
120 Dentro da ótica psicodinâmica, o mecanismo psíquico que gera a culpa inconsciente é a repressão (recalque) sobre a representação ideativa ligada ao afeto. Por isso entendia Freud que talvez fosse mais adequada à expressão *necessidade de castigo*. Tal necessidade é tão inconsciente quanto o afeto (culpa) que lhe engendra.
121 Imago, 1975, p. 130.
122 A fase edípica, segundo a abordagem freudiana, corresponde ao período do desenvolvi-

dade do superego, e não o grau de hostilidade ou de severidade dos pais em relação à criança". A severidade e a rigorosidade do Superego, pois, tanto podem ter a ver com pais realmente severos quanto com o componente agressivo dos desejos advindos do Id.

Também devemos destacar que outra parte da severidade superegoica é oriunda das subestruturas Ego Ideal e Ideal de Ego. Quanto mais força opressora tiverem essas subestruturas nascidas do narcisismo, mais implacável, intransigente e cruel deverá ser o Superego em relação ao Ego Real.

Em sua qualidade de herdeiro do narcisismo perdido da primeira infância e herdeiro da fase edípica e do Complexo de Édipo, o Superego, como instância psíquica, objetiva internamente 1) cobrar perfeição; 2) inibir impulsos e 3) forçar o Ego a se comportar de maneira moralmente aceita. Nesse sentido, as funções do Superego englobam a consciência moral, o controle inconsciente dos desejos e os ideais narcísicos que, por serem inatingíveis, podem provocar psiquicamente no Ego sentimentos de inferioridade e fracasso. Como dizia a psicóloga e psicanalista polonesa Alice Miller, "não somos tão culpados quanto imaginamos e nem tão inocentes quanto gostaríamos de ser".[123]

Com a formação dentro do sistema psíquico do Ego e do Superego, além do originário Id, a alma se torna tripartite.

> "Vá em frente, faça um tolo de você mesmo,
> talvez assim você ouça sua consciência."
> (Grilo Falante/Pinóquio)

---

mento psicossexual chamado de "fase fálica". A fase edípica está relacionada às atitudes carinhosas e sexualizadas infantis (no período de 4/6 anos de idade aproximadamente) geralmente com o genitor do sexo oposto, e do ciúme e da rivalidade e hostilidade com o genitor do mesmo sexo. O que Freud chamou de *Complexo de Édipo* é o momento do desenvolvimento infantil em que a criança entra em uma espécie de disputa com um progenitor pelo amor do outro progenitor.
123   *O drama da criança bem dotada*, Summus Editorial, 1997.

A formação da moral

A alma humana não nasce socializada. Com o tempo e aos poucos vai assimilando hábitos e valores característicos do grupo social a que pertence. O processo de socialização passa por transformar um indivíduo inicialmente apenas biológico e psicológico (autismo normal) em um sujeito bio-psico-social. Nesse aprendizado social é fundamental a interiorização de regras, princípios e valores do ambiente cultural onde se vive e se convive. Como se processa, então, tal incorporação que vai orientar o comportamento humano? Como ocorre o desenvolvimento da moral?

Além de Piaget, outro que muito contribuiu para o estudo do desenvolvimento moral foi o psicólogo e pesquisador estadunidense Lawrence Kohlberg. Seu trabalho mais conhecido é sua teoria do desenvolvimento da moral. Através do processo maturacional e interativo caminha o ser humano em busca do atingimento da competência moral plena. Kohlberg sugere entendermos o desenvolvimento da moral em níveis e estágios. Para ele são três os níveis, a saber: Pré--convencional, Convencional e Pós-convencional.

No período pré-convencional (pré-moral) ainda não há conceitos morais internalizados. O valor moral vem de fora. Os preceitos morais e as normas são obedecidas seja para evitar castigo, seja para usufruir recompensas que advêm do comportamento pró-social da criança. A mente egocêntrica obedece sem questionar para não ser punida. Nesse nível é como se a mente se perguntasse: "como escapar do castigo?" ou "o que vou ganhar com isso?". As regras, assim, são externas ao Eu. São heteronômicas.[124]

No nível convencional, típico da adolescência, as normas e expectativas sociais já estão incorporadas. A moral aqui se encontra no desempenhar dos papéis sociais e em atender às expectativas dos outros. Psicologicamente, o Eu se identifica com a expectação dos outros e há consciência quanto à convencionalidade das regras internalizadas. No início, o jovem busca comportar-se de certa maneira com vistas a receber aprovação dos outros. Mais adiante, o comportamento adequado ao social está relacionado a evitar o sentimento de culpa e/ou consequências desagradáveis.

---

124 Heteronomia é a fase do desenvolvimento em que a criança, a partir do 2º ano de vida, segue as regras impostas pelos outros. O termo heteronomia vem do grego *hetero* (diferente, outro) e *nomos* (norma, regra). Já o termo anomia significa ausência de regras.

Finalmente, segundo Kohlberg, o nível pós-convencional corresponde à autonomia.[125] Aqui o Eu gera princípios morais e éticos próprios que podem diferenciá-lo das expectativas gerais. O indivíduo adulto faz seu próprio julgamento interno. Podemos dizer que sua conduta visa não necessariamente o que os outros esperam dele, mas principalmente corresponder a um ideal moral de si. Esse ideal interiorizado retrata as crenças pessoais no tocante ao valor da vida e pelo respeito para consigo e seus semelhantes. O sujeito autônomo é regido por sua própria consciência e senso de justiça. A moral torna-se existencial, estando os valores ligados ao juízo.

Todo ser humano em seu desenvolvimento da moral parte do nível pré-convencional, mas nem todo mundo atinge o ápice do estágio pós-convencional. Em seu trajeto de vida, a alma começa se achando autossuficiente e onipotente. Logo vai descobrindo sua fragilidade humana e sua dependência absoluta dos cuidadores. Da dependência absoluta ruma-se para uma dependência relativa até se chegar à independência. Do ponto de vista da moralidade, atingir o nível pós-convencional representa o amadurecimento da alma, que agora é capaz de se autossustentar moralmente. Na visão proposta por Kohlberg, a ontogênese da moralidade se faz através de estruturas formais de raciocínio (pensamento cognitivo-moral) cuja culminância é o atingimento de uma moralidade pós-convencional expressa no princípio ético universal. Nos dizeres de Kohlberg, "o desenvolvimento das estruturas de raciocínio de justiça é um raciocínio universal".

Dilemas morais geram angústias morais. A culpa moral diverge da culpa social. Esta é resultado das transgressões às regras sociais, enquanto naquela a culpa decorre da violação subjetiva de seus próprios valores e princípios. O sofrimento proveniente da culpa moral é puramente interno. É a mente se autojulgando: "por que agi assim?", "por que pequei?".

O sentimento de culpa é íntimo e subjetivo. O transgredir da própria moral é consequência do pulsar repentino das paixões. Se o homem é capaz de pautar sua vida em preceitos e princípios, ele também é capaz de cometer delitos morais. A culpa moral surge quando o Eu reconhece que ultrapassou os seus limites deontológicos e, assim, vive subjetivamente uma contradição interior. Temermos ser contraditórios. Porém, sendo contraditórios revelamos nosso real tamanho. As

---

125 Etimologicamente, autonomia vem do grego *auto* (próprio) + *nomos* (norma/regra). Nesse sentido, autonomia é o estabelecimento das próprias regras pelo indivíduo. Ter autonomia, portanto, é ser um adulto responsável.

contradições, embora nos dividam e nos conflitem, fazem parte existencial da vida humana, afinal, a alma não é uma unidade coesa e harmônica, mas sim um conjunto tripartite cujas partes interagem e brigam entre si. O poeta e filósofo português Agostinho da Silva já mencionava "contradizer-me me dá segurança de que atingi a verdade possível".

Consideremos abaixo o seguinte problema criado por Kohlberg, conhecido como *Dilema de Heinz*:

> A esposa de Heinz estava morrendo por causa de um tipo especial de câncer. Segundo os médicos, havia uma nova droga que poderia salvá-la. Acontece que o químico que a desenvolveu cobrava muito caro por ela, cerca de dez vezes mais do que Heinz possuía em dinheiro ou posses. Com a ajuda de familiares e amigos, Heinz conseguiu levantar a metade do valor cobrado. Procurou o químico e explicou-lhe que sua esposa estava morrendo devido à doença e que o remédio poderia salvá-la. Porém, o químico irredutível se recusou dizendo que havia descoberto a droga e iria ganhar com ela muito dinheiro. Heinz, desesperado para salvar sua esposa, então, mais tarde, naquela noite, invadiu a farmácia do químico e roubou dele a droga.[126]

Apresentado o dilema, Kohlberg fazia as questões do tipo: Heinz deveria ter roubado a droga? Mudaria alguma coisa se Heinz não amasse sua esposa? E se a pessoa morrendo fosse um estranho, faria alguma diferença? O que significa para você o valor da vida? Se Heinz fosse pego e processado, o juiz deveria condená-lo? As respostas encontradas por Kohlberg mostram juízos morais que relativizam o dilema (violar a lei ou não). E você, leitor? O que faria se fosse Heinz?

Dentro de cada pessoa, dentro de cada alma humana, habitam as maiores contradições. O que há de humano no ser humano é a contradição. Muito do angustiar humano, senão o próprio angustiar, é resultante desse desacordo anímico. A alma sonha. A alma sofre. Como escreveu o filósofo dinamarquês Kierkegaard, "a angústia é uma qualificação do espírito que sonha". Nosso psiquismo não se contradiz apenas com a realidade, mas com sua pessoal subjetividade.

---

126 Ronald Duska, *Desenvolvimento moral na idade evolutiva*, Loyola, 1994.

"Descobri uma lei sublime, a lei da equivalência das janelas,
e estabeleci que o modo de compensar uma janela fechada é abrir outra,
a fim de que a moral possa arejar continuamente a consciência."
(Machado de Assis)

A ALMA TRIPARTITE

> A sabedoria consiste em ordenar
> bem a nossa própria alma.
> *Platão*

Princípio do contraditório

A mente não é só uma nem é harmônica. Ela é tripartite e conflituosa. Concebê-la como dividida em instâncias intrapsíquicas é um modelo conceitual bastante útil para a compreensão do seu funcionamento e dinâmica. A instância mais intrapsíquica (inconsciente) e originária é a que tem como função a descarga da tensão interna (Id). Dela brotam poderosas demandas pulsionais. O coração pulsa em batimentos cardíacos. A alma pulsa em impulsos agressivos e sexuais. Se vivêssemos somente sob a sua regência, seríamos como um carro desgovernado. Para a sobrevivência física e psíquica, cria-se na mente outra estrutura: o Ego. Cabe ao Ego, em sua mediação entre o mundo interno e externo, controlar as pulsões, defendendo a vida e a sobrevivência do próprio sistema psíquico e do organismo como um todo.

O mundo psíquico é conflitante. Tal conflito resulta em angústia, ansiedade e culpa. Para a manutenção do equilíbrio psíquico, o Ego necessita criar mecanismos psicológicos de defesa. As defesas egoicas protegem o Ego dos impulsos do Id, que, cego, busca desenfreadamente descarga, sem medir consequências. Mas o Ego não está só dentro da mente em sua luta contra o Id. Surge ainda durante a infância uma terceira instância (Superego) que vai também limitar o Id, mas que também acaba limitando o Ego.

Desde a Antiguidade Clássica sabe-se disso. Platão, em *A República*,[127] disserta sobre a tripartição da alma humana. Platão percebe que são três as fontes impul-

---

[127] Fundação Calouste Gulbenkian, 1987.

sionais que levam o homem à ação, e que cada uma tem sua nascença em elementos distintos que compõem a alma. Baseando-se no princípio de busca e fuga, Platão nota que são dois os movimentos anímicos: um que representa a busca dos desejos pelos objetos que o satisfazem, e outro que representa o contrário, isto é, a evitação. Há na alma um movimento que deseja, almeja e quer; outro que inclui o não querer, o não desejar e o repelir. Um é aproximação, outro afastamento. O não desejar se contrapõe na alma ao desejar.

Somos seres de apetites e fomes psíquicas. Alguns desejos – concupiscentes e carnais –, por causa da razão ou pelo juízo das consequências, são repelidos dentro da alma. Muitas vezes o libertino e o lascivo são contrapostos pela racionalidade e o senso crítico.

A visão de Platão sobre a alma humana confere uma complexidade ao psiquismo. Ele a divide em três claras instâncias: a apetitiva, a irascível e a racional. O campo psíquico é um campo ao mesmo tempo confluente e conflitante. Cabe à razão ser o maestro e regente das forças antagônicas. Platão utiliza-se da *metáfora da biga*. A biga é um veículo movido pela força de dois cavalos e conduzido por um condutor. Nesta metáfora, Platão cria a imagem de um condutor guiando a biga puxada por dois cavalos alados, sendo um cavalo preto (representando as paixões irracionais) e o outro um cavalo branco (representando a moral). O condutor representa a razão, o intelecto. O apetite (as paixões desenfreadas), dizia o antigo filósofo, empurra-nos irracionalmente aos prazeres. Caso seja o cavalo preto que nos conduz, somos levados ao excesso e ao descomedimento – que em grego significava húbris.[128] Cabe ao condutor, com o auxílio do cavalo branco, controlar o desembestar do cavalo preto.

Mais de dois mil anos depois, Freud, ao descrever o Id como um caldeirão fervilhante de instintos, compara-o a um cavalo, e o Ego a um cavaleiro montando o cavalo. O animal é mais forte e maior do que o cavaleiro, mas como o cavaleiro sabe montar o cavalo e bem segurar as rédeas, ele o leva para onde quer ir. Porém, se o cavaleiro não souber montar o cavalo ou, se por alguma razão, perder o controle das rédeas, é o cavalo que vai levar o cavaleiro, inclusive para lugares onde ele não quer ir.

---

128   Húbris é um conceito grego que significa "tudo que passa da medida", "a falta de limite".

O conflito psíquico constitui o ser humano enquanto sujeito humano. Nada é mais humano, demasiadamente humano, do que o conflito travado dentro da própria alma. Conflito constante, poucas vezes harmônico, entre o querer (desejo), o poder (realidade) e o dever (moral). Olhar a alma por este viés é encará-la de maneira psicodinâmica, isto é, entendê-la pela luta das forças psicológicas que atuam sobre o comportamento.

Modernamente, a concepção do psiquismo em conflito, introduzida por Freud, coloca tal contenda intrapsíquica etiologicamente como estando na base dos quadros neuróticos em geral. Como resultado desse emaranhado de forças psíquicas antagonizando-se inconscientemente, o sintoma neurótico humano é então compreendido como uma *formação de compromisso*. A formação de compromisso é uma espécie de fusão entre as forças reprimidas e as forças repressoras da psique, como se fosse uma combinação entre o desejo ou impulso inconsciente, a censura moral e o Ego. A formação de compromisso, assim, equivale a um acordo não consciente entre o Ego e seus mecanismos de defesa com o Id, em busca de um equilíbrio psicodinâmico.

O equilíbrio psíquico não quer dizer ausência de conflito, mas sim que a parte egoica da mente está sabendo mediar a tensão interna entre Id e Superego. Caso os impulsos provenientes do Id se intensifiquem, ou o Ego sofra por alguma razão (externa ou interna) uma alteração em sua capacidade adaptativa, ou, ainda, caso as cobranças superegoicas se acentuem, a estabilidade desapruma. Rompendo-se a estabilidade, tanto o Id passa a ameaçar invadir o Ego em busca de satisfação dos seus impulsos quanto o Ego pode sofrer penosamente pela ameaça de castigo e punição provenientes da parte superegoica. Quanto mais se amplia o conflito psíquico inconsciente, inquietando a mente de subir à superfície (tornar-se consciente), mais haverá um incremento de estados psicológicos ansiosos e agoniantes, que tomam formas de angústia, medo, culpa, inibição ou vergonha. Não podendo o Ego fazer frente às ameaças do Id ou do Superego, a mente se defende, como último recurso, padecendo neuroticamente.[129] Esse adoecer neurótico é consequência de um novo equilíbrio psicodinâmico (formação de compromisso).

---

129 O sintoma neurótico, do ponto de vista psicanalítico clássico, é uma satisfação disfarçada e dissimulada dos desejos reprimidos/recalcados.

O conflito psíquico, portanto, é inerente à alma humana. Se no início o conflito se estabelecia entre o mundo interno e o mundo externo (Princípio de Prazer x Princípio de Realidade), a partir do amadurecer gradual da psique ele se torna intra, ou seja, entre o Ego, o Id e o Superego (aqui inclusas as subestruturas Ego Ideal e Ideal de Ego).

Para que haja o conflito intrapsíquico, é necessária uma diferenciação entre Self e objeto e que o psiquismo, antes puramente primitivo, funcione em termos de oposição mente x mente. Contudo, a alma humana não se organiza somente em termos de conflito, mas também em termos de déficit. O déficit psicológico tem a ver com uma falta real. A falta real da qual aqui falamos é a ausência de estímulos tempestivamente adequados ao desenvolvimento psíquico. A privação ou escassez do que é essencial à alma para otimamente se desenvolver em muito contribuirá para dar lugar a um vazio interior. Essa "falta básica"[130] representa uma insuficiência de ajuste entre as necessidades narcisistas e infantis da criança e as respostas empáticas do objeto cuidador, podendo comprometer sobremaneira o desenvolvimento psicológico do indivíduo. Veremos melhor sobre tal questão mais adiante.

"Uma parte de mim
é todo mundo;
outra parte é ninguém:
fundo sem fundo.
Uma parte de mim
é multidão:
outra parte estranheza
e solidão.
Uma parte de mim
pesa, pondera;
outra parte
delira.
Uma parte de mim
almoça e janta;
outra parte

---

130   Termo criado pelo psicanalista húngaro Michael Balint em 1968.

se espanta.
Uma parte de mim
é permanente;
outra parte
se sabe de repente.
Uma parte de mim
é só vertigem;
outra parte,
linguagem.
Traduzir-se uma parte
na outra parte
— que é uma questão
de vida ou morte —
será arte?"
(Ferreira Gullar)

As paixões

É comum associarmos paixão a amor. A paixão assim entendida representa um excesso amoroso, um amor cego. Porém, deixemos um pouco de lado a paixão dos poetas e das histórias românticas. Centremo-nos na paixão naquilo que ela realmente é: um desgoverno emocional. Os antigos diziam que a paixão é *a razão extraviada*. São nossos impulsos frenéticos e intensos, uma excitação demasiada, uma forte emoção, um arrebatamento.

Em sua alma tripartite, Platão simboliza a paixão como o cavalo preto. A visão platônica contempla o homem em sua dualidade psicofísica, um constante e interminável conflito entre a alma e o corpo. O corpo anseia os prazeres da carne; a alma à perfeição e à divindade. Na voz do heterônimo Bernardo Soares, o poeta português Fernando Pessoa exclama:

O mal todo do romantismo é a confusão entre o que nos é preciso e o que desejamos. Todos nós precisamos das coisas indispensáveis à vida, à sua conservação e ao seu continuamento; todos nós desejamos uma vida mais perfeita, uma felicidade completa, a realidade dos nossos sonhos e [...] É humano querer o que nos é preciso, e é humano desejar o que não nos é preciso, mas é para nós desejável. O que é doença é desejar com igual intensidade o que é preciso e o que é desejável, e sofrer por não ser perfeito como se sofresse por não ter pão. O mal romântico é este: é querer a lua como se houvesse maneira de a obter.[131]

Uma boa definição de paixão temos no escritor libertino francês Marquês de Sade: "as paixões humanas não passam dos meios que a natureza utiliza para atingir seus objetivos".

Do ponto de vista biológico, a paixão é resultado de uma liberação excessiva de neurotransmissores, tais como dopamina e noradrenalina. Essa revolução química cerebral faz com que o sistema límbico (central das emoções) fique tão desorganizado que distorce, inclusive, a visão que se tem do objeto da paixão (*cegueira psíquica*). Faz com que o apaixonado se sinta invadido por ondas de prazer muito fortes, semelhantes à euforia. Estudos atuais demonstram que pessoas apaixonadas apresentam as mesmas alterações neuroquímicas e hormonais verificadas em pessoas acometidas de Transtorno Obsessivo-Compulsivo.

Paixão é uma palavra que deriva do grego *pathos*, que significa excesso, sofrimento, passividade, assujeitamento. Há algo de visceral na paixão, uma interação psicofísica que parece vir de dentro do corpo e seus instintos, mas que é sentida na alma, no psiquismo. Algo que popularmente dizemos que faz as pessoas "perderem a cabeça". Uma espécie de qualquer coisa energética animal em suas raízes. Em psicanálise, o impulso energético interno que direciona o comportamento humano é denominado de pulsão. Pulsões são nascedouros da energia psíquica que, acumulada no recôndito da alma, gera tensão psíquica. É preciso que a psique descarregue a tensão para retornar ao nível de equilíbrio anterior.

Teoricamente podemos dizer que são duas as pulsões básicas: a pulsão sexual (voltada à vida) e a pulsão agressiva (voltada à destruição). Eros e Thanatos. Amor e ódio. Vida e morte. Lado luminoso e lado negro da Força (*Star Wars*). Yang e Yin dos orientais taoistas. Considerando o conceito de pulsão como uma concepção limítrofe entre o somático e psíquico, a pulsão se caracteriza como uma pres-

---

131 Fernando Pessoa, *Livro do desassossego*, Companhia das Letras, 2011, p. 54.

são que impele o organismo a agir. As chamadas pulsões sexuais englobam a autoconservação e a sexualidade propriamente dita. Estão voltadas à construção e à preservação da vida. Já as pulsões de morte representam nosso lado destrutivo e aniquilador. São pulsões caracterizadas pela agressividade. As duas tendências pulsionais, embora antagônicas, não estão dissociadas. Ambas as qualidades pulsionais estão conectadas, como se andassem lado a lado, ou melhor, como se estivessem sobreposicionadas uma sobre a outra.

São quatro as dimensões teóricas da pulsão: a fonte, a pressão, o objetivo e o objeto. A fonte é corporal; a pressão é a forma motora; o objetivo é a satisfação; e o objeto é qualquer coisa pela qual a pulsão atinge seu objetivo. A pulsão se distingue do instinto por ser este um comportamento atávico pré-formado e que possui um objeto específico, enquanto aquela não possui um comportamento inato pré-formado e nem objeto específico. No tocante ao objeto da pulsão ele é plástico, isto é, variável.

À primeira vista pode parecer estranha a noção de pulsão de morte, afinal soa paradoxal a ideia de que o psiquismo trabalhe para se destruir. Porém, lembremos, o ser humano é paradoxal e contraditório. A postulação da ideia de pulsão de morte parte do princípio de que a mente humana busca reduzir o estado de tensão interna até, se puder, à aquiescência. Podemos ver o que acontece quando a pulsão de morte se aparta da pulsão de vida: o suicídio, por exemplo. Psicologicamente, no fundo, o suicídio não visa matar o organismo, mas acabar com o sofrimento. Também não é difícil perceber o quanto podemos nos autossabotar e destruir tudo o que construímos. Às vezes, em nome de uma "paixão amorosa", podemos ser muito, muito destrutivos.

Uma paixão sozinha é uma emoção pulsante desenfreada. Sem a razão, a paixão recusa a realidade e não mede consequências. Não que o homem deva reprimir absolutamente suas paixões, porém, sim, sua passionalidade caótica. Regulá-las e modulá-las não é sinônimo de vetá-las. As paixões são forças criativas da alma humana. Dominá-las não é impedi-las, mas saber canalizá-las e usufruir melhor proveito delas. O autocontrole que a mente necessita ter sobre as paixões é no sentido da cegueira das pulsações passionais. O condutor não conduz sua biga sem seus cavalos. Já dizia o filósofo e escritor francês do século XVIII Voltaire: "as paixões são os ventos que enfunam as velas dos barcos, elas fazem-nos naufragar, por vezes, mas sem elas, eles não poderiam singrar". Suprimir as paixões, como pregavam os estoicos, nos esvaziaria de nossa humanidade. Necessitamos das paixões, mas elas precisam da razão como guia. Paixões muito reprimidas, tolhidas, adoecem a alma.

Uma razão sábia, como afirma o diplomata e filósofo Sérgio Paulo Rouanet, é aquela capaz de admitir a influência das paixões e que, em parte, alberga sua loucura. Ao distinguir razão sábia de razão louca, Rouanet nos expõe: "a loucura sábia, que é a verdadeira sabedoria, podendo criticar os outros e a si mesma, e a loucura louca, que incentiva o erro e o crime, e é uma falsa sabedoria, porque não se sabe louca".[132]

A relação entre a razão e as paixões é a relação entre o Ego e o Id. O Ego, como parte da mente dirigida ao mundo externo e à realidade, precisa, em sua função mediadora entre o que é interno e o que é externo ao psiquismo, muitas vezes refrear o Id, modificar objetivos pulsionais, retardar os impulsos ou até mesmo desistir deles. Quando o Ego assim não consegue e se vê invadido e dominado pelo Id, estamos, então, no âmbito da razão louca ou loucura louca. E o estrago pode ser grande.

O cavalo preto, impaciente e inquieto de Platão representa as paixões. O Id de Freud representa o caldeirão fervilhante das pulsões. Fôssemos apenas dominados por eles, sucumbíramo-nos. A alma humana necessita crescer do seu primitivismo bárbaro e desvairado e compor a biga ou o restante tripartite da sua estrutura psíquica.

A mente é naturalmente imaginativa e fantasiosa, e, por isso, passível de ilusões. No mundo quimérico das fantasias, o psiquismo encena seus desejos mais inconscientes. Do narcisismo anímico e atávico do início da vida psíquica (narcisismo primário) herdamos a representação imaginária do Ego Ideal, assim como traremos do Ideal de Ego o legado das figuras parentais que um dia foram para nós onipotentes. Embora a realidade confronte e desiluda nossas ilusões narcísicas, ao longo da vida, por várias razões, o Ego Ideal pode ser projetado em objetos externos outros. Quando a psique assim faz, a pessoa transfere muitas das idealizações narcísicas para o novo objeto, que passa agora a ser um objeto idealizado. Dessa maneira, a alma humana pode reviver a ilusão de completude narcísica (que um dia se acreditou ter com o objeto materno da primeira infância) com o objeto atual psiquicamente transmutado em objeto da paixão. Nesse sentido, na paixão

---

132   *As razões do Iluminismo*, Companhia das Letras, 1999.

amorosa a psique se logra de encontrar no objeto idealizado o preenchimento de suas faltas e carências. Na paixão amorosa, pois, renasce a ilusão narcísica da completude infantil que fazia da mãe o tudo da criança, assim como esta o tudo dela (simbiose normal).

O apaixonado, mesmo sem perceber, busca recuperar a beatitude psíquica do estado fusional da plenitude perfeita do narcisismo primário. Dessa maneira, na dinâmica psíquica da paixão o psiquismo mais uma vez se ilude de haver encontrado o paraíso perdido. O que geralmente ocorre, porém, na realidade, não é o assossegar nirvânico do paraíso narcísico, mas o atormentar aflitivo e intranquilo da paixão (*pathos* = sofrimento). Como bem descreveu o poeta chileno Pablo Neruda em seu soneto:

"Não te quero senão porque te quero,
e de querer-te a não querer-te chego,
e de esperar-te quando não te espero,
passa o meu coração do frio ao fogo.

Quero-te só porque a ti te quero.
Odeio-te sem fim e odiando te rogo,
e a medida do meu amor viajante,
é não te ver e amar-te como um cego.

Talvez consumirá a luz de Janeiro,
seu raio cruel meu coração inteiro,
roubando-me a chave do sossego,

Nesta história só eu me morro,
e morrerei de amor porque te quero,
porque te quero amor, a sangue e fogo."

A razão (Ego)

Somos *homo sapiens*. Portanto, somos animais racionais. A própria questão de sermos animais racionais nos coloca de pronto frente à nossa dualidade: animal x racional (talvez seja mais pertinente expressarmos: animal e racional). Somos ambos e somos unos, embora psicologicamente tripartites. Nossa unidade engloba as duas esferas, aliás, as três, pois igualmente somos animais racionais sociais. Somos biopsicossociais.

A razão faz parte da alma humana, mas a razão não é a alma toda. O *cogito ergo sum* não explica o homem por inteiro. Se somos o que pensamos, também somos aquilo que não pensamos. Somos compostos de consciência e inconsciência, e nossa inconsciência nos dirige tanto ou até mais do que nossa consciência. Se Copérnico nos retirou a ideia da Terra como centro do Universo, e se Darwin nos mostrou que não somos uma criação especial divina, Freud nos desnuda ao dizer que o Eu nem sequer é mestre em sua própria casa. Não somos tão narcísicos quanto gostaríamos de ser. A nossa racionalidade nos conhece como consciência. Mas nossa consciência racional não conhece o nosso psiquismo integralmente. O que tem de mental no humano não se resume em consciência. Nem todos os estados mentais são para o sujeito conscientes. Como dizia o filósofo e matemático francês do século XVII Blaise Pascal, "o último esforço da razão é reconhecer que existe uma infinidade de coisas que a ultrapassam".

A consciência é uma qualidade psíquica. Ela é um atributo da mente. Já a razão, em sentido geral, é a faculdade intelectual do homem. Sua competência está em raciocinar, compreender, avaliar, julgar, decidir, enfim, resolver problemas. Raciocinar é operar com lógica discursiva e mental. Com a razão, o ser humano, a partir de suposições, princípios e premissas, chega a conclusões. A razão também possibilita operar conceitos abstratos e formar novos conceitos. A razão é a inteligência em sentido *latu*. Porém, no contexto deste livro, utilizaremos razão como parte funcional do Ego consciente (Ego Cogito).

O Ego, utilizando-se de sua capacidade pensante, procura harmonizar as demandas do mundo interno (Id e Superego) com o mundo externo. Para tal, baseia-se no Princípio de Realidade. Tem como funções básicas a memória, a percepção, a atenção, o teste de realidade, o senso crítico, o controle motor e emocional. O Ego é moderador e regulador das pulsões, julga e avalia as consequências de uma determinada ação demandada pelo psiquismo, além de exercer a função de sintetizar uma grande quantidade de informações, dados e estímulos. É através da estrutura egoica que o psiquismo se defende dele mesmo, isto é, por meios psicologicamente defensivos neutraliza ansiedades, angústias, riscos e maneja conflitos. Podemos resumi-lo como a parte da mente que age como um "órgão executivo". Tudo que vem do interior mais profundo do psiquismo passa pelo Ego, mesmo que ele acabe agindo sem pensar.

O Ego é uma estrutura do psiquismo que se forma de uma mente indiferenciada entre mundo interno e externo e que, representativamente falando, ocupa um espaço entre o Id, o Superego e o mundo externo. É a parte superficial de todo o aparelho psíquico. Uma dupla face, uma voltada ao exterior e outra ao interior. Do Ego, a camada mais externa é a consciência. Sim, como estrutura, o Eu (imagem mental de si mesmo) e os processos psíquicos conscientes estão na periferia do ego, sendo o além-Eu a parte inconsciente do próprio Ego. Essa subdivisão do Ego entre consciente e inconsciente é teórica e didática, mas bastante útil e válida para a compreensão da dinâmica da alma.

No Ego, enquanto estrutura, incluem-se os chamados mecanismos de defesa psíquicos. Através de tais mecanismos psíquicos, pode o Ego articular e controlar as demandas que provêm do Id e do Superego (demandas inconscientes). Os mecanismos de defesa do Ego são processos inconscientes que possibilitam à psique solucionar conflitos psíquicos. Os mecanismos defensivos são frequentemente acionados quando da presença de angústia e ansiedade, mal-estares psicológicos gerados pelos conflitos, principalmente entre o Id e Superego.

Assim, a mente utiliza vários recursos para lidar com o sofrimento psíquico da angústia e da ansiedade. Laplanche e Pontalis[133] descrevem os mecanismos de defesa como sendo "diversos tipos de operações em que se pode especificar a defesa. Os mecanismos são diferentes e podem predominar de acordo com o tipo de afecção, a etapa genética ou o grau de elaboração do conflito". Tais mecanismos têm função protetora, ou seja, protegem o equilíbrio e a homeostase psíquica. Os principais mecanismos defensivos mentais são, entre outros:

---

133 Op. cit.

repressão (recalque): rejeição de representações mentais (ideias) incompatíveis com o Eu;

negação: recusa em aceitar uma verdade ou uma realidade psicologicamente dolorosa;

projeção: quando características do Eu (geralmente desagradáveis) são projetadas nos outros (objetos);

formação reativa: quando a mente expressa o oposto dos sentimentos internos em comportamentos externos;

intelectualização: neutralização de afetos com ruminações intelectivas e apenas racionais;

deslocamento: transferência de afetos inquietantes e perigosos (geralmente raiva) do alvo originário para outro;

regressão; retorno a níveis de funcionamento psíquico anteriores do desenvolvimento ao se deparar com uma frustração;

isolamento: separação da associação entre pensamentos, ideias e lembranças e sentimentos ou afetos correspondentes, de modo a esvaziar a reação emocional;

sublimação: forma de realizar parcialmente os impulsos de maneira socialmente aceita.

O Ego é uma estrutura psíquica que se forma na psique humana a partir de suas experiências e vivências frente à realidade. Trata-se de uma construção intrapsíquica que também é desenvolvida durante as identificações com os objetos externos que assim são incorporados ao Ego. A consciência, a parte pensante e racional (Ego Cogito), é uma subestrutura do Ego, sendo sua dimensão mais externa. O Ego, que nasce incialmente do Id, tem suas raízes no inconsciente por meio dos mecanismos de defesa. Ao contrário do Id, que é caótico e desordenado, o Ego é uma unidade que assegura a identidade do indivíduo humano e preserva sua integridade. Funciona como instância responsável pela aprendizagem e pela adaptação da pessoa ao seu meio ambiente físico e social. Como metáfora, podemos dizer que o Ego é a parte superior do psiquismo.

Embora estejamos a falar do Ego, a razão não se confunde com ele. A racionalidade é uma parte ou função do Ego, não o Ego todo. Uma pessoa bem racional, por exemplo, pode ser alguém que tem um Ego frágil – um Ego que sob pressão tende a se fragmentar. Um Ego mais fortalecido é aquele que é capaz de aguentar tensões consideráveis, e que pode melhor controlar as reações emocionais e os impulsos rebeldes provenientes do Id, bem como conservar certa autonomia frente às demandas castradoras e narcisicamente exigentes do Superego.

Uma pessoa com Ego estruturalmente frágil é geralmente uma pessoa impulsiva, pois cede mais facilmente aos impulsos do Id. Por outro lado, uma pessoa com o Ego estruturalmente rígido é mais submetida aos ditames superegoicos e tende a ser mais perfeccionista ou controladora, bem como bastante severa consigo mesma. Um Ego estruturalmente forte, portanto, é um Ego maleável e flexível às adaptações e às mudanças da vida, que possui uma boa gama de recursos defensivos e que os utiliza com plasticidade, pertinência e adequação frente às vicissitudes da existência.

Um indivíduo com boa autoestima é predicativo da presença de um Ego amadurecido e forte. Contudo, isto não é regra geral. Vejamos, a título de exemplificação, uma pessoa predominantemente narcisista. Aparentemente é uma pessoa com elevada ou excessiva autoestima, que é tão voltada a si (egocentrismo) a ponto de ser insensível às necessidades dos outros (não empático). Contudo, tal elevada autoestima é frágil como uma bolha, isto é, pessoas excessivamente narcisistas são pessoas com baixa tolerância a críticas ou reprovações. Quando assim acontece, tendem a responder com agressividade. As personalidades organizadamente narcisistas buscam sempre impressionar os outros com sua aparente superioridade e suas realizações, mas no fundo fogem das feridas narcísicas e são invejosos. A presença de tal inveja crônica, diz Otto Kernberg, psiquiatra e psicanalista de origem alemã, é resultado de uma necessidade e carência de se comparar incessantemente com os outros. Intensos sentimentos de inferioridade e vazio se ocultam por detrás de autoestimas infladas, bem como suas arrogantes autossuficiências camuflam necessidades carenciais de atenção e respostas validadoras dos objetos externos. A personalidade é uma máscara de dupla face que simula, maquia e disfarça para si e para os outros penúrias afetivas e conflitos profundos e bem ocultos.

A professora norte-americana Nancy McWilliams, da Faculdade de Pós-Graduação em Psicologia Aplicada e Profissional da Universidade de Rutgers, Nova Jérsei, assim expõe:

> Pessoas estruturadas narcisisticamente são em algum nível conscientes de suas fragilidades psicológicas. Elas têm medo de desmoronar,

de perder a autoestima e autocoerência (p.ex., quando criticadas) e de repente se sentirem "ninguém" ao invés de alguém. Sentem que sua identidade é muito frágil para se manter intacta e experimentam muita tensão. O medo de uma fragmentação do Self interno é com frequência deslocado para uma preocupação com a saúde física; portanto, elas são vulneráveis a preocupações hipocondríacas e medos mórbidos da morte.[134]

Ego e Self são termos muitas vezes utilizados de maneira semelhante, mas têm suas distinções. O Ego propriamente dito se refere ao conceito de estrutura psíquica, embora também possa ser utilizado em sua etimologia latina de Eu. O Self, por sua vez, é um conceito relacionado à imagem que a mente tem de si mesma. Do ponto de vista evolutivo, segundo Freud, não há uma estrutura de Ego no recém-nascido ("o ego, antes de tudo, é corporal"). O alicerce mais rudimentar do Ego é o Ego arcaico, também chamado de "Ego de puro prazer". O Ego, quando primitivamente já lida com o mundo externo e a realidade, é o Ego quando começa a sair do narcisismo primário até atingir a estruturação digna de ser uma instância definitiva e delimitada de Ego (Ego da Realidade).

O Self é uma espécie de "ser interior". Em uma acepção mais geral, o Self é o que define uma pessoa tanto em sua subjetividade quanto em sua individualidade. É a essência e a substância pessoal da alma. Tratando-se de uma representação psíquica que a mente tem de si, há aqueles que consideram o Self como uma representação criada pelo Ego. Mesmo assim, não devemos confundir e mesclar ambos, afinal Ego é instância e estrutura psíquica, e Self é imagem psíquica. Para Winnicott, Self é o Eu que é uma unidade ou totalidade que foi formada com base no funcionamento do processo de desenvolvimento existencial e maturativo.

Também é necessário destacar que, embora se utilize outros termos como Ego Ideal e Ideal de Ego, estes não são subestruturas que compõem o Ego, mas sim subestruturas que compõem o Superego. Já o Ego Real é onde o Ego como estrutura se realiza no mundo externo e na realidade. Quanto mais próximo se encontra o Ego Ideal e o Ideal do Ego com o Ego Real, menos iludida e mais madura é

---

134 *Diagnóstico psicanalítico: entendendo a estrutura da personalidade no processo clínico*, Artmed, 2. ed., 2014, p. 206.

a mente. A distância entre aquelas subestruturas superegoicas e o Ego Real propiciam uma "leitura" do Ego Real pelo próprio psiquismo como mais depreciativa e depressiva. Apesar do uso de termos com palavras semelhantes, uma análise mais acurada de seus conteúdos conceituais faz perceber as distinções.

O centro da consciência da alma humana e de sua personalidade é o Eu. O Eu é o Ego Real.

> "O último esforço da razão é reconhecer que existe uma infinidade de coisas que a ultrapassam."
> (Blaise Pascal)

O *ethos* psíquico

Na imagem da alma de Platão, o cavalo branco representa o impulso racional e a parte positiva da paixão (os sentimentos). Enquanto o cavalo preto é o elemento apetitivo e desejante, o branco é seu oposto: é alusivo à honra e às virtudes. Em nossa analogia à parábola de Platão, interpretamos o cavalo branco como o lado moral da alma. O cavalo preto tende a puxar para o lado impetuoso da luxúria e dos impulsos lascivos, o cavalo branco, constrangido pela vergonha ou pela culpa, puxa para o lado contrário. Cabe ao condutor (razão) impedir que os cavalos sigam em direções opostas, coordenar e guiar a biga para onde ele quer ir.

Já vimos que a alma nasce sem moral. Em sua amoralidade inicial, aos poucos, vai-se construindo internamente a moral psíquica. Em seu começo de formação, cabe ao Ego incipiente fazer os primeiros limites aos impulsos desenfreados do Id, visto que o psiquismo lactente é pura anomia. Os valores, a moral e outros elementos socioculturais vão gradualmente entrando no interior da psique através do Ego. O pensamento de uma criança muito jovem é difuso e fragmentado, ainda incapaz de absorver regras. Em torno do segundo ano de vida – segundo Piaget – a criança progressivamente segue as regras ditadas pelos outros (heteronomia), mas ainda é incapaz ela mesma de refletir, questionar e repensar as normas e regras. Contudo, o senso da moral vai se construindo e amadurecendo, e coincidindo com o terminar da infância. Então, o psiquismo começa a desenvolver o sentimento de reciprocidade e de justiça, até atingir o desenvolvimento maduro de seu próprio senso de moralidade (autonomia).

Há indivíduos que permanecem heterônomos, mesmo adultos. Pessoas assim tendem a ser rígidas, seguem a maioria e não questionam as regras, nem suas intenções. O que mais importa é a conduta normativa e menos as motivações.[135] Não desenvolveram a regra racional, que é a capacidade e consciência sobre o valor da norma. Adultos heterônomos têm a obediência como algo incondicional.

Do ponto de vista estrutural, Freud creditou a formação do Superego no período da fase fálica, embora seus precursores estejam na herança psíquica do narcisismo infantil (Ego Ideal e Ideal de Ego). Com a internalização das representações do objeto ideal e do Self Ideal, a próxima camada do Superego é representada pelos aspectos proibitivos dos pais. Identificações e internalizações vão construindo o Superego que, por seu turno, contribui para a formação do caráter do sujeito humano.

A evolução da interiorização das proibições preliminarmente tem a ver com os primeiros sentimentos de pertença ao mundo (consciência de si). O psiquismo rudimentar impulsiona à ação sem limites. Assim, forçada pelos impulsos inconsequentes, a criança vai sendo exposta às proibições impostas pelos adultos (heteronomia). Na infância o ser humano vai conhecendo suas fronteiras e limites, físicos e sociais. A maneira como os pais exercem a autoridade e sua função parental em muito contribuirá na formação do Superego. As práticas educativas englobam duas dimensões, a saber: exigência (cobrança) e responsividade (compreensão). A forma como os pais se relacionam com os filhos é conhecida como *estilo parental*.

Em meados dos anos 1960, a psicóloga e pesquisadora Diana Baumrind desenvolveu um modelo teórico sobre os tipos de controle parental. Seu iniciante trabalho foi um marco no campo do estudo sobre a educação de pais e filhos, e

---

135   A filósofa de origem judaica Hanna Arendt, cobrindo para a revista americana *The New Yorker* o julgamento de um dos mais graduados nazistas da Segunda Guerra Mundial, Adolf Eichmann, responsável pela logística das deportações dos judeus aos campos de concentração, criou a expressão *"banalidade do mal"* para o fenômeno em que uma pessoa é incapaz de fazer julgamentos morais, porque aceita e cumpre ordens sem questionar. Quem apenas cumpre ordens e não as questiona em suas intencionalidades possibilita que o mal possa se tornar banal.

inspirou inúmeros trabalhos sobre estilos parentais. Baumrind propôs três tipos de controle (estilo) parental: autoritativo (democrático), autoritário e permissivo. Pais autoritativos incentivam o diálogo com seus filhos, direcionam as atividades das crianças de maneira orientada e racional, colocando sua visão de adulto sem, com isso, restringir a criança. Já os pais autoritários estimam a obediência cega como virtude, modelando e controlando rígida e punitivamente a criança. Os pais permissivos, por sua vez, são aqueles pais que se comportam de maneira não punitiva e são receptivos aos desejos e ações das crianças sem se colocarem como modelos e agentes responsáveis em direcionar o comportamento infantil.

O estilo parental permissivo é desmembrado em dois: o indulgente e o negligente. O indulgente é caracterizado pelo estilo carinhoso, porém não exigente em relação aos deveres e normas. Já o negligente é aquele pai que não se envolve no exercício das funções parentais (desresponsabilização) e mantém apenas o atendimento das mínimas necessidades básicas.

Com base nas duas dimensões da parentalidade (responsividade e exigência), pode-se observar que pais autoritários são exigentes, mas não responsivos; enquanto os pais permissivos indulgentes são bastante responsivos, porém não exigentes; bem como os permissivos negligentes nem são responsivos nem exigentes. Os pais autoritativos, contudo, são exigentes e responsivos, pois há uma reciprocidade, os filhos devem responder às exigências dos pais, mas estes também aceitam a responsabilidade de responderem, o quanto possível, aos pontos de vista e razoáveis exigências dos filhos.

Pais severos tendem a contribuir para a formação de um Superego severo. Todavia, outro fator é igualmente preponderante: o componente agressivo e hostil dos impulsos da criança para com seus genitores. Em sua fase edípica, o psiquismo infantil produz fantasias de desejo e raiva edípicas. Tais fantasias, relacionadas à destrutividade, geram sentimentos de culpa (ambivalência). Do ponto de vista psicodinâmico, significa que a energia agressiva fica à disposição da porção psíquica que forma o Superego. Nesse sentido, quanto maior forem as fantasias geradoras de energia agressiva, maior a quantidade de energia que formará o componente energético (severidade) do Superego.

Assim pensando, boa parte do Superego vem também do Id, ou mais precisamente da intensidade do componente agressivo dos próprios desejos edipianos. Lembremos que a visão que uma criança tem dos seus pais não corresponde necessariamente com os pais externos e reais. A visão infantil transforma-os em representações psíquicas ou imagos (objetos internos). A base desse processo psicológico é o fenômeno da identificação, que é "a ação de assemelhar um Ego e outro ego" (Freud). O Superego, portanto, é o filho natural das relações interpessoais, interpsíquicas e intrapsíquicas entre o filho, seu psiquismo e seus cuidadores.

O sentimento de culpa, inexistente no recém-nascido, está atrelado ao Superego. Intrapsiquicamente a culpa é resultante das críticas que o Superego dirige ao Ego pela sua incapacidade de corresponder à idealização narcisista ou por não corresponder a um preceito moral determinado. Tal culpa tem origem nos impulsos agressivos da mente, que se voltam para ela mesma, e é estruturante.

Melanie Klein perseverou quanto aos aspectos destrutivos da instância superegoica. Para ela, o Superego arcaico tem sua característica pulsional e feroz ainda na fase oral (primeiro ano de vida). Com base no seu conceito de fantasias inconscientes, as fantasias agressivas projetadas no objeto cuidador constroem uma imagem dele adulterada e deturpada. Por meio do mecanismo psíquico de introjeção, essa imago distorcida é interiorizada – internalização do objeto cuidador modificado pelas fantasias projetadas. Então, a partir de dentro do próprio psiquismo, a mente se sente dominada por pais desalmados e tirânicos que agem dentro do seu interior.

Persistindo com a visão kleiniana, percebe-se a ambivalência da instância psíquica superegoica. Tal ambivalência é resultado da ideia de que os primeiros alicerces superegoicos são construídos com a introjeção tanto do seio bom quanto do seio mau. As fantasias psíquicas primitivas que estão relacionadas ao seio idealizado em muito contribuirão para a mente controlar sua própria agressividade destrutiva, pois agora ela tenderá a proteger o seio bom internalizado e com ele se identificar. A agressividade é dirigida à representação do seio não idealizado (mau). Considerando que o bom e o mau fazem parte não de objetos (seios) distintos, mas de um objeto total (mãe), a questão ambivalente da Posição Depressiva cria ao psiquismo a mesma ambiguidade, ou seja, que as fundações arcaicas do Superego que repousam inicialmente na Posição Esquizo-Paranoide têm qualidades tanto protetoras quanto ameaçadoras, ambas originadas à época da internalização dos objetos parciais (seio bom e seio mau).

Secundariamente, o psiquismo também adquire consciência moral. A consciência moral não é inata. Inata é a amoralidade da psique lactente. Formados, o

Ego e o Superego vão ambos internamente trabalhar na tarefa de inibir os impulsos baseados apenas no Princípio do Prazer. A parte consciente do Ego (Ego Cogito) também se identifica com a parte superficial do Superego, gerando a chamada consciência moral. Assim, conscientemente nos abstemos de certas ações ou condutas, por não serem condizentes com nossa moral consciente, isto é, com a nossa moral e valores pessoais. O Ego, em relação às suas ações, decide não apenas o que pode lhe fazer mal ou não, mas igualmente o que para ele é certo ou errado. A mente, anteriormente regida somente pelo Princípio do Prazer e depois pelo Princípio de Realidade, passa a contar agora com outro princípio regente: o Princípio do Dever. A consciência moral é uma instância autocrítica do Ego que brota de sua identificação intrapsíquica com a parte menos inconsciente do Superego. O Ego Cogito tanto avalia os riscos físicos de suas ações como da mesma forma julga suas ações com base em seus princípios morais (moralidade pós-convencional).

Abaixo um resumo da classificação do desenvolvimento da moralidade ou juízo moral psíquico em níveis de estágios ou fases, segundo Kohlberg:

NÍVEL	ESTÁGIOS
PRÉ-CONVENCIONAL	Orientação pela obediência com efeito de evitar punição (moral heterônima). Orientação egocêntrica. Reciprocidade em estilo "Lei de Talião".
CONVENCIONAL	Orientação para manutenção dos valores predominantes na comunidade e grupo de amigos (expectativas interpessoais mútuas). Orientação pela lei e pela ordem social.
PÓS-CONVENCIONAL	Orientação em respeito aos outros e ao contrato social (contratual-legalista). Orientação pela consciência lógica e universalista.

O desprazer que os sentimentos de culpa, remorso e arrependimento nos provocam são importantes forças psíquicas (cavalo branco) que nos auxiliam a conter o cavalo preto (Id). Em linguagem psicodinâmica, pode-se dizer que a estrutura egoica tem a percepção de ser vigiada e, ante a possibilidade de ser castigada psiquicamente pela estrutura superegoica, receia tal punição. Trata-se, assim, mais de um medo, medo de sentir culpa, que, por sua vez, é o representante afetivo da penalidade superegoica. A culpa consciente, desse modo, é resultado de uma penitência da alma.

"A ética é a estética de dentro."
(Pierre Reverdy)

BURACOS NEGROS DA ALMA

> No fundo de um buraco ou de um poço,
> acontece descobrir-se as estrelas.
> *Aristóteles*

Função materna defeituosa

Do que precisa o ser humano enquanto bebê? De uma mãe que cuide dele, o alimente e o proteja. Do que precisa o psiquismo de um bebê? De uma mãe que o entenda, alivie suas ansiedades e lhe dê colo. Wilfred Bion, psiquiatra e psicanalista britânico, afirmava que a principal função psíquica de uma mãe é a *função continente*, que é ser "recipiente" das angústias e afetos contraditórios do seu filho. Trata-se da capacidade psíquica que a pessoa no exercício materno tem de reagir às necessidades gerais do bebê, transformando a inquietação vivida por ele em compreensão e segurança.

"Continente" vem do latim *continere* (conter) e designa a disponibilidade psicológica do objeto cuidador para acolher conteúdos psíquicos do bebê, isto é, sua capacidade para pensar as experiências emocionais vividas pelo filho. Trata-se de uma função vital ao desenvolvimento do infante, cuja incumbência é acolher, conter, traduzir, elaborar e devolver em termos de apaziguamento as ansiedades do bebê, devidamente nomeadas e significadas,

O bebê tem o choro como seu meio de comunicação. Quando algo lhe tira do estado de equilíbrio, gerando tensão, ele chora. Cabe ao objeto cuidador (mãe), ao ouvir o choro, acolher dentro de si sua angústia e decodificá-la, isto é, significar e nomear (pensar) o que está se passando com seu filho e devolver, por meio de ação, algo que o tranquilize e que o permita retornar ao equilíbrio anterior (diminuição do estado de ansiedade). Em outras palavras: nomear o que para o psiquismo primário é inominado. Temos, assim, uma mãe com capacidade receptiva e que funciona como uma espécie de caixa de ressonância psicológica.[136]

É no seio do ambiente familiar, e mais precisamente com a mãe, que o ser humano iniciante (bebê) tem seu primeiro lugar de vida, e onde vivencia suas primeiras emoções, trocas e aprendizagens. São com esses primeiros objetos (pais) que a psique implantará em si as bases sustentadoras de sua organização e estruturação psíquica. Esses primeiros relacionamentos irão contribuir para integrar as pulsões libidinais e agressivas. Tais experiências de contato e envolvimento serão ao ser humano sua herança e matriz emocional, que influenciará as demais modalidades de relacionamentos ao longo da vida.

Os sustentáculos básicos da personalidade estão nesses preliminares vínculos afetivos. Nosso cérebro vem programado para essas experiências, isto é, ele está em prontidão para receber determinadas informações vindas do meio externo. Os primeiros anos de vida são conhecidos como cruciais e críticos ao desenvolvimento psicoafetivo, e também são chamados de *períodos de molde da personalidade*. É uma época que propicia o desenvolvimento de certas conexões neurais, com maior proliferação de adequadas sinapses em detrimento de outras. É necessário que o objeto cuidador provenha satisfatoriamente o bebê de estímulos apropriados para que não cause repercussões negativas ao desenvolvimento neurobiológico e afetivo.

Estudos em neurociências apontam que a ausência de um olhar responsivo da mãe e falhas no cuidado materno (negligência, abusos físicos e/ou psicológicos) estão associados a alterações no comportamento de apego.[137] O psicólogo, psiquiatra e psicanalista inglês John Bowlby nomeou de sistema de apego as estru-

---

136 Bion usou o termo *rêverie* como a capacidade psíquica materna de permanecer em um estado de consciência receptiva de acolhimento, decodificação, significação e nomeação das angústias do filho. Com o *rêverie*, o psiquismo do objeto cuidador (mãe) metaboliza as experiências emocionais não verbais do bebê e as transforma em representações verbais e pensáveis. Bion estende o conceito de *rêverie* para a relação analista-analisando, comparando-o com a intuição (conhecimento não sensorial).

137 A Teoria do Apego descreve que um recém-nascido necessita de um relacionamento com um cuidador primário para o desenvolvimento emocional e social. As pesquisas mostram que um apego seguro é um fator de proteção que otimiza os resultados do desenvolvimento, ao passo que crianças com apego inseguro são mais propensas a problemas sociais e de desajustamento; e crianças com apego desorganizado correm maior risco de psicopatologia e resultados insatisfatórios.

turas neuropsicológicas que direcionam a ligação entre o bebê e seu objeto cuidador. Para ele, o sistema de apego é inato e instintivo, e funciona como um sistema organizador da memória do bebê, conduzindo-o a se aproximar e se comunicar com a mãe.[138]

Todo lactente humano necessita de cuidados e proteção. O apego do bebê com quem cuida dele é instintivo para sua sobrevivência, não somente física como emocional e social. Quando o vínculo entre o bebê e seu cuidador atende suas necessidades de proteção, otimiza-se o seu desenvolvimento. Desse modo, cuidadores responsivos, sensíveis e acolhedores propiciam ao infante consolo e sensação de segurança, inclusive para explorar o mundo que se descortina frente a seus olhos. A criança que sente que tem uma base segura (figura de apego) desenvolve mais coragem para percorrer o ambiente, pois percebe que tem uma retaguarda com que pode contar e que irá confortá-lo caso precise. Bowlby pressupôs que essas primeiras relações de apego inspirarão as futuras vinculações e relações de apego do indivíduo.

> "São três letras apenas,
> As desse nome bendito:
> Três letrinhas, nada mais...
> E nelas cabe o infinito
> E palavra tão pequena-confessam mesmo os ateus-
> És do tamanho do céu
> E apenas menor do que Deus!"[139]
> (Mário Quintana)

Como a maioria dos lactentes demonstra apego seguro, acredita-se que tiveram cuidadores que foram satisfatoriamente reagentes às necessidades do bebê e forneceram a ele um vínculo parental seguro. Mas nem sempre é assim. Há cuidadores que são excessivamente zeladores e protetores, limitando com isso o caminhar da independência dos filhos. Pais superprotetores estabelecem um padrão

---

138 Vide, por exemplo, PONTES, Fernando A. R.; SILVA, Simone S. da Costa; GAROTTI, Marilice e MAGALHAES, Celina M. C., "Teoria do apego: elementos para uma concepção sistêmica da vinculação humana". *Aletheia* [online] n.º 26, 2007.
139 Poema "Mãe".

de apego ansioso. Já outros pais podem não ser disponíveis emocionalmente e/ou são negligentes. Há aqueles também que são caóticos e dessincronizados com seu filho; outros que podem abusar (física, moral ou psicologicamente) da criança. Cuidadores assim comprometem sobremaneira os estilos ou padrões de apego que a pessoa terá por grande parte do seu ciclo vital.

Segundo Winnicott,[140] as falhas maternas comprometem o Self iniciante em seu sentimento de continuidade de ser. Muito provavelmente, pessoas que apresentam patologias do Self estão associadas a falhas maternas precoces, traumas, carências afetivas básicas e famílias desorganizadas ou disfuncionais. São pessoas que se tornam adultas reativamente agressivas ou defensivamente retraídas.

Considerando que o primeiro contato social da alma humana se faz através de seus cuidadores, geralmente a mãe, o objeto materno é eivado de grandiosidade e poder, afinal ele detém tudo o que o bebê necessita. Evidente que, para um início de desenvolvimento socioafetivo satisfatório, a presença de um cuidador com boa função materna oferece as condições primaciais para a formação de um sentimento de segurança e confiança no objeto. Erik Erikson batizou esse período inicial do desenvolvimento de *Confiança Básica*.[141] Incoerências nos cuidados maternos nessa fase contribuem para que o Self cresça com sentimentos de desvalia em relação a si, desconfiança e/ou medo em relação ao mundo.

Com a internalização de um objeto cuidador que passa segurança e confiança, desenvolve-se um modelo interno de funcionamento. Boas experiências com o cuidador primário iniciam o que mais adiante se generalizará em expectativas que o indivíduo tem de si mesmo, dos outros e do mundo. As representações mentais de tais experiências consolidar-se-ão com o desenvolvimento psíquico em uma espécie de base interna segura (modelo interno de funcionamento) que, por sua vez, possibilitará psicologicamente uma maior firmeza interior em explorar a vida

---

140 *O ambiente e os processos de maturação: estudos sobre a teoria do desenvolvimento emocional*, Artmed, 1983.
141 A Teoria do Desenvolvimento Social de Erik Erikson entende o desenvolvimento psicológico em oito fases que dependem da interação do indivíduo com o seu meio social. Cada fase é para ele uma etapa de crise adaptativa normativa entre duas vertentes, sendo uma positiva e outra negativa. Para um bom desenvolvimento é necessário que se sobreponha a vertente positiva. No primeiro estágio, equivalente à fase oral de Freud, a crise é entre a confiança básica x desconfiança básica. Aqui é preciso que o infante adquira uma confiança em si mesmo (autoconfiança), bem como uma confiança em relação ao mundo que o rodeia – que não o sinta como hostil a ele.

a partir de então. Adultos com apego seguro (confiança básica), portanto, são mais propensos a ter uma visão positiva de si e de seus relacionamentos afetivos. A intimidade não lhes é algo ameaçador, sendo o Ego suficientemente seguro para se unir à identidade de outras pessoas sem intimidações de ordem subjetiva.

No neonato, assim como no bebê, não existe um Ego estruturado. Quem exerce as funções de Ego é o objeto cuidador que, desse modo, atua como uma espécie de Ego auxiliar. É a mãe quem integra para seu bebê sua confusão. É ela quem lhe apazigua. É ela quem o entende, que sabe o que está passando com ele. Quando a função materna é falha nesses aspectos, compromete a maturação do Ego no psiquismo do lactente. Uma mãe funcional identifica-se com seu filho e responde empaticamente às suas necessidades. Winnicott denominava isso de *holding*.[142]

Falhas maternas sempre existirão, afinal não existe uma mãe perfeitamente boa. O que causa dano na formação psíquica não são as falhas normais e naturais da maternalidade, mas sim as falhas continuadas. Digamos que seria o desequilíbrio da balança entre responsividade (acerto) e não responsividade (falha), com a balança pendendo mais para o polo negativo (falha). Muitas falhas maternas constantes expõem ao psiquismo imaturo sensações desesperantes de desamparo. Isso sim compromete a maturação do Ego e sua estruturação, deixando-o frágil e vulnerável à ansiedade e à frustração.

O termo *falha básica*, criado por Balint, representa o fracasso da função materna. Uma pessoa que traz em sua formação psicoafetiva a falha básica sente grande angústia. Sente como se algo estivesse incompleto. É como se houvesse um vazio inesgotável dentro de si. A falha básica é um déficit estrutural na personalidade, resultado das falhas maternas. Podemos dizer que esse vazio, esse "buraco" na alma, é uma área psíquica herdeira do que se passou entre o bebê e sua mãe.

O psiquiatra e psicanalista norte-americano James Grotstein[143] denominou o "buraco" na alma de *buraco negro*. Para ele, sua gênese repousava em déficits primários provenientes do período de indiferenciação primária bebê-mãe. Em situações vivenciais de desregulação da díade, o psiquismo nascente careceria de

---

142 O termo *holding* representa sustentação, suporte materno ("o bebê no colo da mãe"). Sua função é fornecer apoio egoico. Uma rotina de cuidados estável dá melhor sustentação corporal ao bebê, bem como psicológica. Sustentação, dizia Winnicott, é uma forma de amar. Diríamos, inclusive, que é a primeira forma de amar da mãe.
143 Livro *O buraco negro*, Climepsi (Portugal), 1999.

experiências alimentadoras de amor, segurança e regulação e, assim, comprometeria um suporte ontológico necessário para o desenvolvimento de competências psíquicas de autoconfiança e autoapaziguamento (autorregulação emocional). Para Grotstein, os buracos negros geram sensações catastróficas de descontinuidade do Eu, como uma queda em direção ao vazio sem ter em que se segurar. Esses estados carenciais são encontrados em muitos transtornos psíquicos frequentemente chamados de *patologias do vazio*.

> "A gente não cria os filhos para a gente,
> nós os criamos para eles mesmos."
> (Clarice Lispector)

Sentimento de vazio

O bebê e sua mãe têm uma relação interpessoal. Essa relação, assim como as demais outras relações interpessoais, transformar-se-ão em representações mentais de relacionamentos. Uma relação interpessoal primária boa (bebê-mãe) formará, dessa maneira, um protótipo (matriz) positivo de experiência afetiva positiva. Mas o inverso também é verdadeiro, isto é, um relacionamento mãe-bebê não satisfatório gera um protótipo negativo de experiência. Uma mãe insuficientemente boa em prover seu filho de segurança e afeto (necessidades psíquicas básicas) propiciará na formação da psique a *falha básica*. A falha básica, como vimos, é um déficit na formação da personalidade do lactente, o que poderá comprometer seu melhor desenvolvimento psicoafetivo.

Todo psiquismo infantil carece de ser amado e admirado, de se sentir importante. Toda criança em seu egocentrismo precisa, de vez em quando, encontrar alguma validação externa à sua pretensão de ser o centro do mundo. De alguma grandiosidade, o psiquismo deve ser parcialmente alimentado para formar uma boa base na autoestima. Mesmo quando os pais são investidos de idealização e poder narcisista, a mente da criança necessita que o objeto idealizado tenha com ela um grande vínculo amoroso.

O psiquismo humano, como vimos, é normalmente narcisista. Quando desabrocha e passa a descobrir a existência do objeto cuidador, necessita encontrar nele ressonância às suas necessidades narcisistas de grandiosidade e espelhamento. O psiquismo pueril, de acordo com Kohut, demanda do objeto cuidador respostas confirmatórias de sua importância. Disse Kohut que a mente imatura espera encontrar o *brilho no olhar materno*. Kohut chamou de *Self-Grandioso--Exibicionista*. Tais respostas validadoras alimentam saudavelmente o senso de autovalia (autoestima). Quando isso não ocorre, quando o objeto cuidador falha em empatizar com as necessidades do psiquismo infantil, a tendência é a criança se desenvolver com sua autoestima comprometida, a ponto de poder chegar à fase adulta com um Self deficiente.

Em *Análise do Self*,[144] Kohut considera que o narcisismo infantil amadurece acompanhando a formação e a estruturação do psiquismo até sua fase madura. É fundamental, pois, nesse processo de amadurecimento do narcisismo, que os objetos cuidadores (pais) mantenham respostas psicologicamente sintonizadas com o Self em composição. Respostas não empáticas persistentes favorecem o abortamento do desenvolvimento normal e saudável das configurações narcisistas. Um Self-objeto[145] defeituoso é responsável pela construção de um Self deficiente ou enfraquecido em sua autoestima.

Sendo o narcisismo intrínseco à alma humana, de fato nunca deixaremos de ter algo narcísico. Nosso narcisismo é atávico e anímico. Devemos, então, vê-lo como normal à nossa natureza, sofrendo transformações sob influência do ambiente, podendo ser o seu desenvolvimento saudável ou não. Falhas empáticas, como já dissemos, podem perturbar sua evolução normal, gerando quadros psicopatológicos vários. Pessoas adultas que trazem em sua formação de personalidade *falhas narcisistas* queixam-se, geralmente, de sentimentos inespecíficos de vazio. São pessoas com uma autoestima bastante frágil e propensas à depressão. Correm o risco de facilmente fraquejarem na manutenção da autoestima, e são muito sensíveis à frustração.

Em um Self rudimentar, característico da primeira infância, os objetos externos são necessário, por um lado, para o espelhamento (valoração da sua própria gran-

---

144 *Análise do Self*, Imago, 1988.
145 Para a Psicologia do Self, escola psicanalítica criada por Heinz Kohut, Self-objeto é um conceito intrapsíquico que está relacionado com como o Self em desenvolvimento vivencia a realização de seus objetos com o apoio de um outro a quem ele está apegado, que é, por sua vez, vivenciado como parte integrante do Self.

diosidade por parte do objeto) e, por outro, para a idealização (onde as fantasias de onipotência são projetadas no objeto externo que o ama). Nesse sentido, o Self se estrutura em uma base narcísica bipolar: a grandiosidade exibicionista e as imagos parentais idealizadas. Nestas se mesclam as idealizações projetadas nos objetos com as qualidades do próprio objeto. Pelo olhar da Psicologia do Self, os objetos do Self (mãe e pai) são objetos externos que, ao idealizar seu filho, prestam--se para que este os idealize.

Mesmo pais idealizados frustram seus filhos (eles não são perfeitos). Porém são frustrações saudáveis, isto é, toleráveis ao psiquismo infantil.[146] Tais frustrações em níveis suportáveis possibilitam a desidealização deles e a substituição de suas funções internalizadas (apaziguamento e asseguramento) por um Self mais amadurecido e ele próprio assumindo tais funções internas, dando-lhe, assim, um caráter de Self autônomo e autorregulado. Um Self autônomo é capaz de preservar o equilíbrio psíquico, de lidar com a ansiedade e a frustração e de manter a autoestima de uma pessoa. Se os pais constituírem a criança em uma relação satisfatoriamente estável, independente de algumas frustrações ao narcisismo do infante, eles manterão conservados, com seus afetos e orgulho pelo filho, algo da onipotência e grandiosidade infantil, que servirá como núcleo interno da autoconfiança, do amor-próprio e da autoestima.

Toda alma humana, por sua mesma imperfeição e incompletude, traz consigo alguns vazios, porém toleráveis. O sentimento de vazio a que aqui fazemos menção é intolerável e avassalador. É um vazio que suscita ansiedades primárias, mais precisamente angústia. Um vazio que remete a alma ao desamparo. Tais vazios, como pudemos perceber, são consequência de falhas básicas ou falhas narcísicas, resultantes de vivências com figuras parentais não suficientemente empáticas e confirmatórias. É um vazio impossível de se explicar com palavras, mas que se encontra encravado no fundo da alma.

"A minha alma partiu-se como um vaso vazio.
Caiu pela escada excessivamente abaixo.

---

146 Se tais falhas acontecerem pertinentes com a capacidade maturacional do psiquismo lactente, o bebê vivenciará o que Kohut denominou de *frustrações ótimas*. Essas frustrações ótimas, segundo a Psicologia do Self, vão proporcionar a desilusão gradual do Self-objeto e o consequente desenvolvimento das funções do próprio Self.

Caiu das mãos da criada descuidada.
Caiu, fez-se em mais pedaços do que havia loiça no vaso."
(Álvaro de Campos)[147]

O sentimento de se estar vazio por dentro é muito intenso. É como se fosse um buraco sem fundo. Nada parece preenchê-lo (compras, álcool, drogas, diversão, sexo, agenda social sobrecarregada, jogo, excesso de trabalho etc.). É um vazio insaciável, que faz lembrar uma necessidade indeterminável e incompreensível à pessoa que o sente. É um vazio decorrente da ausência de contato íntimo, de confiança e empatia. É um vazio narcisista e carente de amor parental. Um vazio afetivo que vem da infância, seja pela perda, seja pela falta.

Pessoas que sofrem de patologia do vazio não apresentam como base de seu sofrimento conflitos psíquicos ou neuróticos (Ego x Id x Superego), mas angústias existenciais provenientes das falhas e faltas que em si se instalaram desde os primórdios do seu desenvolvimento como pessoa. São psiquismos não em conflito, mas psiquismos em carência.

Tal vazio da alma, originário das faltas e falhas básicas, jamais será preenchido; afinal, trata-se de um vazio que se formou no passado remoto e nenhum presente conseguirá supri-lo. Cabe ao psiquismo saber conviver com ele. Evidente que uma ajuda psicoterápica é de suma importância para contribuir com que a pessoa lide melhor com seus despovoados anímicos. Um bom terapeuta, acolhedor, responsivo e empático, por meio de sua função analítica, possibilita dar ao paciente a experiência vivencial de ser entendido em suas necessidades narcísicas tempestivamente não atendidas. Deve um bom psicoterapeuta empatizar com os esforços psíquicos e inconscientes do paciente de reativar uma relação parental fracassada. Com sua função empática, o terapeuta favorece uma internalização transmutativa, isto é, serve como um Self-objeto ao psiquismo do seu cliente. Discordamos que isso preencha o vazio, mas acreditamos que possibilita uma internalização de um objeto compreensivo, empático e ajustável às insuficiências narcisistas que obstacularizam o desenvolvimento saudável do narcisismo normal. Mais do que a internalização de um objeto, melhor dizendo, a internalização de uma função, que assim incorporada contribuirá para um melhor

---
147 Um dos heterônimos de Fernando Pessoa.

autocontrole e apaziguamento interno, um Self mais coeso e com uma maior autoconfiança e equilibrada autoestima.

Pessoas com sentimentos crônicos de vazio na alma são como crianças em um corpo de adulto, pois "o adulto está prisioneiro da criança".[148] O psiquismo ainda carece de um objeto idealizado, que tanto possa ser alvo da idealização do puerilismo psíquico quanto refletidor da grandiosidade anteriormente não espelhada. Todos necessitamos ser ou ter sido importantes para alguém.

> "Há muito o céu é um vazio
> sem deuses, sem serafins,
> infinito deserto gris
> cortado às vezes por aeronave ou ave torpe.
>
> As almas não sobem mais como as andorinhas.
> O homem deita-se na terra pregado à cruz.
> Perdemos a trilha a que deus conduz.
> Mudos, os poetas contemplam o nada."
> (Antun Simié)

Carência afetiva

O corpo precisa de oxigênio. A alma necessita de amor. Assim como um corpo não bem nutrido fica frágil e minguado; uma alma não satisfatoriamente alimentada de amor é uma alma desnutrida e atrofiada. O amor é para a alma assim como o sol é para as plantas. Sem sol as plantas definham. Sem amor a alma também. Porém, não o amor incondicional de que anseia o narcisismo – o amor da completude –, mas o amor que os pais reais podem dedicar a seus filhos.

Como já sabemos, o primeiro objeto de amor de uma criança é sua mãe (objeto materno). Em seu egocentrismo infantil, o filho se importa em (e precisa) ser amado, sentir-se amado. Amar é, para o psiquismo pueril, sinônimo de ser amado. Do ponto de vista de um lactente, amar está ligado a tudo que dá prazer, assim como

---

148   Expressão utilizada por Kohut.

odiar (reação agressiva) está ligado a tudo que dá desprazer. Vive-se o binômio prazer-desprazer, assim como o binômio eu-objeto. O Ego Corporal da fase inicial sente-se amado pelo corpo, bem como o Ego de Puro Prazer tem no objeto que lhe dá o prazer seus incipientes sentimentos amorosos. Lembremos Freud em "Sobre o narcisismo: uma introdução",[149] quando afirma "que o ser humano tem originalmente dois objetos sexuais – ele próprio e a mulher que cuida dele".

No início não há amor no psiquismo, nem mesmo existe objeto na fase do *autismo normal* (fase pré-objetal). Quando a mente percebe a existência do objeto, e que vêm dele as sensações gratificantes e reconfortantes, dirige para ele sentimentos primários de gratidão e bem querer. Vagamente a psique reconhece que depende do objeto, ou mais precisamente do objeto bom (seio bom), considerando as ideias propostas por Melanie Klein.[150]

No início o que existe são pulsões e instintos. As pulsões ou os impulsos buscam descarga da tensão, buscam o prazer do alívio. O seio e o colo materno saciam e apaziguam. Logo a mente percebe. O objeto de onde advém o buscado prazer (seio bom) passa a ser amado, enquanto o objeto que frustra passa a ser odiado (seio mau). Em pouco tempo o recém-inaugurado sentimento amoroso passa a ter um registro de ambivalência (Posição Depressiva): ama-se e odeia-se o mesmo objeto (mãe) que integra as qualidades do seio bom e do seio mau (objeto total).[151] Na fase oral do psiquismo o amor se expressa no sugar e se sente no aliviar. Amar e ser amado, portanto, nos assossega e nos assegura contra o temor do desamparo.

Na mitologia grega, Eros[152] é o deus do amor. Em *O banquete*[153] Platão correlaciona amor e desejo, dizendo que "amor é desejo e desejo é falta". O psiquismo do lactente deseja o leite que o seio possui. O psiquismo deseja o leite porque ele não o possui. Desejo é falta, e amor é desejo. O amor – seguindo a visão de Platão

---
149 Op. cit.
150 Tomamos aqui emprestadas as concepções kleinianas em relação aos objetos parciais (seio bom e seio mau), embora Melanie Klein não reconheça a fase pré-objetal. Para ela "o bebê, desde o início da vida pós-natal, tem com a mãe uma relação (se bem que centrada primariamente em seu seio) imbuída dos elementos fundamentais de uma relação de objeto, isto é, amor, ódios, fantasias, ansiedades e defesas" (*Inveja e gratidão*, Imago, 1991).
151 Vide a parte referente ao pensamento kleiniano no subcapítulo "Objeto interno e objeto externo".
152 *Eros* (ou *Érôs*) para os antigos gregos representava a força da atração que cria e une as coisas. Seu nome vem do verbo *érasthai*, que significa "desejar ardentemente".
153 Edipro, 2012.

– primeiramente deseja o que o desejante não possui e, depois, deseja não perder o que o amor faz possuir. Assim, o amor visa o gozo da posse.

Segundo *O banquete*, Eros é filho de Poros (riqueza/abundância) e de Penia (pobreza). Eros é concebido da união de Poros e Penia, ou seja, ele é ao mesmo tempo riqueza e penúria. Eros, que por um lado é rico, por outro deseja o que lhe falta. Amor é carência. Ou, como aponta Platão, Eros representa "o anelo de qualquer coisa que não se tem e se deseja ter".

E o que deseja a mente em sua fase narcísica? Poder. O poder que ilusoriamente o narcisismo primário se achava detentor e que agora é projetado no seio que lhe dá, de fato, o leite. Todavia, não se trata de uma ilusão absoluta, afinal o objeto (mãe) que cuida dele, o alimenta, o protege e o assossega, tem realmente muitas vezes o poder de aplacar as angústias e inquietações de seu filho lactente. Digamos que é uma ilusão com dado de realidade, apenas contaminada, ou exagerada, pelo colorido das emoções, fantasias e idealizações características da alma humana.

Em uma rápida ida a dicionários podemos encontrar a definição de amor como "forte afeição por outra pessoa". Em nosso linguajar, "pessoa" é aqui traduzida como objeto. Já o termo afeição significa "ligação afetiva". Portanto, forte afeição pelo objeto quer dizer que os primeiros afetos positivos são dirigidos ao objeto que nos gratifica e nos dá prazer. Afetos positivos são aqueles com os quais nos sentimos bem, que nos geram contentamento e sensações boas. São afetos que refletem prazer e deleitamento, tais como alegria, ternura e amor. Já um afeto negativo é uma dimensão geral da angústia, da ansiedade e da insatisfação (medo, raiva, culpa e vergonha).

O amor de um psiquismo imaturo e em formação é um amor rudimentar. Mas é uma resposta de bem-estar subjetivo, embora rústica. É o molde de onde o afeto amoroso vai se desenvolver. Em termos psicanalíticos é a representação emocional que emana da força da pulsão de vida, pulsão esta que é pura energia libidinal. O objeto amado da primeira infância é o objeto materno, ou melhor, o seio. Do seio se suga o alimento que satisfaz. Satisfação esta que faz a mente direcionar sua libido para o objeto que lhe gratifica. Esta é, pois, a primeira relação amorosa de todo e qualquer ser humano.

"Dorme sobre o meu seio,
Sonhando de sonhar...

No teu olhar eu leio
Um lúbrico vagar.
Dorme no sonho de existir
E na ilusão de amar.
Tudo é nada, e tudo
Um sonho finge ser.
O espaço negro é mudo.
Dorme, e, ao adormecer,
Saibas do coração sorrir
Sorrisos de esquecer.
Dorme sobre o meu seio,
Sem mágoa nem amor...
No teu olhar eu leio
O íntimo torpor
De quem conhece o nada-ser
De vida e gozo e dor."
(Fernando Pessoa)

A mãe (objeto materno) é o primeiro amor de uma criança. Mas o que acontece quando não há reciprocidade, isto é, quando a mãe não ama sua criança? O corpo precisa de oxigênio e alimento. A alma necessita de amor para melhor crescer, desabrochar e florescer. Porém, nem sempre é assim. Nem sempre o objeto materno cumpre integralmente a função materna. Existem mães (objetos primários) que alimentam, cuidam, higienizam e protegem fisicamente seus bebês, entretanto falta amor. O amor é o nutriente da alma humana. Ninguém sobrevive sem mãe. Não obstante, não basta somente sobreviver corporalmente. Sobrevive--se sem amor. A questão é: qual a qualidade dessa sobrevivência?

As terapeutas familiares norte-americanas Betty Carter e Monica McGoldrick[154] perceberam que são três os destinos de uma criança quando vem ao mundo, quando chega à sua família de origem. Primeiro: há espaço afetivo para ela. Segundo: não há espaço afetivo para ela. Terceiro: ela vem para ocupar um vazio (de um indivíduo ou do casal). No primeiro caso a criança é afetivamente aceita. No

---

154   *As mudanças no ciclo de vida familiar*, Artmed, 1995.

segundo, ao contrário, ela não é aceita. Porém, no terceiro, há uma camuflagem: ela só é aceita ocupando o lugar do vazio. Nesse terceiro caso o que se denota é uma não aceitação latente por debaixo de uma suposta aceitação manifesta.

Sim, há crianças que, por razões várias, têm o trágico destino de começarem sua vida com ausência de amor. Pode acontecer de a pessoa que exercerá a função materna ser ela mesma uma carente narcisista, isto é, ela em sua infância não encontrou uma mãe (objeto cuidador) que lhe amasse. Isso acontecendo, esta pessoa adultificou-se com fortes insuficiências afetivas. É a mãe que traz um profundo vazio na alma, proveniente dela própria haver sofrido falhas básicas maternas.

Uma pessoa como a descrita, ao se transformar em mãe, inconscientemente pode transferir ao seu bebê suas carências narcisistas. Ela, que quando bebê não foi admirada e amada por seu objeto cuidador, terá agora uma oportunidade psicológica de encontrar em seu filho o amor especular que nunca teve. Ela, que não foi espelhada em sua grandiosidade narcisista em sua fase lactente, terá nas demandas de sua cria bebê a importância que um dia lhe careceu, afinal o psiquismo imaturo do bebê que ela cuida verá ela como o objeto grandioso e extremamente valioso que ela não conseguiu ser para seus pais ou mãe. Trata-se de uma pessoa que cresceu com uma baixa autoestima, e que, nessa ocasião em que se torna mãe, tem em seu filho pequeno um ancoramento para essa autoestima baixa. Será uma mãe que, para não deprimir ou baixar a autoestima, necessitará que afetivamente seu bebê nunca cresça, ou seja, que mantenha com ela um "cordão umbilical" de amor narcísico. E o bebê que chega ao mundo com esta mãe carente narcisicamente de grandiosidade poderá ficar preso no papel de só ser amado por ela caso preencha seu vazio e ampare sua baixa autoestima.

Uma mãe emocionalmente insegura e que necessita para sua autoestima do bebê levará o psiquismo dele a se acomodar às suas necessidades. É como se o psiquismo infantil se moldasse à imagem que o objeto cuidador faz dele, e se desenvolvesse por meio de um falso Self. São crianças que, em busca do olhar amoroso da mãe, crescem buscando agradar as demandas inconscientes dos pais, mesmo que isso signifique um tolhimento do verdadeiro Self. A dependência infantil permanece prolongada quando a psique do indivíduo se acha amalgamada com a imagem que lhe projetaram. Como escreveu Alice Miller,[155] "a criança

---

155   Op. cit.

não encontrará a si mesma na face da mãe, mas sim a necessidade da mãe. Ficará sem seu espelho, que procurará em vão por toda a vida".

Também há pessoas outras que são ou estão, por diversas razões, ensimesmadas. Seja porque são personalidades narcisistas e não têm empatia com os outros, seja porque estão padecendo de alguma morbidade aguda ou crônica, como depressão, transtorno psiquiátrico ou surto psicótico, por exemplo. Pessoas assim têm, momentaneamente ou não, dificuldades de sentir empatia, de ser responsivamente empáticas. Pessoas assim, quando no exercício da função materna, terão sérias dificuldades em sintonizar-se afetivamente com seus filhos. Lembremos que antes da mãe vem a pessoa que a mãe é. E a pessoa que a mãe é foi um dia criança. Se hoje é ela quem cuida de seu bebê, um dia foi ela quem foi cuidada quando era bebê. Evidente que uma pessoa cuja personalidade se organizou de maneira narcisista, *borderline*, esquizoide, anancástica ou antissocial, entre outros transtornos de personalidade, deve apresentar algum grau de comprometimento em sua funcionalidade materna. Seja lá como for, nem todo filho será amado suficientemente por seus pais ou mãe.

Sim, muito do que seremos tem seu começo no útero e no nascimento. Se avançamos rumo ao crescimento psíquico com vazios afetivos e/ou narcisistas estes repercutirão na vida adulta. O psiquismo imaturo e inicial de um ser humano (bebê), para se desenvolver, necessita de outro psiquismo (mãe). E alguém que um dia teve a desventura de não ter sido minimamente atendido em suas necessidades básicas de grandiosidade e espelhamento, ou que não foi nem medianamente amado, no futuro haverá de ser mãe ou pai. É uma triste história que se repete, na qual não há vilões, apenas vítimas.

> "Por vezes à noite há um rosto
> Que nos olha do fundo de um espelho
> E a arte deve ser como esse espelho
> Que nos mostra o nosso próprio rosto."
> (Jorge Luis Borges)

O MAL ESTAR DA PSIQUE

As tristezas não foram feitas para os animais,
mas para os homens; mas se os homens as
sentem muito, tornam-se animais.
Miguel de Cervantes

Agonia primitiva

Provavelmente a maior agonia a que é submetido o psiquismo seja no momento do parto. O nascimento é psicologicamente vivido como caótico e excessivamente perturbador. A mente, até então fetal, não está preparada para a sobrecarga de excitações que nascer lhe provoca. A experiência do nascimento é impactante e abala a anterior homeostase psíquica. A imaturidade biológica e psíquica de um recém-nascido o impede de elaborar o que está se passando. Tudo, de repente, mudou drasticamente. Vivia-se em um ambiente aquoso (líquido amniótico) uterinamente escuro e de temperatura relativamente estável. Agora se passa a respirar em um ambiente aéreo, luminoso, cheio de sons e ruídos novos e de temperatura nunca antes vivida enquanto feto. Todo o corpo é arrebatado por sensações abruptas e inusitadas. O equilíbrio psíquico é desestabilizado e um estilo de vida é rompido.

O psiquismo nada sabe do que se passa no momento da natividade. Ao passar dos limites do útero, um novo e estranho mundo se descortina bruscamente. Tudo deve ser demasiadamente apavorante, principalmente para uma mente que nada entende do que se passa. Um incomensurável medo sem nome invade a alma. A sensação deve ser de puro aniquilamento. Saído da sonolência fetal, o desespero se apodera no preliminar início da vida autônoma.

O processo de nascimento expõe o psiquismo a sua primeira experiência de perigo. Esse estado de angústia inominável é o protótipo de toda angústia humana. O colapso por que passa o psiquismo no instante em que nasce à vida extrauterina ficará indelevelmente registrado na memória emocional do psiquismo em formação. O medo do ressurgimento da agonia primitiva levará, *a posteriori*, a mente a se defender (através do Ego) de tal reaparecimento.

Nascemos, pois, com angústia. Todos somos filhos da angústia primária que nos inaugura para a vida. Trata-se de uma agonia não simbolizada e não verbalizável, portanto jamais elaborada. É o registro ancestral da psique de uma aflição avassaladora e intensa, como nunca mais a mente haverá de querer sentir novamente. É uma experiência indescritível, próxima talvez da sensação de cair ao infinito. A mais pura sensação de desamparo.

Se o nascimento nos é a primeira experiência de angústia vivida, devido à imaturidade psíquica para lidar e processar ao mesmo tempo tantas excitações brutais e incontroláveis, a partir de então a psique sempre se sentirá ameaçada de reproduzi-la em estados de perigo. O desamparo psíquico experimentado e toda sua angústia deverão ser sempre rechaçados. Como percebeu Freud, o nascimento é a matriz de toda situação de perigo que o indivíduo humano haverá de se deparar ao longo de sua vida.

Por mais narcisista e onipotente que possa querer ser o psiquismo, ele se atemoriza em ter de enfrentar de novo aquele afluxo de excitações que não conseguiu dominar. Assim, diferenciou-se a angústia em automática e de sinal. A angústia automática é uma resposta orgânica a uma situação traumática[156] ou sua reprodução. É uma angústia sentida no corpo em cuja psique não há objeto. É uma resposta ao desamparo cujo transbordamento de excitação pulsional se descarrega somaticamente em forma de constrição angustiosa.

A angústia de sinal, por sua vez, opõe-se à angústia automática como uma forma de alarme psicológico. É importante para a psique o desenvolvimento da angústia de sinal, pois esta antecede a angústia automática. É como se a mente, para não sentir a angústia automática, sentisse preventivamente a angústia de sinal. O sinal é um alarme que aciona no Ego seus mecanismos defensivos. Do que quer que seja que tenhamos medo, nosso maior medo é sempre o medo do

---

156 Uma situação traumática refere-se a uma afluência incontrolável de excitações intensas.

desamparo psíquico. Pode-se dizer, portanto, que a angústia enquanto sinal se trata de uma função protetora da mente.

A angústia dos estágios iniciais da vida é uma angústia anobjetal. Por se tratar, para o psiquismo rudimentar, de uma angústia vinda lá se sabe de onde e porque, psicodinamicamente é uma angústia livre, solta e desvinculada de qualquer causa ou objeto. A mente lactente assim a vivencia sem saber defini-la (e nem pode pela sua prematuridade), mas a sente sempre de maneira ameaçadoramente desequilibrante.

Assim, automática ou de alarme (sinal), a angústia é sempre produto da experiência traumática pela qual passou o psiquismo em sua fase ainda inicial por ocasião do parto. Naquele instante inaugural da vida extrauterina, o psiquismo ficará marcado pelo resto de sua existência, através da memória emocional, da vivência mais aterrorizadora pela qual passou o organismo humano passivamente, e que a mente ativamente evitará passar novamente. É a maior das agonias humanas, que ficará entranhada na alma como uma marca mnêmica emocional, resultado da desesperadora experiência somatopsíquica de desamparo. A angústia automática, portanto, representa a primeira experimentação de angústia vivida pela alma humana. Já a angústia, quando de sinal (ativação de estado afetivo ansioso), representa a defesa pelo Ego contra o pavor do ressurgir de uma impressão deixada nos centros nervosos do acontecimento de forte e intensa desorganização gerado pela passagem do modo de vida intrauterino para o modo de vida extrauterino. A angústia primária, desse modo, fixou-se como uma lembrança emocional apavorante.

Pelo acima exposto, pode-se afirmar que a angústia fundada no sentimento de desamparo primitivo é de alguma forma estruturante. O psiquismo, afinal, começa a se edificar sobre um fundo de desamparo. Nascemos à vida e ao mundo não fetal com sensações de aniquilamento. Brotamos, pois, do útero com a despedaçante angústia do desamparo, cuja agonia vai se engendrar nas entranhas mais profundas de nossa alma.

A alma teme o retorno da agonia primeva. Daí sua inesgotável necessidade vital de um objeto que nos proteja e nos ampare, assim como o tranquilizante colo materno (seu primeiro objeto amoroso), em cuja relação narcísica onipotentemente escudou a alma do sofrimento inominado do retorno da angústia primária.

Depois da experiência apavorante da agonia primitiva (angústia primária), toda e qualquer outra vivência de angústia e medo pode evocar o sofrimento anteriormente passado pelo psiquismo na passagem do período fetal para a vida extrauterina. O psiquismo prematuro nunca antes havia passado por um desequilíbrio tão intenso e agonizante como o da angústia por ocasião dos primeiros instantes do nascimento. Sua natureza intolerável e traumática não tem nenhum registro anterior, razão pela qual a inquietude desarmônica da primeira angústia não tem forma psicológica definida. Vem daí, pois, o medo terrificante do psiquismo de desintegrar, mais proximamente representado por ataques de pânico em que o indivíduo sente intensa ansiedade e violento medo de morrer. Frente a esse perigo vindo abruptamente do nada, o psiquismo reage com desejos de fuga e escape.

Podemos crer que o primeiro ataque de pânico experimentado pela mente seja o da angústia primária. Devido à imaturidade geral (biológica e psicológica), a experiência de nascer é uma experiência sentida como ameaça de aniquilamento. Como o psiquismo imaturo não apresenta condições de processar tal vivência, o recém-nascido a experimenta no corpo como uma angústia destrutiva e de desaparecimento. Tais aspectos primitivos vivenciados pela mente permanecem em todos nós muitas vezes inativamente. Porém, despertados, eles emergem de maneira caótica, turbulenta e psicologicamente catastrófica. O eclodir ou a ameaça de eclosão, quando o psiquismo falha em conter seus aspectos primitivos, torna-se um perigo aterrorizador que a psique, *a posteriori*, não suporta e do qual precisa se defender para não se ver frente ao seu desmantelamento.

Em seu desenvolvimento, o Ego aprende a se defender do ressurgimento da angústia primária utilizando-se de parte dela para repeti-la ativamente, em forma de sintomas de ansiedade, para que toda aquela influência de excitações não retorne. A angústia de sinal, portanto, reproduz a angústia automática de forma atenuada, isto é, como forma de deflagrar operações e manobras psíquicas e comportamentais defensivas.

A angústia primitiva da agonia inominável aos poucos vai se estruturando cognitivamente. A mente de alguma maneira a sistematiza, projetando-a, por exemplo, em um objeto ou situação. Dessa maneira, evita-se a angústia (agora transformada em ansiedade) evitando-se o objeto ou a situação, que passam a representar externamente a ameaça que o estado interno de angústia evoca. Porém, a sistematização da angústia (interna) em ansiedade (provocada por algo externo) resulta em um empobrecimento dos potenciais da pessoa humana por levá-la a reduzir e/ou limitar seus espaços e competências vitais.

Diante do exposto, a agonia primitiva representa a ameaça do desmoronamento psíquico. Embora tal agonia (angústia primária) seja psiquicamente indescritível e sem objeto cognoscível, somente pungentemente sensível, didaticamente ela tem um nome: desamparo. Se alguma coisa está por detrás ou além da angústia ela é o desamparo extremo e o aniquilamento – a soma de todos os medos humanos.[157]

> "Sou metade agonia, metade esperança."
> (Jane Austen)

Depressão narcisista

Um indivíduo manifestadamente narcisista se apresenta com um padrão generalizado de grandiosidade e de exigência elevada de admiração. Frequentemente é arrogante e se acredita ser especial e único. Segundo o entendimento da Psicologia do Self, o Self narcisista é um Self que se encontra paralisado de maneira arcaica e infantil: um Self pseudomaduro.

Um narcisista é um carente. Carente de admiração dos outros. Diríamos, até, que é um dependente dessa admiração. Não lhe basta ele mesmo se admirar, necessita que os outros validem sua ilusória grandiosidade. Sua autoestima é lastreada nessa necessidade. Psicologicamente confunde admiração com amor. Trata-se de uma autoestima frágil como uma bolha de sabão. Para estourar, uma agulha é suficiente.

O senso de autoengrandecimento e superioridade é uma ilusão defensiva. Em princípio, o psiquismo parece haver pouco evoluído de seu narcisismo originário. Pode, à primeira vista, enganar no sentido de aparentar uma autoestima inflada. Mas, se observarmos melhor o excesso de autoestima camufla uma enorme dificuldade de aceitar a medianidade de quem ele realmente é. Sua autoestima é dependente de validação alheia, isto é, precisa narcisicamente dos objetos como espelho de sua grandiosidade autointitulada. Tal dependência dificulta seus rela-

---

157   Se teoricamente podemos dizer que a primeira experiência de prazer extrauterina é a primeira amamentação, antes dela temos, então, a primeira experiência de desprazer extrauterina, que é a agonia primitiva ou, mais precisamente, a angústia do desamparo. O bebê que nasce do feto tem, portanto, na angústia sua experiência inaugural.

cionamentos interpessoais reais, seja porque idealiza seus objetos, seja porque ninguém vai lhe admirar incondicional e perpetuamente.

Conforme vimos no capítulo anterior, o psiquismo infantil traz consigo a necessidade de ser olhado por quem da criança cuida. Tão logo perceba a existência do objeto cuidador e sua importância para seu sossegamento, o psiquismo inclina-se a usá-lo e nele espelha-se. O rosto da mãe é o primeiro espelho do ser humano. Acontece que a mãe não é apenas um mero espelho refletidor de seu filho. A mãe é, antes de tudo, outro ser humano que tem igualmente suas próprias necessidades. Caso a pessoa que esteja exercendo a função materna for narcisicamente comprometida em sua formação, corre-se o sério risco de seu filho não encontrar nela o espelho que tanto psicologicamente precisa, mas sim as necessidades da mãe projetadas nele.[158] Quanto mais a mãe sentir afeto pelo seu bebê indefeso e dependente pelo que ele é e não pelo que ele representa para suas necessidades narcísicas de preenchimento de vazio e equilíbrio da autoestima, mais ela o alimentará de afetividade e reconhecimento autênticos.

Sabemos ser impossível uma criança não ser de alguma forma idealizada por seus pais, exceto, talvez, as que forem rejeitadas afetivamente. Um quê de empatia e idealização parentais faz parte da relação intersubjetiva pais e filhos. Como escreve Nancy McWilliams, Ph.D. em psicologia e psicanalista americana, "com moderação as crianças gostam de ser tratadas como extensões narcisistas. Tornar os pais orgulhosos, já que eles também se sentem admirados quando o filho ou a filha recebem reconhecimento, é um dos maiores prazeres da infância".[159] Sim, o equilíbrio entre as necessidades narcisistas da mente dos pais e suas capacidades amadurecidas de empatia e responsividade às necessidades narcisistas dos filhos pequenos é saudável. Porém, nem sempre esse equilíbrio é conseguido facilmente.

Vimos também no capítulo anterior que pode ocorrer de uma mãe (objeto cuidador) não conseguir perceber e atender satisfatoriamente as necessidades

---

158   A literatura denomina tal situação de "mãe intrusiva". Uma mãe intrusiva é aquela que não vê no corpo do filho seu verdadeiro e potencial Self, mas sim a imagem do filho que ela idealiza e quer. Assim, a mãe intrusiva é uma mãe não empática. Ao invés de uma mãe suficientemente boa, a mãe intrusiva é pouco ou nada acolhedora às necessidades psíquicas e afetivas do bebê, denotando amar seu filho naquilo que ele corresponde às necessidades carenciais dela. A mãe intrusiva impede a abertura do espaço potencial do filho.
159   *Diagnóstico psicanalítico: entendendo a estrutura da personalidade no processo clínico*, 2. ed., Artmed, 2014.

filiais. Em situações assim ela, inconscientemente, utiliza-se do filho para ele ser eco dela. O psiquismo imaturo para preservar o sentimento de pertença com o objeto vai comprometer sua potencialidade e continuidade de ser (Verdadeiro Self), desenvolvendo-se através de um Falso Self. Esse Self inautêntico fragilizará a autoestima que, ao invés de se basear nos próprios sentimentos e desejos, se fundará nas tentativas de realizar o desejo e sentimentos do outro (objeto materno). Pelo medo da perda de ser amado pelo objeto, inibirá as suas verdadeiras potencialidades de Self.

A depressão narcisista – como alegava Alice Miller – é consequência direta da perda do Verdadeiro Self ao negar suas próprias emoções e anseios. Disse ela: "essa negação teve início na adaptação vital durante a infância, motivada pela perda do amor. Por isso a depressão indica uma ferida muito prematura".[160] A ferida de que fala Miller é uma falha (falha básica) em certas áreas afetivas importantes à consolidação da autoconfiança estável.

Todo objeto cuidador falha, é normal falhar. Porém, quando essas falhas não são eventuais e sim frequentes e constantes, elas submetem o psiquismo infante a estados de tensão recorrentes. O objeto cuidador falha quando não consegue funcionar como escudo protetor às ansiedades da mente pueril. Uma mãe (objeto cuidador) invasiva é uma mãe seguidamente falha. A repetição reiterada de falhas tem efeito patógeno análogo ao trauma. Trata-se de *traumas cumulativos* formados no convívio com a mãe intrusiva que, como dizia Winnicott, geram no interior da psique fendas que se acumulam de forma silenciosa e invisível.

O negar das emoções provavelmente irá, mais adiante, cobrar seu preço. Crianças cujo psiquismo imaturo não pôde vivenciar e externalizar tempestivamente as sensações prematuras tenderão a aprisioná-las em si. Emoções como raiva e ódio e sensações de descontentamento são tolhidas como forma de a criança ser "amada" pelos objetos cuidadores, ao menos pelo que os objetos esperam dela. Se considerarmos que a agressividade é uma energia psíquica, essa energia vai ficar represada. O romper da "barragem emocional" ocorrendo, tende muito mais a ser implosivo do que explosivo. A liberação da energia agressiva proveniente de um narcisismo normal reprimido, agora voltada para o próprio Self, é, muito provavelmente, a base do que aqui denominamos de depressão narcisista.

---

160   Op. cit.

Deve ser desvitalizante um Self crescer pela casca do ovo ao invés de pela gema. Um Self assim limitou-se a se esconder para adaptar-se às exigências do meio. Em seu âmago, o psiquismo convive com a solidão de seu atrofiamento. A prisão interior das muitas emoções negativas não expressadas contribui para a vivência de um sofrer sem nome, isto é, a angústia.

A depressão narcisista difere da depressão como transtorno afetivo descrito no Eixo I do DSM-V. Na depressão narcisista se observam profundas queixas de sentimentos de vazio e solidão. Não se trata de uma depressão endógena (de origem orgânica), nem de exógena (de origem reativa). É mais uma depressão caracterológica, uma depressão ligada ao Self.

O valor que o Self se dá e suas expectativas em relação a ele mesmo podem gerar crônicos sentimentos de fracasso pessoal e existencial. Do ponto de vista psicodinâmico, esse fracasso pode ser retratado na discrepância entre o Ego Ideal e o Ego Real. A reivindicação perfeccionista da parte narcisista do Superego sobre o Ego Real acaba resultando em uma força psíquica depressora daquele sobre este. Podemos considerar que a força depressora da mente sobre ela mesma possa ter sua gênese na energia agressiva acumulada. É como se a mente descarregasse sua agressividade nela própria.

Do ponto de vista do Self, dadas as devidas proporções, o entendimento se assemelha, haja vista entendermos que a grandiosidade não devidamente expressa na infância se reproduz em uma baixa autoestima e uma sensação de não continuidade do ser. Pessoas narcisicamente depressivas são subjetivamente esvaziadas. Acreditamos, portanto, que um Self deprimido diverge do estado mórbido clássico da depressão enquanto melancolia, pois neste o sujeito se julga uma pessoa má, ao passo que na depressão de origem narcísica o sujeito se julga falho. A psique superegoicamente não se culpa (melancolia), porém se cobra (depressão narcísica). A autoacusação psíquica é mais relacionada à insuficiência, à incompletude e uma menos valia. Especulamos, assim, que um Self deprimido é um Self grandiosamente empobrecido. Parece haver algo de binário, do tipo: "se não sou tudo, então sou nada".

Pelo acima exposto, pode-se observar que no deprimir narcisista há uma prevalência do sentimento deficitário do Self em relação a ele mesmo, principalmente em função de sua história pregressa de formação. Não é uma depressão por perda. É uma depressão por falta, por carência. O drama depressivo aqui se resume em não ter sido amado pelo que se foi e se é, mas sim por ser visto como um prolongamento psíquico e narcisista da mãe. Não se foi amado como sujeito, mas como objeto.

Pode-se dizer, assim, que a depressão de caráter narcisista é uma depressão estabelecida a partir de uma relação amorosa não correspondida. Ao não ter sido valorizada, a criança não é narcisada, tendo como consequência o desenvolvimento de um Self inferiorizado, com sentimentos e pensamentos irreais de incapacidade e insegurança. A deficiente narcisação do psiquismo em suas fases iniciais produz os estados depressivos tão arraigados na alma adulta.

"O meu passado é tudo quanto não consegui ser", disse Fernando Pessoa. É esse ser interrompido – que poderia ter sido, mas não conseguiu ser – a razão de muitos sofrimentos do presente.

Ou ainda como neste trecho abaixo, do poema "Tabacaria", de Fernando Pessoa, na voz do heterônimo Álvaro de Campos:

"Fiz de mim o que não soube,
E o que podia fazer de mim não o fiz.
O dominó[161] que vesti era errado.
Conheceram-me logo por quem não era e não desmenti, e perdi-me."

Autodestrutividade

O ser humano é feito de pulsões sexuais e agressivas. Ambas estão a serviço da vida e da sobrevivência. Freud, contudo, depois da Primeira Guerra Mundial (1914-1918), que à época ficou conhecida como a "guerra das guerras", introduziu uma polêmica dicotomia pulsional entre pulsão de vida e pulsão de morte. Refletindo sobre a natureza humana e a guerra, ao desenvolver a concepção de pulsão de morte, Freud deu ênfase à questão da agressividade. Com seu texto *Além do princípio do prazer*,[162] especulou existir na mente humana uma atividade instintiva cuja finalidade é levar a vida à morte. Utilizando-se das divindades míticas

---

161 Fantasia de carnaval portuguesa.
162 Imago, 1974.

gregas de Eros e Tânatos, Freud dá curso a talvez sua teoria mais complexa. Para ele, Tânatos representa a personificação mitológica do impulso humano inconsciente que visa a destruição. A pulsão de morte é assim entendida como uma potência destrutiva que atua no interior do homem e contra o próprio homem.

A ideia conceitual de pulsão de morte é que ela é uma força instintiva que trabalha para levar o psiquismo ao estado de completa ausência de tensão. A completa ausência de tensão é a morte, afinal *"viver é sofrer"*, como afirmava Schopenhauer. Freud entrevê a tendência do organismo vivo em voltar a seu estado inanimado. A agressividade tem uma parte que fica a serviço da pulsão de vida e é voltada para o exterior do psiquismo. Porém, outra parte mantém-se voltada para dentro em forma de autoagressividade.

Não é difícil observar quanto o homem é ou pode ser cruel e violento. A história da humanidade é repleta de exemplos. Discussões à parte sobre a existência ou não de uma pulsão de morte, é evidente que há na natureza humana um ímpeto de agressividade. Não é uma questão de sermos bons ou maus, mas sim da qualidade da nossa natureza. Somos capazes de construir uma Capela Sistina, e somos capazes de construir um campo de concentração e produzir um holocausto. Somos duais.

A agressividade é constitucional, é um componente emocional que faz parte do ser humano. Basta observar uma criança pequena, por exemplo. Ao invés de uma imagem angelical de pureza e doçura, encontramos um ser de atitudes agressivas que podem ser danosas a terceiros ou a ela mesma se não for suficientemente regulada ou domesticada. Mais uma vez, dizia Schopenhauer: "o homem é, propriamente falando, um animal que agride".

Os instintos e impulsos humanos não são bons ou maus. São indiferentes. A base dos desejos é, em princípio, egoísta e alheia às consequências. Contudo, se o animal homem fosse livre para realizar todos seus impulsos, instintos ou desejos não haveria sociedade, nem sequer humanidade. A tendência egoísta da natureza humana necessita ser transformada, em parte, em tendências pró-sociais e altruístas. O ingresso ao social e à cultura requer a renúncia dos impulsos considerados antissociais e maus em uma dada comunidade ou corpo social. O animal que somos *in natura* precisa ser civilizado, ou seja, se transformar em um humano culturalizado.

Em "Novas conferências cobre psicanálise",[163] Freud admite a autodestrutividade como uma expressão da pulsão de morte. Como a agressividade nem sempre pode ser externalizada, ela se retrai. Quanto mais a energia agressiva é tolhida, mais ela passa a reinar no interior do psiquismo. O tolhimento da agressividade é uma condição necessária à existência social. Como afirmou o filósofo francês Paul Ricoeur, a principal renúncia que fazemos ao social não é a renúncia ao desejo propriamente dito, mas à agressividade.

A agressividade não possui conteúdo moral. A pulsão agressiva é natural. Já a moral é cultural. Porém, ao sermos humanos, somos igualmente seres de impulsos (natureza) e de moral (cultura). Sem normas sociais e morais não haveria sociedade humana. O político e filósofo inglês Thomas Hobbes percebeu isso ao escrever *Leviatã* em 1651. No estado de natureza, descrevia Hobbes, a vida é "sórdida, miserável e curta". A mútua agressividade dos homens no estado de natureza (anterior à constituição da sociedade civil) é de uma constante guerra de todos contra todos. Toda a estrutura mental humana é calcada no desejo de proteção e segurança, enfim, sobrevivência. Para Hobbes, o Estado se faz necessário para conter a barbárie. Para haver sociabilidade, portanto, é crucial conter a agressividade. Não haveria sociedade acaso se liberasse o *homo homini lupus*.[164]

Desse embate entre os instintos agressivos *versus* sociedade surgem, segundo Freud, as neuroses. Embora o social construa estratégias que possibilitam a liberação parcial da agressividade, sua expressão não é plena, ficando sempre uma parte agressiva reprimida ou contida internamente. Em consenso com Freud, o psiquiatra e psicoterapeuta Fritz Perls, alemão de origem judia, criador da Gestalt Terapia, reconhece a neurose como resultante da sanção cultural sobre a agressividade.

No principiar da vida a alma não se odeia, aliás, a alma não sente o ódio. O que se tem é a pulsão agressiva inata. A agressividade manifestada por um bebê é apresentada pela motilidade (gestos, choros). Em *Raízes da agressão,* Winnicott propôs entender a agressividade como reação, uma resposta à frustração. Para ele, a agressividade primitiva está intimamente ligada à voracidade. Quando o psiquismo sente que algo que ele quer lhe é negado, revolta-se. A mente em estado mais imaturo é naturalmente voraz, pois nela não há ainda nenhuma noção de

---

163 *Obras completas de Freud*, v. XXII, Imago, 1974.
164 Tradução: "o homem é o lobo do homem".

limite, muito menos de realidade. Em sua fase objetal oral ela dirige ao objeto toda a sua impetuosidade e insaciabilidade narcisista. O objeto de quem se suga o leite é um objeto investido de libido, mas a sofreguidão e a avidez narcísica quer mais do que o objeto pode oferecer. Nenhum objeto terá totalmente o leite inesgotável que é demandado pela tirania insaciável do psiquismo de puro prazer. E aqui reside um paradoxo: o objeto impregnado de libido pela mente imatura é igualmente o objeto que lhe frustrará devido à sequiosa voracidade oral. Assim, o objeto sentido como gratificante e bom é um objeto que frustra e de quem se sente raiva. Por mais gratificante que seja um objeto, ele jamais será ideal.

O psiquismo pueril progressivamente começa a explorar o mundo e seus objetos. A boca é seu principal instrumento, é com ela que sugamos e mastigamos. O surgimento da primeira dentição, por exemplo, é desconfortável, tendo como alívio morder. O ato de morder o seio é um ato de ferir o seio, embora provavelmente a mente não se dê conta disso ainda. Quanto mais exploramos o mundo na primeira infância, mais seremos frustrados em nosso imperioso narcisismo e voracidade. Talvez por isso Winnicott tenha se oposto ao conceito de pulsão de morte inata, ao compreender a agressividade como uma resposta às frustrações advindas do ambiente.

Mesmo havendo divergências quanto à origem da agressividade (se inata ou reativa), o ser humano, por ser originariamente narcisista e voraz, será sempre um ser de agressividade, pois igualmente será sempre um ser de frustrações. Inata ou reativa, a agressividade é parte inerente ao ser humano. Somos agressivos porque naturalmente assim somos, ou somos agressivos porque nosso narcisismo atávico será frustrado. E, para não ficarmos presos em filigranas teóricas, consideramos o seguinte: a agressividade é um estado (potencialidade) inerente à vida, e seu papel da existência humana tanto pode ser maturativo quanto desestruturante.

Já dizia Freud: "não se cogita a repressão total das tendências agressivas do homem: o que podemos tentar é canalizar essas tendências para outra atividade que não seja a guerra".

A melancolia

Psyché é um termo grego antigo cujo sentido primeiro era "sopro". Quem vive, respira – lembravam os gregos. Nesse sentido originário, *psyché* é sinônimo de vida, e a alma é o princípio das coisas vivas. A alma é uma espécie de fogo, ou calor vital, que se apaga com a morte. Mas o que acontece quando a chama vai se apagando aos poucos? O que faz a alma murchar antes de conhecer a morte? Por que ela pode desvitalizar-se?

Cerca de quatrocentos anos antes de Cristo, Hipócrates, médico e filósofo grego, percebia que, quando a tristeza e o medo se apoderavam da alma humana, ela entrava em melancolia. Para ele, havia tipos de temperamento resultados de quatro fluídos orgânicos do organismo, a saber: o sangue, a fleuma, a bílis amarela e a bílis negra, respectivamente procedentes do coração, do sistema respiratório, do fígado e do baço. Hipócrates assim nomeou cada temperamento: o sanguíneo, o fleumático, o colérico e o melancólico.

A teoria humoral hipocrática há muito está em desuso, mais precisamente desde o século XVII. No entanto, o termo melancolia persistiu por mais tempo. Modernamente melancolia é mais conhecida como depressão. Tanto a melancolia quanto a depressão têm a representação de adoecimento psíquico.

Ainda que no início do século XX a depressão já substituísse o termo melancolia, Freud, em 1917, titulou seu famoso escrito sobre o tema como "Luto e melancolia". Nesse ensaio, Freud buscou lançar luz sobre a melancolia na alma humana. Começa comparando-a com o luto, porém diferenciando-a em seus aspectos patogênicos. O luto é uma reação normal frente à perda de algo significativo. Já a melancolia, que também pode se originar de uma perda, resulta em um empobrecimento no interior do psiquismo. Escreveu Freud que a melancolia é caracterizada psiquicamente por um estado de ânimo profundamente doloroso, por uma cessação do interesse pelo mundo externo, pela perda da capacidade de amar, pela inibição geral das capacidades e funcionalidades e pela depreciação do sentimento de Si (amor-próprio).

É inegável que a tristeza faz parte da alma e que acompanha o ser humano vida afora. No fundo há algo de solidão na alma. Qual o indivíduo humano que não carrega em seu bojo alguns vazios existenciais? O dramaturgo francês Etienne Rey dizia que "a melancolia é a tristeza da carne". Já Sêneca, no século I d.C., afirmava que havia certo prazer que era parente da tristeza.

Viver é conviver com as perdas. Por isso, não se vive sem tristeza. Não se vive sem ausência. Somos fadados a decepções, insucessos, separações, desaparecimentos, privações, frustrações, sonhos e desejos irrealizados. Porém, a tristeza é para ser temporária. Permanecendo por muito tempo ela já é considerada um adoecimento psíquico.

Quando o psiquismo sofre um forte impacto frente ao mundo externo, é comum haver uma regressão da energia investida no mundo. A retração da energia psíquica (libido) é a base do fenômeno melancólico ou depressivo. Observa-se um desligamento do que está fora do psiquismo e um retorno ao próprio psiquismo (ensimesmamento) em forma de autoacusações e recriminações contra si mesmo. Estruturalmente falando, é um recurso defensivo do Ego frente a sentimentos bastantes dolorosos provocados por ameaças ou acontecimentos externos.

Sabemos que a mente necessita de objetos de apego. Em caso de não atendimento de tal necessidade, a mente se retrai, afastando-se do mundo e caindo na apatia. A melancolia, assim vista, representa um colapso na relação do Ego com os objetos externos. A ruptura com o mundo externo é uma marca visível na questão dos estados melancólicos ou depressivos.

O vazio é um diferencial. Na tristeza normal provocada pelo luto, a psique sente o vazio em seu mundo externo (perda), enquanto na tristeza patológica da melancolia a psique sente o vazio dentro de si. É ela quem está esvaziada. O enlutado sabe o que perdeu. O melancólico não.

A retração libidinal verificada nos estados depressivos parece ter uma forte correlação com o mecanismo do narcisismo, pois a libido (energia psíquica) se encontra voltada sobre o Eu, não no sentido de grandiosidade, mas no sentido de perda e agressividade autodirigida. A pulsão de morte a que fizemos menção anteriormente fere e agride o próprio Eu da alma humana. Há algo de sádico nas ruminações autoacusatórias e autodepreciativas da melancolia.

Podemos também considerar que o recolhimento libidinal não seja necessariamente para o Eu psíquico, porém para um "buraco psíquico" existente na formação da psique. A perda em questão, portanto, não seria uma perda atual e externa, mas sim uma perda interna e pertencente ao passado.[165] E, mesmo que a melancolia seja desencadeada por alguma perda contemporânea, a representação psíquica dessa perda encontra eco na perda ulterior. O "buraco psíquico" a que estamos fazendo alusão pode ser tanto de uma perda significativa precoce quanto do vazio decorrente de uma falta desenvolvimental relevante. Seja como for, o retornar da energia mental a esse "buraco" faz o sujeito em melancolia desmoronar em termos de organização e estruturação psíquica. O vazio de que tanto sente e sofre a pessoa em melancolia é um ressuscitar de um vazio já pré-existente em sua história. Quanto mais narcísica e antiga for a formação do vazio (buraco psíquico), mais fundo ele é. A antiguidade de sua formação no interior da estrutura psíquica faz desse vazio um forte imã regressivo para a psique em momentos de fragilidade e pressão. Se formos fazer uma analogia, pense nos buracos negros do universo que sugam qualquer energia que perto deles chega. O "buraco psíquico" sorve tanta energia que acaba por ir desvitalizando o sujeito que nele afunda.

O enigma da melancolia pode ser em parte desvendado com a concepção da vulnerabilidade psíquica. Na verdade, o que há de mais enigmático é não se saber o que está sugando a alma. O Eu se sente como não merecedor de estima e moralmente condenável. É um Eu que se compadece e se lamenta. Um forte sentimento de inferioridade e insegurança toma conta dele. O psiquismo em geral demonstra desprezar o Eu, e a pulsão de vida enfraquece a tal ponto que pode chegar ao risco de buscar a própria morte.

A vulnerabilidade à depressão se faz na constituição egoica e mental do ser humano. O Ego se forma frágil, com alicerces débeis e rúpteis. A alma amadurece com comprometimentos basais, cuja precariedade a dispõe mais facilmente ao abatimento e à melancolia. Prejuízos na formação do Ego deixam falhas infraestruturais que, dependendo da situação, podem contribuir para o desabamento de toda a estrutura psíquica. A melancolia, assim vista, pode ser entendida como uma *nostalgia de um vazio primitivo*.

Pelo acima exposto, a predisposição à melancolia é uma fixação do psiquismo no estágio do narcisismo em que houve uma ferida narcísica significante. Foi

---

165 Há respostas à perda que podem ser prolongadas ou tardias. No luto tardio, o psiquismo evita lidar com o sofrimento do pesar através de mecanismos denegatórios. Porém, tal recurso esquivo apenas inibe e suprime o sofrimento, podendo fazer com que ele retorne mais adiante, desencadeado por uma segunda perda, muitas vezes até menos significativa do que a primeira.

nesse sentido que Freud teorizou a melancolia como uma neurose narcisista, resultante não do conflito entre o Id e o Ego, ou com a realidade, mas de um conflito entre o Ego e o Superego. Considerando a melancolia (diferenciando das depressões endógenas ou orgânicas) como uma fragilidade estrutural na formação da personalidade, a referida neurose narcisista é caracterizada por perda da autoestima, desinteresse pelo mundo externo, introversão e diminuição da energia psíquica, e por uma falha (ferida narcísica) na constituição do sujeito humano desde seus primórdios infantis. Percebe-se também um forte componente sádico do Superego ao esmagar o Ego.

Do ponto de vista estrutural, a opressão do Superego sobre o Ego faz este ser bastante autocrítico e autoacusador. O Ego vive em constante estado de punição. As subestruturas idealizantes do Superego não apenas cobram do Ego Real o que ele não pode ser, mas cruelmente fazem ele se autopunir por isso. O que torna o Superego bastante severo e cruel é a pulsão de morte voltada ao Ego. Segundo André Green,[166] o que há na melancolia é um narcisismo negativo no qual o Eu procura ser amado por seu próprio ideal, mas não consegue. Diferente, pois, dos estados depressivos subsequentes de uma perda real, na melancolia o que se perdeu é a imagem que o Ego tem de si, que passa a ser atacada, desvalorizada e, até mesmo, destruída. Podemos agora considerar que o conflito intrapsíquico na melancolia é um conflito do Ego com os ideais do Superego (Ego Ideal e Ideal de Ego).

Com a perturbação do sentimento de Si, se observa haver um rebaixamento da autoestima e da autoimagem, através de inúmeras reprovações internas. Quanto mais rebaixamento houver, menos o Ego se sente merecedor de ser objeto de amor e afetos positivos. O Eu não se ama. O Eu se odeia. É isto exatamente que o Ego perde: o amor por si mesmo. Na natureza depressiva do luto há uma perda factual. Na melancolia a perda está relacionada ao ideal.

Dentro da perspectiva de que na melancolia há uma regressão psíquica a estágios primitivos do funcionamento mental, fase esta em que ocorrem as primeiras identificações da psique com os objetos, há de se cogitar que o primeiro objeto do psiquismo é ele mesmo, ou mais precisamente a imagem idealizada que a psique imatura tem de si – o que chamamos de Ego Ideal. No âmbito do narcisismo primário, não há um objeto externo propriamente dito. Nesse sentido, na frase

---

166 Op. cit.

freudiana de que na melancolia "a sombra do objeto recai sobre o eu", o objeto aqui mencionado ainda não é psicologicamente objetualizado. Trata-se do próprio Ego em formação que foi eleito narcisicamente como objeto de si próprio. Em um Ego Real não satisfatoriamente alimentado em suas necessidades narcísicas de reconhecimento, grandiosidade e importância, a imago do Ego Ideal passa a sombrear o Ego Real e possui em si uma ferida aberta na autoestima ("buraco psíquico"). A sombra desse objeto primitivo – que para nós representa a idealização da mente sobre si mesma – recai sobre o Ego de maneira altamente judicativa. Um Self assim precário em sua autoestima fica facilmente exposto às críticas e às autodepreciações que o Ego Ideal enquanto instância comete. São demandas inconscientes ao Ego Cogito, razão pela qual o sofrimento depressivo da melancolia pode ter para ele origem desconhecida.

Um psiquismo predisposto à melancolia ou à depressão é aquele que traz consigo intensas necessidades narcisistas, aliadas à autoestima precária. Tal predisposição ou vulnerabilidade é consequência da relação primordial do psiquismo infantil com seus progenitores ou substitutos. Embora possa não ter havido incidentes traumáticos significativos, ausências de respostas empáticas dos objetos cuidadores criam o que acima chamamos de "buraco psíquico". Forma-se, assim, uma espécie de base melancólica ou melancolia de base – algo que coincide com o que Balint chamou de *falta básica*. A estrutura que dá sustentação e organização à pessoa tem em suas fundações carências que dispõem a personalidade ao risco da ameaça de desabamentos.

Como dizíamos anteriormente, a tristeza faz parte da existência. A distinção entre uma tristeza normal de pesar da tristeza melancólica não é quantitativa, porém qualitativa. São tristezas de raízes e origens diferentes, sendo que a tristeza melancólica afeta a funcionalidade do sujeito como um todo.

Acometida de melancolia ou depressão, a alma se vê apática e desinteressada pelo mundo e por si mesma. A alma se volta para dentro de si, em um narcisismo patológico negativo. A grandiosidade característica do narcisismo se camufla de autoacusações grandiosas ("sou a pior pessoa do mundo"). O impulso pela vida diminui e/ou desaparece. O "buraco psíquico" se alarga e ameaça tragar a alma inteira. O sujeito se vê invadido pela escuridão negra do buraco, e toda uma ansiedade ou angústia parece tomar conta de si. Uma enorme sensação de ameaça e medo predomina no interior da alma, assim como sentimentos e pensamentos de fracasso e impotência dominam de maneira perseverante. Como um Narciso da mitologia grega, o indivíduo se vê petrificado e paralisado ao se olhar no lago. Oposto ao mito, a imagem que o melancólico contempla de si é feia, desagradável e desqualificável. Culpa-se do que fez e do que não fez. Culpa-se até de sentir culpa. A vontade de viver vai desaparecendo e todo um sentimento de inutilidade lhe preenche. Pode soar paradoxal, mas na melancolia o vazio se enche de mais vazio.

E a alma se sente e pranta como nos seguintes versos da poetisa portuguesa Florbela Espanca:

"Tenho ódio à luz e raiva à claridade
Do sol, alegre, quente, na subida.
Parece que a minh'alma é perseguida
Por um carrasco cheio de maldade!"

A ALTERIDADE E O AMOR

Amo-te como se amam certas coisas obscuras,
secretamente, entre a sombra e a alma.
Pablo Neruda

O Eu e o Tu

Quem até aqui percorreu poderá estar achando que a alma humana é somente descrita como puro egoísmo e narcisismo. De fato, no início é. Não há, provavelmente, amor inato inscrito na alma, nem sequer objeto para ser amado. No estrear da vida o psiquismo é anobjetal e centrado em si mesmo. Se alguma coisa de rudimentarmente amorosa há, é o autoerotismo primitivo. Em termos de energia psíquica, a libido ainda não se dirige para o mundo externo. Se quisermos considerar em termos basilares a existência de um amor tosco e rústico, então teremos de concordar que é um amor de si mesmo. Porém, seja o que for de afetivo que a alma sinta em sua total imaturidade, não é o amor amadurado que ela vai aprender a sentir e se envolver.

Psicologicamente nascemos sós. Conquanto isso não condiga com a realidade, o psiquismo inicialmente impercebe a existência de qualquer coisa que não seja ele. Falamos anteriormente de um estado de *solidão existencial*. Trata-se de um sentir-se só, sem objetos – uma solidão essencial onde não há distinção entre o psiquismo e o não-psiquismo. Do ponto de vista da concretude da realidade, não existe bebê sozinho: ele necessita da presença materna e de seus cuidados (dependência absoluta). Porém, do ponto de vista subjetivo, o psiquismo pueril e primitivo não possui de logo capacidade para conhecer o objeto e o mundo externo. Tudo é como se fosse apenas e tão somente o corpo e o mundo interno. Essa solidão subjetiva é o núcleo da alma e de onde irá brotar, paulatinamente, a pessoa dentro da mente.

O surgimento do outro para a mente retira dela esse estatuto de solidão existencial. O outro é quase uma afronta ao narcisismo primário, contudo é uma oposição fundamental, pois é frente à presença deste outro que o sujeito vai se constituir. A dialética que vai aos poucos tomando forma entre o Self e o objeto (outro) representa a passagem da subjetividade do narcisismo puro para a subjetividade alteritária. No narcisismo primário o psiquismo só tem a si, enquanto na alteridade há uma relação entre dois psiquismos. Podemos até dizer que, no estabelecimento da dialética da alteridade, o psiquismo deixa de ser só pulsões e impulsos para se tornar também cultural.

Do ponto de vista subjetivo, o psiquismo pode até existir sem objeto (autismo normal), porém é no surgimento perceptivo do objeto e em sua relação com ele que o sujeito humano advém. Há, portanto, para a alma humana, sempre um encontro marcado com o objeto. É nesse encontro, ou a partir desse encontro, que começa psicologicamente uma longa jornada pela frente.

Desde cedo em nossa vida, em virtude da prematuração biológica, necessitamos de outro para nos amparar física e psicologicamente. Somos, então, fadados ao vínculo, e a primeira relação estabelecida, forçadamente natural, que é com quem nos cuida (objeto materno), marca indelevelmente o psiquismo humano. Quem de nós cuidou quando éramos bebê foi quem satisfez nossas necessidades e nos proporcionou o assossegar das angústias e medos. O chorar infantil sempre visa o outro, mesmo que a mente de um neonato ainda nem sequer saiba do existir desse outro. O edificar da pessoa no psiquismo inclui, inevitavelmente, o registro da alteridade.

O primeiro outro é invariavelmente a mãe (ou quem ocupe sua função), objeto externo primordial que no início será alvo de todas as fantasias e projeções narcísicas de poder e idealização. Esse objeto primigênio idealizado será perdido com o avançar do adentrar da realidade no psiquismo. Todavia, a psique terá em si sua inscrição, que internamente intitulamos de *objeto ideal*. No fundo da alma humana habita uma representação de objeto ideal que, inconscientemente, nos incita a buscar reencontrá-lo no contexto da realidade. Os objetos externos reais e atuais jamais conseguirão corresponder ao objeto ideal interno. Em toda e qualquer relação interpessoal, pois, sempre haverá alguma frustração.

A alma originariamente narcísica não reconhecerá primeiramente o objeto externo como separado dela. Nas fantasias da mente imatura a pessoa que do bebê cuida (mãe) é um prolongamento da psique. E mesmo nos primeiros momentos da distinção entre o Eu e o não-Eu, a mente se iludirá de que o objeto existe e vive para ela (egocentrismo). Demandará um tempo de maturação para que o psiquismo reconheça o *Eu-do-objeto*, isto é, que o objeto não é apenas funcional, mas pessoal. O objeto é uma pessoa, aliás, outra pessoa além do Eu da psique e que com ele se relaciona.

O Eu-do-objeto diferencia-se do objeto ideal, afinal no objeto ideal não existe um Eu distinto, pois na fantasia psíquica o objeto ideal é um espelho a refletir uma imagem artificialmente criada pelas projeções narcísicas. É nessa oposição entre o Eu-do-objeto e o objeto ideal que se estabelece a alteridade.

O encontro da psique com o Eu-do-objeto funda o espaço dialogal para a mente humana. Ao se deparar com outra psique que não a sua, o ser humano se expande para o mundo social. O psicólogo bielorrusso Lev Vygotsky dizia que o sujeito se constrói como individualidade através do confronto com o mundo externo.

Para o filósofo austríaco Martin Buber, a alma humana rompe sua solidão existencial quando passa a conhecer o outro em toda sua alteridade. O homem deixa de ser um ser-em-si para se transformar em um ser-ao-mundo. O ser humano, afirmava Buber, só passa a humanamente existir[167] quando sai de si e se coloca diante de um mundo de relações. O encontro do Eu com o Tu, segundo a concepção buberiana, cria no interior do homem o espaço dialógico entre o psiquismo deste com o psiquismo alheio. O encontro Eu-Tu interrompe o habitual mundo narcísico do Eu-Eu para instaurar o próprio psiquismo no mundo social.

"O ser humano se torna eu pela relação com o você.
À medida que me torno eu, digo você.
Todo viver real é encontro."
(Martin Buber)

---

167   Existir no sentido de "ex-istente", em que o "ex" significa "para fora", isto é, aberto à relação com o outro diferente de si.

Primeiro vínculo

O psicoterapeuta alemão Bert Hellinger, criador do método *Constelações Familiares*, escreve que o primeiro vínculo afetivo tem precedência sobre o segundo e sobre os posteriores. Evidente que o primeiro vínculo humano é com a mãe, vínculo este que começa desde o útero. Na placenta, a relação do feto com a mãe é uma relação pré-pessoal ou pré-objetal. Somente pós-nascimento é que o psiquismo terá condições evolutivas de formar um Eu dentro de si, separado e diferenciado de um não-Eu. A vida psíquica não se desencadeia com o nascimento, porém é uma continuidade da vida intrauterina. A vivência primitiva da psique é uma vivência psicossomática, com registros de experiências corpóreas de prazer e desprazer. O psiquismo em estado rudimentar impercebe de onde vem o prazer e desprazer, não sabe o que é dentro e fora, mundo interno e mundo externo. Ele, o seio, a mãe, a fome, a cólica, o colo, o leite, é tudo uma coisa só – um todo indiferenciado, um amálgama de sensações. É o momento do estágio fusional. Com o amadurecimento neurofisiológico e pelas experiências de contato e afastamento, o psiquismo lactente e pueril vai gradualmente associando as experiências de prazer com o objeto cuidador e de desprazer com sua ausência. Isso faz com que a psique infantil sinta-se confortável e segura com a presença da mãe, e se angustie com seu distanciamento. O objeto nutridor transforma-se também em um objeto cuidador, cujo simples estar junto já gera na mente um estado de bem-estar subjetivo.

Quanto mais o psiquismo infantil se sente desejado e amado, mais ele se sente narcisicamente valorizado. É uma necessidade primária da mente humana: sentir-se incondicionalmente desejada. O psiquiatra e psicanalista argentino Hugo Bleichmar a chamou de *Matriz de Desenvolvimento Narcísico*. Segundo ele, o narcisismo evolui em fases, a saber: fase da indiferenciação (fusão), fase da simbiose (amor incondicional), fase da triangularização (estágio edípico onde a criança deseja ser preferida) e fase da preferência parcial (onde aceita que não é a única a merecer o amor do objeto materno). Percebe-se, assim, que a maturação do narcisismo vai do narcisismo absoluto até o narcisismo saudável do compartilhamento. A maturidade, portanto, é abandonar a fantasia da unicidade e da exclusividade.

Primariamente nos iludimos de ser apenas "Eu". Os outros vêm depois. Nosso primeiro par é com a mãe (Eu e Ela-Para-Mim). Com a maturação, o tempo e as experiências, surgem as demais pessoas (Eu e Nós). Da fusão à simbiose. Da simbiose à triangularização. Da triangularização à circularização. O psiquismo começa com toda a libido voltada a si. Posteriormente parte dessa libido (libido de Ego) é dirigida ao objeto materno (libido de objeto) e quer de volta toda a libido do objeto (o amor incondicional da simbiose). Ulteriormente é que o psiquismo, menos imaturo, perceberá que a mãe o ama, mas que também ama outros e não apenas ele.

A experiência e vivência com o primeiro vínculo ficará impressa na psique como uma marca psíquica fixada permanentemente (*imprint emocional*). Esse laço afetivo primordial será matriz para as próximas e futuras relações amorosas da alma humana. Como diz a psicóloga paulista Rosa Cukier, o primeiro cuidador funciona como uma espécie de ponte relacional entre o psiquismo da criança e o mundo. Assim, a mãe é o primeiro não-Eu e o primeiro Tu que conhecemos.

Já vimos que o primeiro objeto para a mente é um objeto ideal (seio bom, segundo Melanie Klein). É um objeto psicologicamente visto como aquele que concentra todas as qualidades boas que atendem as necessidades do lactente – por isso o objeto ideal é um objeto lactante da fase oral. No objeto ideal consubstanciam-se as experiências gratificantes de alimentação, cuidados e amor. O psiquismo imaturo do pequeno infante, frente ao objeto lactante, sente-se acolhido, satisfeito e seguro. A onipotência do narcisismo natural dos instantes pré-objetais é projetada na representação psíquica do objeto ideal. Com ele o psiquismo forma um par perfeito e imune a qualquer ameaça, dessabor ou medo. Um par com tudo o que há de bom, deixando de fora da simbiose normal do primeiro ano de vida de uma criança o que não é bom ou é mau.

O objeto ideal é uma ilusão normal do psiquismo em sua fase lactente. Ficará impresso em nossa memória sensório-emocional. Nunca mais o ser humano terá outra relação análoga. Uma vez perdido para a realidade o objeto ideal, estaremos fadados à frustração narcísica dos objetos reais. Porém, a realidade não nos retira o registro mnêmico do objeto ideal, embora tenha sido ele uma ilusão, sentida, no entanto, como realidade pelo psiquismo narcisicamente iludido. O objeto ideal nunca existiu de fato, mas continua existindo no interior da alma como objeto interno.

É com o objeto ideal que a mente estabelece seu primeiro contato de base amorosa. Embora não seja amor propriamente dito, chamemos esse rudimento ancestral dos primeiros meses de *amor objetal primário*. O amor objetal primário é germinal e embrionário do amor maduro do futuro. É a matriz e a fonte dos afetos amorosos posteriores. É a afeição dos estados primitivos do desenvolvimento do Ego e do Self. Nas relações objetais futuras, inconscientemente o psiquismo remeterá a ele. Uma parte dos conflitos nas relações amorosas são ecos externos do conflito psíquico entre o objeto real e o objeto ideal. Um conflito entre o amor objetal secundário (atual) e o amor objetal primário (passado remoto).

Pela qualidade regressiva da mente humana, ela estará sempre em risco de mais adiante (adolescência e adultez) se apaixonar. Nossa psique tem uma tendência a regredir em busca de gratificação das necessidades pulsionais narcísicas. Conteúdos representativos do objeto ideal persistem nas profundezas inconscientes da alma com força de nos puxar de volta a eles. A realidade nunca atende todas as nossas carências narcísicas de perfeição e plenitude. Somente no âmbito psíquico da fantasia e da ilusão podemos nos enganar de reencontrar o objeto ideal. A paixão nos regride. A paixão nos ilusiona. Na paixão projetamos o objeto ideal no objeto real atual. Apaixonados, iludimo-nos de amar o outro, quando na verdade nosso psiquismo demanda uma relação de amor objetal primária.

"Se é paixão, me nego.
Já resvalei, a alma em pelo,
nesse áspero despenhadeiro.
Se é paixão, não quero.
Conheço seus espinhos de mel,
sei aonde me conduz
embora prometa os céus.
Se é paixão, desculpe-me, não posso.
Conheço suas insônias
e a obsessão.
Se é paixão me vou, não devo...
não adianta teus apelos.
Resistirei, porque aí
morri mil vezes.
Paixão é arma de três gumes,
e ao seu corte estou imune.
Se é paixão, me nego

e não receio que me acuses de medo.
Do desvario conheço todos os segredos.
Se é paixão, recuso-me e sinto muito,
pois foi há custo
que saí do labirinto."
(Affonso Romano de Sant'Anna)

Paixão é *pathos*. *Pathos* é um termo grego que significa passividade, sentimento, excesso e sofrimento. A paixão é uma experiência afetiva e sofrida onde o Ego se encontra passivamente infligido. Como que "flechado", o Ego é dominado pela paixão na qual se vê assujeitado a fortes emoções e sentimentos em excesso. O discernimento e a criticidade parecem anulados pela presença da imagem do objeto evocador da paixão. Popularmente se diz que "o amor é cego". A paixão é um amor cego porque o apaixonado não vê o outro com os olhos do Ego Cogito, mas com os olhos do Id e do narcisismo. A paixão não é amor maduro. Em sua regressão à imaturidade a psique ama o objeto ideal, ilusória e inconscientemente projetado no objeto externo do presente.

Paixão não é amor, ao menos não é amor maduro. Paixão é a manifestação do fenômeno psíquico juvenil da projeção. Quando uma pessoa se apaixona, ela se vê atraída pela idealização que faz da outra pessoa. O outro parece brilhar em nossa percepção. E assim somos tragados por um sentimento avassalador que embute a nostalgia da simbiose do psiquismo lactente com o objeto lactante da antiga fase oral.

Se certa vez disse Freud que precisamos amar para não adoecer, apaixonados adoecemos de amor brutal, enlouquecemos de narcisismo e idealização. Fica-se obcecado e intenso, perde-se o senso crítico e a razão. Não controlamos as sensações. Eufóricos, comportamo-nos como um viciado com sua droga. O cérebro explode de dopaminas.[168] Diminui-se o nível de serotonina.[169] O organismo se enche de hormônios. Encontramos a felicidade plena.

---

168 A dopamina é responsável pelas descargas emocionais para o coração e as artérias. A sensação é semelhante ao efeito do uso de cocaína.
169 A diminuição do nível de serotonina é próxima do nível dos que sofrem de transtorno obsessivo-compulsivo.

O objeto da paixão completa os vácuos da alma. Encontra-se no objeto o que falta ao Ego. Como em uma espécie de "surto psicótico", o sujeito se aliena. Deixa-se de ser um ser que deseja para se tornar um ser dominado pelo desejo narcísico de preenchimento. Ilude-se quem achar que o apaixonado ama o outro por quem se apaixona. O apaixonado ama as sensações que a paixão provoca. O psiquismo se apaixona é pelo próprio sentimento da paixão. A quimera do ardor da paixão é o da completude narcísica. Revive-se psiquicamente o nirvana da plenitude simbiótica, onde o objeto (mãe) é tudo para a mente e a mente é tudo para o objeto.

O que sente o apaixonado? Fogo e fascínio. Arrebatamento. O ardor da chama que é eterna enquanto dura. Uma revolução interior. Ou, como versou o poeta espanhol Frederico García Lorca: "sinto/ que em minhas veias arde/ sangue,/ chama vermelha que vai cozendo/ minhas paixões no coração".

A origem do amor

Pode-se dizer que o amor começa quando o psiquismo dirige sua libido ao objeto. A alma nasce anobjetal. A energia psíquica (libido) ainda não tem um objeto para se ligar. Toda a energia está voltada ao próprio psiquismo. O Ego rudimentar é o reservatório do qual a libido irá fluir para as representações internas dos objetos externos. Mas, em sua estreia com o mundo, a psique ainda não reconhece a existência dos objetos. Nessa fase pré-objetal (narcisismo primário) a libido é *libido de ego*.

Do ponto de vista do desenvolvimento psicossexual,[170] o ser humano é primeiramente autoerótico. Uma unidade estrutural compatível ao Ego não existe no psiquismo inicial. O Ego haverá de se desenvolver. Porém, os instintos autoeróticos já se fazem presentes. Os instintos mais primitivos são aqueles que estão voltados à autopreservação. Considerando que a porção do psiquismo em contato com o mundo externo é o Ego, e que o Ego vai aos poucos se formando dentro da

---

170 Segundo a Organização Mundial de Saúde (OMS), a sexualidade é parte integral da personalidade humana. Uma necessidade básica que não pode ser separada dos outros aspectos da vida. Sexualidade não é sinônimo de relação sexual (coito), mas sim a energia que nos motiva a encontrar o contato e a intimidade e se expressa na forma de sentir prazer.

mente, a estrutura egoica inicialmente é precária e rudimentar. Esse Ego primitivo e incipiente é a parte superficial da psique que lida com os estímulos e as sensações. Mesmo negando a existência de um Ego inicial, Freud titulou os instintos de autopreservação de "*instintos de Ego*", tais como os instintos de fome e de defesa. Freud também reconheceu que uma parte dos instintos de Ego tem caráter libidinal (instinto sexual) que toma o iniciante Ego precário como seu objeto. Esse Ego noviço é o primeiro objeto sexual da alma humana (narcisismo primário). Freud assim afirmou em 1914:

> no tocante à diferenciação das energias psíquicas, somos levados à conclusão de que, para começar, durante o estado de narcisismo, elas existem em conjunto, sendo nossa análise demasiadamente tosca para estabelecer uma distinção entre elas. Somente quando há catexia objetal é que é possível discriminar uma energia sexual – a libido – de uma energia dos instintos do ego.[171]

Essa libido narcisista a que faz menção Freud vai se desdobrar, quando da percepção psíquica da existência dos objetos, em libido de objeto, isto é, a libido direcionada a um objeto. O Ego rudimentar deixa de ser só ele objeto do investimento libidinal (narcisismo primário) e passa a investir parte da libido de Ego nas representações objetais. Quanto mais a energia psíquica (libido) é investida nos objetos, menos será a libido de ego.

Relembrando Freud, a psique tem originariamente dois objetos sexualizados: ela mesma e a mãe que lhe cuida. O autoamor primário se transforma em amor pelo objeto nessa passagem de uma parte da libido de Ego para libido de objeto. Assim, em detrimento da libido narcísica, o Ego passa a "enamorar-se" pelo objeto. É desse apego com o objeto (mãe) que nasce o sentimento de amor pelo objeto.

Não é difícil imaginar porque o objeto materno despertará o amor na alma humana, afinal é da mãe que o lactente encontra amparo, segurança e gratificações. É a mãe quem atende às necessidades físicas e psicológicas do seu bebê. Talvez mais básico do que o amor pelo objeto seja a gratidão pelo objeto que nos satisfaz. Quando o psiquismo desenvolve a confiança em relação ao objeto, quando se

---

171 "Sobre o narcisismo: uma introdução", op. cit., p. 92.

sente amado por ele, reciprocamente passa a também amá-lo. O seio generoso é estimado e amado. Como disse Melanie Klein, o objeto da gratidão é o seio nutridor. Dentro do linguajar kleiniano, a gratidão é o oposto da inveja. Como vimos, o primeiro objeto a ser invejado é também o seio nutridor, pois o psiquismo do lactente sente que o seio possui tudo o que ele deseja. Nesse sentido, o sentimento de gratidão inaugura a passagem da Posição Esquizo-Paranoide[172] para a Posição Depressiva. Vejamos como escreveu Melanie Klein:

> Um dos principais derivados da capacidade de amar é o sentimento de gratidão. A gratidão é essencial à construção da relação com o objeto bom e é também o fundamento da apreciação do que há de bom nos outros e em si mesmo. A gratidão tem suas raízes nas emoções e atitudes que surgem no estágio mais inicial da infância, quando para o bebê a mãe é o único e exclusivo objeto. Referi-me a essa primeira ligação como base para todas as relações subsequentes com uma pessoa amada.[173]

Pelo exposto, é a satisfação que forma a base da gratidão, ao mesmo tempo que forma a base para a capacidade de amar. Quanto mais o objeto que nos satisfaz é amado, maior é o sentimento de gratificação sentido. É como se a mente, ao sentir que está recebendo o amor do objeto que lhe apraz, passasse a dar prazer ao objeto. Primariamente, assim, podemos formular que basicamente o psiquismo ama quem lhe ama, e dá prazer a quem lhe dá prazer. O sentimento de gratidão, pois, aflora pela gratificação que o objeto proporciona.

Os alicerces do sentimento amoroso têm sua origem nessas primeiras experiências de relacionamento objetal. Seus efeitos e reflexos nos atingem a vida inteira. Quando o psiquismo menos imaturo se apaixona na adolescência e na adultez, a psique se posiciona frente ao objeto de maneira idealizada (Posição Esquizo-Paranoide): amando, posiciona-se de maneira ambivalente (Posição Depressiva), isto é, estabelece uma relação de *amor objetal verdadeiro*. O amor na Posição Depressiva não é pelo objeto ideal (objeto parcial), mas sim pelo objeto

---

172   Ao invés da Posição Esquizo-Paranoide, em que a libido é dirigida ao objeto ideal, na Posição Depressiva o que primitivamente se vai amar é o objeto bom que também tem falhas e defeitos. É o que o psicanalista alemão Karl Abraham chamava de "amor objetal verdadeiro".
173   *Inveja e gratidão*, Imago, 1985, p. 219.

total. O objeto do amor, ao contrário do objeto da paixão, é um objeto defeituoso, no sentido de não ser perfeito. No amor, em outras palavras, o psiquismo é capaz de perdoar o que não gosta no objeto. Se a paixão é um "amor" de meia-verdade, o amor mesmo é um amor pela verdade inteira.

O que deseja a alma quando ama o outro? Deseja o desejo do outro. O amor é um sentimento que busca reciprocidade. Amando o psiquismo procura a alteridade, pois amando o psiquismo busca o Eu-do-objeto e não o Eu Ideal projetado no objeto. Amar, portanto, é uma relação objetal Eu e Tu.

Mesmo em um psiquismo amadurecido nunca deixaremos de possuir qualidades infantis e narcisistas. O interior da alma humana sempre habita o desejo de reeditar a perfeição perdida da relação primordial bebê e mãe. Por mais madura que seja a mente, a busca pelo ideal persiste. Dessa forma podemos ponderar que algo de narcísico subjaz na mais amadurecida relação amorosa possível. Os desejos narcísicos nunca são de todo renunciados. O amor objetal verdadeiro não é o abdicar pleno dos ideais narcisistas. Não é porque em nossas relações interpessoais tenha um quê de narcísico que isso seja por si mesmo prejudicial ou patológico. Toda mente necessita de um pouco de idealização e fantasia. Kohut foi enfático ao afirmar que as necessidades narcísicas persistem toda a vida paralelamente no âmbito do amor pelo objeto.

Muitas vezes em uma relação amorosa amadurecida chocam-se o objeto ideal com o objeto real. A capacidade do psiquismo em lidar com tal conflito entre o interno e o externo é o que possibilita a durabilidade do vínculo e da relação. Por isso a ambivalência das emoções e dos sentimentos. Às vezes tem-se raiva de quem amamos. Só na idealização é que o objeto amado não nos frustra. Um objeto que não frustra é um objeto perfeito, mas a perfeição idealizada falseia a realidade, pois somente há uma maneira do objeto não frustrar ou decepcionar: sendo um objeto sem sujeito, um objeto que é apenas a realização total dos nossos desejos.

A principal característica do amor é a ambivalência. Não foi à toa que Freud disse que "o objeto nasce do ódio", afinal o mundo exterior e a realidade decepcionam o narcisismo natural. Como escreve o psicanalista Renato Mezan em *Interfaces da psicanálise*:

> nossa primeira tendência, diante do mundo exterior, é evitá-lo e nos refugiarmos nos domínios deliciosos do narcisismo. O primeiro con-

tato com o externo, com o não-Eu, faz surgir o elemento do ódio, elemento que vai levar a um refluxo narcísico muito parecido com aquele que é efeito da pulsão de morte.[174]

Assim, na origem do amor na alma, o ódio já estava constituído.
"Amor é desejo, e desejo é falta", escreveu Platão. O sentimento de amor não é completude, mas incompletude. Assim como amor não é sinônimo de fusão, porém de busca. Não é porque encontramos uma pessoa que satisfaz a carência de amar que seremos felizes. Só na ilusão fusional Self-objeto é que a plenitude se alcançaria. Este é o principal desejo narcisista: o nirvana. Nenhuma relação objetal ou interpessoal nos fará completamente autossuficientes. Mesmo com a presença do objeto amado continuaremos carentes e desejantes. O objeto amado é imperfeito. Nossa relação com o objeto amado é imperfeita, assim como nós igualmente somos imperfeitos. Amar é amar a imperfeição. Quem pensa que encontrou o objeto perfeito e a relação perfeita é quem se vê acometido de paixão. Paixão não é amor. Paixão é idealização.

Quanto mais um objeto é investido de libido narcisista, mais o psiquismo se ilude de paixão, que é pseudo-amar. O objeto excessivamente investido de narcisismo, portanto, tem a serventia psíquica de substituir ideais que o próprio Ego não conseguiu alcançar. A psique projeta perfeições que aspira para si. O que a alma aí busca não é um vínculo afetivo com o outro, mas um vínculo com seu próprio narcisismo insatisfeito. Isso acaba por implicar, estruturalmente, um empobrecimento do Ego em favor dos ideais superegoicos colocados no objeto, que passa a ser visto como revestido de perfeição.

No fenômeno da paixão, o psiquismo regride à fase do Ego engrandecido do narcisismo primário e, em sua megalomania, a pessoa amará o objeto da paixão com o tipo de escolha narcisista de objeto, ou seja, amará no outro o que a mente um dia se pensou ser, ou o que ela nunca conseguiu ser e crê ser o objeto possuidor de tal qualidade. O objeto, então, aparece como detentor das perfeições valorizadas, pois sobre ele agora recaem as idealizações narcisistas que a mente ilusoriamente um dia desfrutou ou que gostaria de ter desfrutado. O mecanismo psíquico envolvido é o da incapacidade da psique em renunciar às pretensões

---

174 Companhia das Letras, 2002, p. 407.

narcisistas das quais infantilmente se achou possuidora e as quais procura recuperar com o objeto apaixonadamente hiperinvestido de libido. Temos aqui uma reedição da *simbiose normal* do período lactente, transferida inconscientemente para um objeto (pessoa) da vida atual. O amor só é cego quando o Princípio do Prazer se sobrepõe ao Princípio de Realidade.

Na maturidade amorosa, contudo, não há a união simbiótica, nem um reencontro com o objeto materno infantil (objeto ideal) projetado no outro. No amor propriamente dito a união não visa à fusão narcisista, mas a conjunção afetiva entre dois psiquismos que conservam suas identidades próprias. Uma relação amorosa, como se verá a seguir, forma um casal (díade), porém preserva as individualidades.

"Noites Bravias — Noites Bravias!
Estivesse eu contigo
Tais Noites o nosso
Deleite seriam!

Fúteis — os Ventos —
A Coração em Porto —
Inútil a Bússola —
Como o Mapa inútil!

Remando em Éden —
Ah, o Mar!
E eu ancorar — Esta Noite —
Em Ti!"
(Emily Dickinson)

Amor

Somos seres vinculares. Devido a nossa enorme fragilidade e incapacidade de sobrevivência nos anos iniciais de nossa vida, o ser humano é fadado ao vínculo. "Bebê sozinho não existe." Necessitamos de outro que nos cuide. Nosso primeiro cuidador é a mãe (objeto externo que exercita a função materna). A função materna é essencial para a organização do psiquismo humano. É a partir desse relacionamento (bebê-mãe) que vamos conquistando a capacidade de nos relacionar com os demais objetos (pessoas) do mundo exterior. A função materna, em resumo, é fundante da constituição do sujeito humano.

O bicho homem não foi feito para viver sozinho. A alma necessita do sentimento de pertença. Sem o outro se é ninguém. A psique humana precisa ser alguém, alguém para alguém. A solidão é insuportável à alma humana, salvo raríssimas exceções.

Conquanto nasçamos psicologicamente em uma solidão existencial/essencial, logo nos damos conta da presença dos outros e de nossa dependência deles. Porque o outro (objeto cuidador) nos olha, nos ouve, nos toca e nos alimenta, experimentamos o sentimento de pertencimento, que é o sentimento de que somos amados por quem nos cuida. Este é o primeiro contato humano com o amor: o amor do objeto. Passamos a corresponder com afetos aos afetos que o objeto nos dirige. Rudimentarmente passamos a amar quem nos ama.

Para o psiquismo infante, o sentimento amoroso começa em uma relação de dependência. A psique imatura é incapaz de só lidar com seus sofrimentos e inquietações. O objeto mitiga e apazigua. Falta-nos a autossuficiência do ideal narcísico. E porque nos falta desejamos, e porque desejamos amamos. Será que é tão simples assim?

O psiquismo reconhece que a presença do objeto cuidador próximo de si lhe apraz e provoca sensações de aconchego e equilíbrio. A função materna exercida pelo objeto externo tem o efeito de tamponar os estresses provenientes do mundo interno e externo do bebê. O cérebro humano já vem "programado" geneticamente para o recebimento de certos tipos de estímulos do meio ambiente, por isso o bebê se apega instintivamente aos seus cuidadores e é sensível e receptivo ao vínculo. Através dessa relação de apego o psiquismo irá se desenvolver em suas esferas físicas, cognitivas, sociais e emocionais.

O padrão de interação entre o bebê e seu cuidador (mãe) vai ocupar um espaço psíquico importante na formação da personalidade, que se tornará um componente central posterior na vida adulta. Pode-se, assim, considerar que a psique madura é uma continuidade do processo de apego e vínculo constituído na infância.

A alma humana não é perfeita e nem autossuficiente, e também não suporta a solidão. O sentimento de desamparo é o grande temor do psiquismo. Qual é o bebê que, se percebendo sozinho, não se desespera? Ir para fora de si e não encontrar ninguém, quando se percebe que sozinho não consegue existir, é angustiante e exasperante. Tem-se medo da solidão por se temer desintegrar e morrer. A alma necessita de colo e consolo. Carece e demanda companhia. Talvez por isso tenha escrito os seguintes versos Florbela Espanca: "vejo-me triste, abandonada e só/ bem como um cão sem dono e que o procura".

A alma requer ser amada. A alma ama quem a ama. A solidão e o abandono a fazem passível ao sofrimento e à patologia. Uma boa e satisfatória relação intersubjetiva a faz se sentir mais harmônica e equilibrada. Porque ninguém escapa da relação primordial com o objeto materno, tem-se a tendência a procurar repeti-la.

O primeiro relacionamento objetal é impregnado de idealizações. Mais adiante, na adolescência, a idealização se estende para o amor romântico, até se chegar ao amor maduro da vida adulta. O filósofo e psicanalista alemão Erich Fromm, em seu livro *A arte de amar*, afirmava: "o amor imaturo diz: - eu te amo porque necessito de ti; o amor maduro diz: - eu preciso de ti porque te amo".[175] Cabe-nos perguntar mais detalhadamente: o que é o amor?

Há quem defina amor como uma forte atração por outra pessoa. Outros como um sentimento que leva um indivíduo a desejar o bem de outro. Nesses sentidos existe amor entre pais e filhos, entre irmãos, entre amigos, entre enamorados e cônjuges... São vários os tipos de amor. São várias as formas de amar. Há quem fale também de amor físico, amor platônico, amor-próprio, amor altruísta... Uma palavra de quatro letras para representar e significar diversas coisas.

Na Grécia da Antiguidade, os gregos utilizavam vários termos para designar vários tipos e formas de amor. Entre eles temos: *eros*, que designa os sentimentos baseados na atração sexual e no desejo ardente; *ludus*, o amor brincante característico da afeição da criança ou de amantes juvenis; *philautia*, ou amor-próprio; *mania*, que significa o amor louco da paixão (*pathé*); *storge*, referente aos afetos entre membros da família; *agapé*, o amor incondicional, que nada pede em troca (amor altruísta); *pragma*, espécie de amor prático comum em casais de longo tempo; *philia*, pertinente ao que hoje chamamos de amizade, um amor sem *eros*, típica afeição advinda de uma relação de fraternidade e reciprocidade.

---

175   Martins Fontes, 2. ed., 2015.

Pensamos que o amor não é propriamente um sentimento puro, nem que é uma emoção como medo, raiva, tristeza e ansiedade. Talvez o que chamamos de amor seja mais uma combinação de vários elementos afetivos, tais como ternura, admiração, carinho, solicitude, zelo, meiguice, entre outros. Quando se sente tal conjunção de afetos positivos por alguém, geralmente se diz: "eu te amo".

Provavelmente se narcísica realmente conseguisse ser a alma, isto é, autossuficiente, completa, perfeita e onipotente, ela não necessitaria amar, pois de nada careceria. Mas se amor é desejo, e desejo é falta, a incompletude da natureza humana lança-a em busca de seu objeto de amor. Biologicamente o ser humano é separado do corpo materno no corte do cordão umbilical. Psicologicamente o processo de separação e individuação é mais demorado. Mesmo quando já biológica e psicologicamente desprendidos do corpo e do objeto materno, fica a indelével escassez emocional/afetiva que impele o sujeito à procura de companhia, compartilhamento e pertencimento – salvo pessoas cuja organização psíquica se encontra comprometida, prejudicada ou adoecida.

É natural necessitar de outro para sobrevivermos de início. É natural a companhia sentimental do outro para vivermos com qualidade e satisfação. Para o bem ou para o mal é da condição humana o vínculo e o laço afetivo. Mesmo que com toda sua ambivalência e contradição.

Todo sentimento amoroso, por mais amadurecido que seja o psiquismo, traz consigo as carências da alma. Diferentemente da paixão, o sujeito em amor maduro reconhece o Eu-do-objeto, ou seja, que o outro seja um sujeito desigual de si. O outro pode satisfazer muitas necessidades, mas jamais será a completude de quem dele demanda. Em uma relação amorosa madura não existe completude, no entanto há complementaridade. Porém, o embate subjaz à relação, e algo de idealizante sempre persiste. Seria, por outro lado, ideal um amor maduro isento de qualquer mínima requisição narcísica.

Bem querer outro retira-nos do egoísmo característico da porção infantil e originária da mente, lançando-nos ao altruísmo. Todavia não é um altruísmo absoluto, a ponto de aniquilar totalmente o egoísmo que nos é pertinente e necessário. Egoisticamente amamos o outro porque nos sentimos desejados e amados por ele. Egoisticamente sentimos prazer em amar e dar prazer a quem amamos. O egoísmo diminuído de suas amarras egocêntricas e narcísicas compõe com o altruísmo uma relação amorosa madura. Há prazer e satisfação em se desapegar de si no se apegar no outro. Trata-se do egoísmo atenuado, que com a maturidade psíquica se transformou em amor-próprio. Como gostar de alguém se a própria pessoa não gosta de si? É um se gostar respeitando o outro. O excesso de amor por si é que é egoísmo, narcisismo propriamente dito.

O amor é fundamental para a criação do vínculo. Faz parte do processo evolutivo da espécie humana. Amor é também fisiologia, pois produz hormônios e endorfinas. A principal substância do complexo afetivo-somático referente ao sentimento de amor é a oxitocina, hormônio produzido pelo hipotálamo, mais conhecido como *hormônio do amor*. Juntos de quem gostamos e nos faz bem diminuem os níveis de cortisol (hormônio do stress) no organismo. A principal função da oxitocina é propiciar e estreitar o vínculo afetivo entre mãe e filho. Devemos ao amor nossa sobrevivência como espécie. Graças ao amor, mais precisamente o amor da mãe por seu bebê, é que o ser humano pode efetivamente evoluir e progredir biológica, fisiológica, psicológica e socialmente. O primeiro amor que o psiquismo experimenta é o amor materno, e dele nascemos ontologicamente.

Se na paixão nos embriagamos de afetos, no amor vivemos a sobriedade dos mesmos. Além da oxitocina temos também a vasopressina,[176] outro hormônio segregado pelo corpo humano. Em termos biológicos, no macho humano a elevação do nível de vasopressina provoca o anseio de novos acasalamentos com o mesmo parceiro sexual. Acredita-se que o efeito da vasopressina no organismo permite associar o prazer adquirido na relação sexual a características específicas do parceiro, fazendo assim que o macho queira estar mais perto do parceiro e protegê-lo.

Por isso, não é absurdo afirmar que o amor está na base da origem humana. Podemos também afirmar que é na passagem dos instintos e impulsos para o desejo que o amor surgiu e nos elevou à condição de *homo sapiens*. Como hominídeos, apenas copulávamos. Como *sapiens*, evoluímos para seres de desejo e amor. O encontro entre os corpos deixou de ser somente sexual/reprodutivo e passou a incluir a sensação de unicidade, pertencimento e vinculação afetiva. Se algo nos faz humanos, este algo é a capacidade de amar o nosso semelhante.

---

176 A vasopressina é geralmente liberada no organismo durante a relação sexual e mais precisamente no orgasmo. Porém, pode ser liberada durante abraços. A vasopressina desencadeia a sensação de conexão com o outro. Trata-se, portanto, de uma molécula associada a comportamentos territoriais.

Se filogeneticamente o amor é consequência e causa de nossa evolução, ontogenicamente ele igualmente é desenvolvimento. Aprende-se a amar quando criança no ato de ter sido amado ou pela maneira como se foi amado ou não. O psiquismo responde a seu destino, mas não apenas passivo. O amor maduro é vivido entre adultos, todavia é na infância que ele começa. A experiência ou negação do amor é impactante ao psiquismo e ao Eu em formação. A mente antes infantil busca emular suas vivências de outrora quando amadurece, seja querendo amar como foi amada, seja querendo amar como queria ter sido amada.

A alma humana tem ânsia e necessidade de ser vista, admirada, valorizada, amada. A alma carece de ser importante para o outro. O desejo de amar é o desejo de ser reconhecido, ou, como concebeu o filósofo alemão Friedrich Hegel, o desejo de amar é o desejo de ser o desejo do outro. Quem ama busca ocupar no psiquismo do amado um lugar de destaque, fazendo do objeto do amor o objeto interno de grande relevo em seu próprio psiquismo de amante. O amor – como afeto ou conjunto de afetos – quer amar e ser amado. Subjetivamente, a psique de quem ama quer na intersubjetividade a mutualidade e a reciprocidade. Ou, como escreveu Fernando Pessoa: "o amor pede identidade com diferença".

"Saberás que não te amo e que te amo
pois que de dois modos é a vida,
a palavra é uma asa do silêncio,
o fogo tem a sua metade de frio.

Amo-te para começar a amar-te,
para recomeçar o infinito
e para não deixar de amar-te nunca:
por isso não te amo ainda.

Amo-te e não te amo como se tivesse
nas minhas mãos a chave da felicidade
e um incerto destino infeliz.

O meu amor tem duas vidas para amar-te.
Por isso te amo quando não te amo
e por isso te amo quando te amo."
(Pablo Neruda)

A PERSONALIZAÇÃO DA ALMA

> O primeiro passo em relação ao outro é achar em si mesmo o homem de todos os homens.
> *Clarice Lispector*

Processo de individuação

Como já vimos, a alma nasce nua. Não há uma pessoa formada dentro do psiquismo de um recém-nascido. Assim como não se nasce com coordenação motora e força muscular para andar, o bebê traz consigo componentes e recursos que serão desenvolvidos para tal. Um neonato humano carrega consigo o potencial de vir a se tornar uma pessoa, uma personalidade.

Não existe um Ego estruturado no início. O psiquismo vive um estado de não integração. Psique e corpo se confundem. O processo de elaboração de partes, sentimentos, emoções e corpo é que o chamamos de *personalização*. Winnicott definia personalização como *o sentimento que o sujeito tem de que ele habita seu próprio corpo*. Fragmentos egoicos habitam dispersos e vagamente o psiquismo do neonato. Aos poucos vai se consolidando um núcleo de Ego na psique. É como se no início da vida extrauterina a pessoa fosse ainda apenas um "embrião psíquico".

Nos primórdios da *solidão existencial/essencial* não existe indivíduo. Não há a sensação e o sentimento de ser um ser individual em relação ao ambiente e aos outros. É o momento do *autismo normal*, como dizia Margaret Mahler. O psiquismo em estado de neonato é indiferenciado – não existe mundo interno e mundo externo, Eu e não-Eu. O psiquismo em sua mais pura nudez é anobjetal e amúndico. Até então não há de se falar em indivíduo em uma mente que se acha única, e não uma singularidade. Um indivíduo é um indivíduo quando ele se distingue das outras coisas.

O processo de individuação e personalização é um processo de formação do Eu e da pessoa humana dentro da alma. É quando o psiquismo vai tomando forma por meio de características que vão se desenvolvendo de maneira cada vez mais pessoalizada. E é isto que é uma personalidade: um conjunto de características psicológicas marcantes de uma pessoa que determinam o jeito de ser do indivíduo, isto é, seus padrões de pensar, sentir e agir. A personalização é um progredir dinâmico e longitudinal.

Desde cedo, ainda lactente, o ser humano vai desenvolvendo características próprias que o diferenciam dos demais. Embora partamos de um plano biologicamente semelhante e vivamos contextos sociais e culturais similares, o Self de cada indivíduo será diferente. Não existem duas personalidades idênticas. O surgimento da estrutura egoica propicia que se organizem as vivências em experiências pessoais e distintas. Nesse sentido, o Ego é o principal componente individual ativo do desenvolvimento da personalidade.

Uma das mais clássicas definições de personalidade vem de Gordon W. Allport, psicólogo estadunidense, que assim expôs: "a personalidade é a organização dinâmica, no indivíduo, dos sistemas psicofísicos que determinam seu comportamento e seus pensamentos característicos".[177]

A personalidade se constrói na relação do psiquismo com a realidade. Bion inclusive dizia que a personalidade é a primeira área do psiquismo que corresponde ao seu *environment*.[178] Lembremos que, no início, psique e somático se confundem. Talvez seja melhor, então, afirmar que a personalidade se constrói na relação da psique-soma com o mundo externo e a realidade.

Se a imagem da pessoa subjetiva em um neonato é um *embrião psíquico*, a personalidade é um gérmen a florescer. Uma semente lançada no solo fértil do meio ambiente. Nesse sentido, personalização envolve maturação, experiência, aprendizagem e desenvolvimento.

Quando falamos em ambiente ou meio ambiente, estamos a destacar também o social. Quando se nasce, ou até mesmo antes, já há sobre o futuro sujeito um largo espectro de expectativas e de competências a serem prosperadas no modo

---

177 *Personalidade*, Edusp, 1973.
178 *Environment* em português significa "ambiente".

em que se espera que venha a agir e se relacionar. A formação da personalidade será bastante influenciada pelo processo de socialização.[179]

Se no princípio a alma é psique-soma, então o processo de personalização começa através do corpo e de suas sensações. Em seu estrear na vida, o ser humano é puro Id, completo de instintos e impulsos. Como o corpo é espaço de prazer ou desprazer, Freud denominou o desenvolvimento da personalidade como um desenvolvimento psicossexual. Nos meses iniciais de vida extrauterina a criança tem na boca sua principal zona erógena. O corpo é erógeno, sendo a zona erógena a parte dele que sente excitação sexual/prazer. O bebê vive em torno da alimentação, sendo o seio e o leite que dele advém seu primeiro objeto de prazer.

A primeira fase do desenvolvimento psicossexual é a fase oral, em que a boca é o principal canal de gratificação libidinal. O psiquismo é dominado pelo Princípio do Prazer. É nessa fase que se começa a diferenciação entre o dentro e o fora, ou seja, os limites físicos entre mundo interno e externo. Forma-se, assim, nossa primeira imagem corporal.

Em torno de um ano e meio aproximadamente a sexualidade vai se voltando para a função anal e o processo de evacuação. A criança sente prazer na expulsão e/ou retenção das fezes. É um período marcadamente agressivo e manipulativo. A criança pequena é educada para a limpeza esfincteriana, e ela pode confrontar os genitores ou obedecendo (defecando no momento que os pais exigem), ou desobedecendo (recusando-se a defecar). Isso faz o psiquismo tomar consciência de sua autonomia através do controle esfincteriano. Assim, a psique infantil percebe que tanto pode gratificar as expectativas parentais quanto frustrá-las. Através da evacuação, a criança pode obter afeto (gratificando) ou demonstrar hostilidade (frustrando).

Por volta do terceiro ano de vida, a área genital infantil passa a chamar a atenção do psiquismo. O pênis ou o clitóris são agora a principal zona erógena da criança. Esta fase, chamada fálica, coincide com a ênfase nas relações triangulares afetivas. Há aqui uma tendência das crianças se sentirem mais atraídas pelo genitor do sexo oposto, mantendo uma rivalidade com o outro genitor. O objeto cuidador (materno) é visto como detentor de desejos direcionados a outro que não somente a criança.

---

179 Em Sociologia, a socialização é definida como o processo pelo qual o indivíduo, no sentido biológico, é integrado em uma sociedade. Em termos psicológicos, é um processo pelo qual a mente internaliza o coletivo (normas, valores).

As fases psicossexuais anteriores foram marcadas por uma relação a dois, sendo a fase fálica, com o evidenciar da figura paterna, provocadora do ingresso do psiquismo infantil na triangularização dos afetos. O ciúme manifesta-se na alma. É o período conhecido como *Complexo de Édipo*. O complexo edipiano, portanto, traz à baila o conflito de sentimentos e fantasias não mais dirigidos para um objeto, mas para dois. Os afetos se multiplicam, se entrecruzam e se entrelaçam. A libido direciona-se claramente para um genitor, enquanto o outro é alvo de ciúmes e rivalidades. É visível observar em uma criança entre 3 e 6 anos tal "disputa" que ela faz entre seus genitores.

No período edípico, o Superego propriamente dito se consolida fixamente na alma humana, devido à identificação do infantilismo psíquico com o genitor, que é visto como objeto de desejo, atenção e amor (objeto materno) e é, pela mente da criança, investido de libido. Nesse sentido, a identificação psíquica com o genitor rival assume um componente hostil, cuja energia agressiva será fonte psíquica para o empoderamento da instância superegoica a partir de então. Podemos, assim, resumir, que a energia psíquica que internamente forma e dá poder ao Superego tem suas fortes raízes tanto na sexualidade quanto na agressividade. As identificações parentais surgidas durante o Complexo de Édipo resultarão no psiquismo em formação como Superego. Em outras palavras, o Superego é feito de resquícios do período edípico. Como relacionava Freud, o Superego é *herdeiro do Complexo de Édipo*.

A partir do final dos 6 anos de idade e começo dos 7, até a puberdade, as pulsões libidinais arrefecem, principalmente com a consolidação do Superego na mente. O psiquismo entra em um período da latência. Não que desapareça a energia sexual, porém ela é agora dirigida para atividades intelectuais infantis, hobbies e interações sociais.

Com a chegada da puberdade biológica, a sexualidade retorna com toda força. Tanto fisiologicamente quanto emocionalmente o púbere vive as transformações deste período do desenvolvimento. As mudanças do corpo geram eco no psiquismo, que começa a deixar de ser infantil para ir adquirindo composição psíquica madura. A adolescência é reconhecidamente uma etapa de muita turbulência e instabilidade emocional, porém é um período de maturação necessário à formação adulta da mente e à aquisição de uma identidade, com veremos em seguida.

Passada a adolescência, a sexualidade tende a se firmar de maneira madura, alcançando a estabilidade genital de seu desenvolvimento.

DESENVOLVIMENTO PSICOSSEXUAL

FASE	IDADE (aproximadamente)	DESCRIÇÃO
ORAL	Do nascimento até 18 meses	Energia libidinal focada na boca, em que comer e sugar são o que há de mais relevante.
ANAL	18 meses até 3 anos	Energia libidinal focada nos esfíncteres e no ânus. O controle esfincteriano é o principal evento dessa fase.
FÁLICA	3 até 6 anos	Energia libidinal focada nos órgãos sexuais. A diferença anatômica dos sexos surge, bem como o Complexo de Édipo.
LATÊNCIA	6 anos até puberdade	Calmaria da energia sexual, agora direcionada a outros interesses não sexuais (estudo, hobbies e relações sociais).
GENITAL	Adolescência à idade madura	Definição da sexualidade e da identidade sexual.

Contudo, o psiquismo não se desenvolve somente por seus aspectos corporais e sexuais. O ser humano não se resume apenas ao biológico. O que há de humano em nós é muito consequência do processo de socialização da alma, a qual sofremos desde cedo. Da mesma forma que o desenvolvimento psicossexual se processa por fases (oral-anal-fálica-latência-genital), o desenvolvimento psicossocial igualmente assim se faz. O crescimento psicológico em muito depende da interação entre o indivíduo e seu meio social. Segundo Erik Erikson, são oito os estágios do desenvolvimento no tocante ao psicossocial, sendo cada estágio vivenciado de maneira crítica (crise psicossocial), em que o indivíduo tende a se desenvolver mais ou menos em direção a um dos extremos conflitantes que dominam cada período.

Há em cada etapa duas vertentes opostas (positiva e negativa), sendo mais maduro o inclinar da personalidade para as vertentes positivas, a saber:

FASE	IDADE (aproximadamente)	DESCRIÇÃO
Confiança básica x desconfiança	0 até 18 meses	Desenvolvimento da confiança em si mesmo e em relação ao mundo, através do vínculo materno.
Autonomia x dúvida	18 meses até 3 anos	Desenvolvimento da vontade própria.
Iniciativa x culpa	3 até 6 anos	Desenvolvimento do senso de responsabilidade das próprias ações.
Produtividade x inferioridade	6 até 12 anos	Desenvolvimento da autoestima e do senso de competência e de interação social.
Identidade x confusão de identidade	Puberdade/adolescência	Desenvolvimento do senso de identidade.
Intimidade x isolamento	20 até 40 anos	Desenvolvimento da capacidade de estabelecer relações de intimidade (amor, amizade).
Generatividade x estagnação	40 até 65 anos.	Desenvolvimento profissional e do senso de responsabilidade familiar intergeracional.
Integridade de Ego x desespero de ego	65 anos em diante	Desenvolvimento do senso de satisfação com a vida vivida, vitórias e fracassos.

O desenvolvimento psicossocial é resultado de como cada indivíduo vai lidar com os conflitos entre as necessidades pessoais e as exigências sociais. Assim, o desenvolvimento da personalidade humana é constante, isto é, decorre desde o nascimento até a morte. Cada fase ou etapa é um período de crise adaptativa (crise normativa) integrante do ciclo de vida individual. A maneira como cada crise é superada influenciará a capacidade de lidar com a próxima. Do ponto de vista da maturação psicossocial, a adolescência é o centro nodal do desenvolvimento da pessoa, por ser uma etapa transitiva entre a infância e a adultez. Se na edificação da personalidade as fundações e os alicerces são a infância e o solo a família, as vigas e as paredes são a adolescência. Depois, vem o acabamento e a decoração (vide próxima parte).

Em resumo, a personalidade é formada por tudo aquilo que faz uma pessoa ser uma pessoa. Nesse sentido, engloba tanto o temperamento quanto o caráter. O temperamento relaciona-se ao legado genético herdado dos pais. O caráter[180] relaciona-se às vivências do indivíduo adquiridas durante a vida, principalmente as infantis. O caráter,[181] *stricto sensu*, refere-se aos aspectos da personalidade que constituem o Eu e suas manifestações.

Como escreveu o escritor alemão naturalizado suíço Hermann Hesse, prêmio Nobel de Literatura de 1946, "a personalidade é o produto do confronto entre duas forças opostas, o impulso de criar uma vida própria, e a insistência do mundo que nos rodeia em que nos conformemos a ele".

Aquisição da identidade

Se na alma originariamente não existe noção de Eu, também não existe noção de Identidade. A infância é a época vital da qual vai se consolidar o Eu e o Ego na alma. Biologicamente termina-se a infância já com um Eu psicológico. Resta firmar e cimentar a identidade.[182]

O psiquismo infantil sabe que existe uma pessoa dentro do organismo (noção de Eu), porém ainda não sabe quem essa pessoa é. A identidade é uma construção psicológica dinâmica da consciência de si, através das relações subjetivas e das experiências sociais. Trata-se de um processo ativo que engloba o afetivo, o cognitivo, o Self (representação de si) e o ambiente social envolvente. Ela resulta no

---

180 Caráter vem do grego *charaktēr*, que significa marca, impressão, gravação.
181 Para o psicanalista alemão Erich Fromm caráter é "*o sistema relativamente permanente de todos os esforços não instintivos por meio dos quais o homem se relaciona com o mundo humano e natural*". Para Fromm, o caráter é suplente do instinto, isto é, seu substituto. O ser humano deixa de agir de acordo com os instintos e passa a agir de acordo com seu caráter.
182 Segundo Erik Erikson, a identidade é a concepção que uma pessoa tem de si mesma, composta de valores, crenças, metas e objetivos com os quais o indivíduo está solidamente comprometido nos direcionamentos que deseja seguir pela vida. A identidade define quem a pessoa é.

sentimento subjetivo de individualidade, coerência e continuidade, definindo o ser que se é. Ela não é sinônimo de "qual é o meu lugar no mundo", mas sim "quem eu sou no mundo".

A criança começa a deixar de ser criança com as transformações biológicas e fisiológicas da puberdade. Em média, a maturação dos órgãos sexuais se inicia em torno dos 11-12 anos, quando da menarca (meninas) e espermarca (meninos). Além das mudanças puberais, a adolescência inclui o desenvolvimento das capacidades intelectuais, interesses, atitudes e ajustamentos. É um período de crescimento fortemente psicossomático, em que o psiquismo tem de lidar com diversos lutos, entre eles a perda do corpo infantil, dos pais idealizados da infância e do status de ser criança.

Puberdade deriva de *púbis*, palavra latina que significa pelos pubianos. Já o termo adolescência, também do latim, é composto de *ad* (para a frente) e *olescere* (crescimento). A inevitável metamorfose que ocorre a partir da puberdade revoluciona no psiquismo a autoimagem até então construída. A imagem simbólica que fazemos de nós ainda é carregada da referência infantil e se depara com um corpo real modificando-se. Não temos domínio sobre tais mudanças corporais. Dependendo do que vemos no espelho e de como nos vemos, a autoestima pode sofrer sérios abalos e prejuízos. Não é incomum o jovem entrar em conflito com o corpo que se apresenta e o corpo que ele gostaria de ter (corpo idealizado). O grau e o nível da insatisfação daí gerada podem comprometer a construção da identidade. Quanto menos o jovem estiver insatisfeito, melhor será seu desempenho emocional e social. É uma época do ciclo vital em que se corre o risco de desenvolver transtornos alimentares (anorexia e bulimia, principalmente) e dismorfobia.[183] Quanto mais se odeia o próprio corpo, mais neurótico se fica.

Não bastasse os conflitos com as mudanças físicas advindas da puberdade, o psiquismo também terá que saber lidar com as cobranças e pressões sociais que a adolescência traz. "O que fazer da vida", eis o grande dilema de uma alma em adolescência. Como descreveu o escritor alemão J. W. Goethe em *Os sofrimentos*

---

183   Dismorfobia é um transtorno da imagem distorcida. Trata-se de uma preocupação obsessiva da pessoa com alguma parte do corpo que ela ache defeituosa. O transtorno dismorfóbico corporal é um desarranjo da percepção e da valorização corporal. É um julgamento severo e perturbado sobre o próprio corpo.

do jovem Werther:[184] "não é medo, nem desejo, é um tumulto interior, incompreensível, que ameaça rasgar-me o peito, que me sufoca".

A construção da identidade é a tarefa psíquica mais importante da adolescência. Não é um dilema psicossomático, mas sim um dilema psicossocial. Se o início da adolescência é caracterizado pelo início da puberdade, o término do processo de adolescer se faz com a consolidação de uma identidade no psiquismo humano. Segundo o psicanalista paulista Tiago Corbisier Matheus:

> a identidade reúne algo que a diversidade de identificações não alcança, oferecendo ao sujeito, ao que tudo indica, a reunião da multiplicidade de imagens e papéis dos vários eus experimentados, permitindo um sentimento de continuidade e união que parece se distanciar da fragmentação que impera nos processos inconscientes.[185]

O processo da formação de identidade localiza o Ego no tempo e no espaço, isto é, busca saber quem somos dentro de uma perspectiva histórica pessoal, saber onde hoje estamos na vida e o que seremos ou podemos vir a ser no futuro, e como nos percebemos a nós mesmos em comparação com os demais. Evidente, pois, que a identidade tem relação íntima com a identificação. O psiquismo se identifica com algo e quer ser como esse algo que se identifica (identidade).

Para que possamos nos afastar da infância e amadurecer, se faz psiquicamente necessária uma mudança egoica em relação às identificações infantis em prol da busca por novas identificações. A identidade é quando a própria alma quer mais do que somente existir, quer ser. É como se ela abrisse para si a contínua possibilidade de vir a ser outra pessoa sem deixar de ser a pessoa que é. A identidade é, assim, o ser que se sabe ser no exato momento em que se é.

A adolescência é o grande momento anímico que tem o ser humano de se reinventar e de aproximar o Ego Real do Ego Ideal. Tal aproximação se faz com a diminuição do idealismo narcisista e com o desabrochamento das potencialidades. Tal reinvenção representa um caminhar através de uma densa floresta de identificações parciais e passageiras – os vários eus de que faz menção acima Tiago

---

184 L&PM, 2004.
185 *Adolescência: clínica psicanalítica*, Casa do Psicólogo, 2007, p. 179.

Corbisier. É graças a essa multiplicidade e diversidade de eus possíveis que o verdadeiro Eu irá aos poucos se encontrar. A crise de identidade é, pois, saudável e maturadora. Por isso que para viver a crise é preciso tempo, um tempo de semeação para a colheita futura.[186]

A construção do sentido de identidade leva o psiquismo adolescente a reformular a imagem e o conceito que tem de si como pessoa, afastando-se, assim, da autoimagem infantil. O surgimento de um novo autoconceito pode ser conflituoso, tendo em vista a indefinição inicial e as fantasias projetadas para o futuro adulto. O psiquismo adolescente terá de lidar com as exigências sociais sobre si, o surgimento de um novo esquema corporal, bem como elaborar e processar o luto pela perda da autoimagem anterior. O adolescente é agora convocado a ocupar um novo lugar no mundo e na vida, tendo, inclusive, que psiquicamente lidar com o Ideal de Ego que representa as internalizações das projeções parentais idealizadas sobre a criança e seu futuro. Simbolicamente, a aquisição da identidade retrata um segundo parto psíquico (o primeiro refere-se ao surgimento de um Eu que se diferencia de um não-Eu dentro do psiquismo). A sexualidade se define, assim como a afetividade e a escolha ocupacional ou identidade profissional tomam formas maduras e duradouras. Quando o indivíduo tem dificuldade em consolidar a construção de sua identidade, estamos em frente a uma adolescência esticada, também chamada de adolescência tardia ou adultescente.

Reformular a autoimagem infantil não deve ser entendido como abandonar a criança. Nunca e jamais conseguiremos abandonar a criança que um dia fomos. *A criança é o pai do homem*, disse certa vez o poeta inglês William Wordsworth. É dele também a seguinte afirmação: "a infância deixa rastros em nossa memória, como sulcos num rosto ou num campo lavrado". Não existe vida adulta sem infância. Todo e qualquer psiquismo é naturalmente infantil. Não existe nada no adulto que não tenha começado lá atrás, até mesmo nossa personalidade e nossa identidade subjetiva. Ambas iniciam sua construção psíquica desde os primeiros anos de vida.

---

186   Erikson conceituou a expressão *moratória psicossocial*, que significa compasso de espera para os compromissos adultos. É um período de aquisição de novas habilidades e atitudes onde o social aguarda enquanto o adolescente se prepara para exercer os futuros papéis adultos. Cada sociedade e cultura institucionalizam certa moratória social para a maioria dos seus jovens.

A personalidade é uma construção a partir da infância. A pessoa vai sendo formada de experiências, traumas, frustrações, êxitos, cultura, ambiente familiar e sociocultural. Acertos e erros. Através da exploração do mundo, o psiquismo vivencia sensações e percepções. Vamos aos pouco nos autodescobrindo. Primeiro o corpo, depois o outro e o próprio Eu. Mais adiante o social e nós nele. A família, a escola, a comunidade, o extrato socioeconômico, o momento histórico e social, tudo se soma na construção gradual do senso de identidade.

A consolidação do sentido de identidade pessoal é a porta de entrada psíquica para um funcionamento psíquico e adulto. A autoconsciência firma-se como uma unidade morfologicamente determinada em termos psíquicos, e o indivíduo agora se vê em todas as suas capacidades, potencialidades e limites. A pessoa definidamente se finca e se firma na alma humana.

"A vida é tão bela que chega a dar medo.
Não o medo que paralisa e gela,
estátua súbita,
mas
esse medo fascinante e fremente de curiosidade que faz
o jovem felino seguir para frente farejando o vento
ao sair, a primeira vez, da gruta.
Medo que ofusca: luz!
Cumplicemente,
as folhas contam-te um segredo
velho como o mundo:
Adolescente, olha! A vida é nova...
A vida é nova e anda nua
- vestida apenas com o teu desejo!"
(Mário Quintana)

A alma madura

Começa-se embrionário e fetal. Depois neonato e bebê. Mais adiante criança, púbere e adolescente. Finalmente, chega-se ao momento adulto do ciclo vital. E o que é adulto, afinal? Em biologia, é quando o organismo já passou por transformações que o permitem procriar. Mas entre 11 e 13 anos em média o ser humano inicia a puberdade e alcança a menarca (fêmeas) e a espermarca (machos). Será, então, que aos 11-13, quando o corpo torna-se fértil e capaz de reproduzir, a moça e o rapaz já têm condições psicológicas de serem pais, por exemplo? Parece que não. Parece que em termos psicológicos o desenvolvimento não acompanha em tempo real o biológico. Basta lembrarmos que primeiro nascemos biologicamente (parto e separação do cordão umbilical), todavia psicologicamente nascemos *a posteriori* (surgimento da noção de Eu no psiquismo).

O mundo do adulto é o mundo do trabalho e do amor. Através de ambos é que o indivíduo se autorrealiza. Com isso, a alma alcança seu ápice desenvolvimental, isto é, alcança um estado relativamente constante de equilíbrio emocional, com gosto pela vida, coerente e congruente, e com autocrítica objetiva e ajustada à sua realidade. A autorrealização é um processo íntimo, pessoal e profundo, advindo da experiência, da vivência e do desenvolvimento do próprio potencial. É quando o *vir-a-ser* de antes se torna *estar sendo*. Para alcançar tal estado é preciso que o indivíduo faça suas escolhas mais com base no crescimento e menos na segurança e regressão. Um psiquismo mais aberto ao crescimento escolhe o novo, o desafiante e o desconhecido.

Uma mente amadurecida é aquela que adquire autonomia, independência e responsabilidade por seus atos. Estruturalmente, é quando o Ego é forte o suficiente para melhor lidar com as demandas do Id e do Superego e adequá-las à realidade. Um Ego forte, maduro, é um Ego capaz de tolerar frustração e ansiedade, de controlar os impulsos e de aceitar sua não onipotência. A alma madura é aquela que mesmo tendo como base e raiz o narcisismo, na superfície é menos arrogante, egoísta, autoritária, egocêntrica, impulsiva e menos agressiva. Um Ego forte, portanto, não vive submisso às cobranças do Ego Ideal e do Ideal do Ego, ou escravo do Princípio do Prazer e do Id, nem sucumbe às pressões acusadoras de um Superego tiranicamente acusador e carrasco. É um Ego que sabe ser Ego, na acepção da palavra. Um Ego que sabe bem montar seu cavalo (emoções, impulsos e instintos).

Para crescer, a alma tem de diminuir. Diminuir seu narcisismo. Aceitar suas imperfeições e falhas. Saber coexistir com seus vazios interiores. Valorizar-se sem ser perfeita. Conseguir estabelecer uma relação equilibrada com o meio em que vive. Ter uma autoimagem e autoconceito positivos. É uma alma que sabe ser suficientemente forte para lidar com a vida e seus dissabores, ao mesmo tempo que sabe ser frágil e flexível o suficiente para ajustar-se às adaptações que o existir exige. Quanto mais humilde uma alma consegue ser, mais saudável ela é.

Do ponto de vista do desenvolvimento psicossexual, o amadurecimento se faz ao atingir a fase genital, quando se estabelecem as relações objetais maduras. Em uma relação objetal madura não se busca no outro o prazer autoerótico, mas sim o prazer altruísta, que é o prazer em dar prazer ao outro. É o prazer de amar, cuidar e zelar pelo objeto amado. É o prazer de se doar. Na fase fálica a libido é dirigida corporalmente à zona genital, contudo é um interesse no próprio corpo, e não um interesse no outro como o outro é. Nessa fase, adquire-se a identidade sexual e a procura não visa somente necessidades eróticas, mas também necessidades interpessoais. Se nas fases pré-genitais (oral, anal e fálica) a conduta egoica é de recepção e de posse, na fase genital a atitude é de doação e reciprocidade. A energia sexual busca a relação amorosa e não apenas seu próprio gozo. A fase tem seu começo após a latência e no surgimento da puberdade. Porém, não tem término, pois alcança sua maturidade quando a sexualidade agora está a serviço da interpessoalidade, das relações amorosas (amizade, cônjuge, família).

Erik Erikson vê a entrada na adultez através do conflito psicossocial denominado de Intimidade x Isolamento. No livro *Teorias da personalidade*[187] temos a seguinte descrição da entrada do ser humano em sua fase adulto jovem:

> jovens adultos estão preparados e dispostos a unir a sua identidade a outras pessoas. Eles buscam relacionamentos de intimidade, parceria e associação, e estão preparados para desenvolver as forças necessárias para cumprir esses compromissos, ainda que para isso tenham de fazer sacrifícios.

---

187 Galvim S. Hall, Gardner Lindzey e Jonh B. Campbell, Artmed, 4. ed., 2000, p. 174.

E isso só pode ser conseguido se o senso de identidade já estiver consolidado e o Ego fortalecido. É quando a sexualidade e os afetos podem ser verdadeiramente compartilhados com outros Egos. As intimidades apaixonantes e efêmeras da adolescência cedem espaço para as intimidades mais duradouras.

Uma relação de intimidade madura é aquela em que o psiquismo é capaz e está disposto ao compartilhamento de confiança mútua. A mutualidade envolve renúncias, concessões, sacrifícios e comprometimentos. A mente se acha suficientemente madura para não temer que o aprofundamento íntimo com o outro a faça perder sua identidade. É um relacionar-se sem fusão nem simbiose. Embora sempre exista algum resíduo de idealização, o que predomina é aceitação do outro como o outro é (o Eu-do-objeto).

Relações de intimidade existem desde a infância, porém o que estamos aqui a destacar é o nível da intimidade. Uma intimidade amadurecida alcança a profundidade e o equilíbrio. É uma intimidade de igual para igual. Sem magia, sem deslumbramentos e idealizações grandiosas. Uma intimidade da possibilidade e não do sublime. Um convívio regido pelo Princípio de Realidade e pelo Processo Secundário de Pensamento, e não pelo Princípio do Prazer e pelo Processo Primário de Pensamento. Onde há desejo, mas também frustração. Uma relação baseada no sentimento amoroso e não pelo arrebatamento das paixões e dos impulsos.

Erikson definiu o amor como uma dedicação madura ao outro que supera as diferenças entre os Egos e os Eus. Um amor íntimo que não exclui a pessoalidade e identidade de cada um dos envolvidos. Que respeita as dessemelhanças. Que une duas almas, mas que unidas conserva a separação entre elas. O amor maduro abrange a cooperação, a mutualidade, o companheirismo e a amizade. Somente uma alma amadurecida consegue amar de maneira assim madura.

John W. Santrock, psicólogo americano e Ph.D. em desenvolvimento humano, em seu livro *Adolescência*[188] relata pesquisas que demonstram que um sólido senso de Self nos jovens adultos é um fator importante na formação de conexões íntimas. A insegurança e posturas defensivas nas relações levam a comportamentos de superficialidade (nos homens) e dependência (nas mulheres). Detecta-se, inclusive, que graus elevados de intimidade estão ligados a um senso de identidade mais forte.

---

188 Artmed, 14. ed., 2014.

Se uma pessoa não consegue estabelecer laços pessoais mais íntimos e profundos, ela corre o risco de se isolar em termos de proximidade afetiva e de viver de maneira mais absorta em si mesmo. Evitar relacionamentos afetivos mais profundos e o não comprometimento com a intimidade revelam um Ego inseguro e frágil, que se refreia de se entregar à relação como uma forma de se preservar.

A maturidade psíquica nos coloca em condições de viver a vida com suas responsabilidades e desafios. Coloca-nos em posição de ser livres e compromissados, de nos autogovernar com sensatez e equilíbrio, e de nos emancipar das fortes demandas do egoísmo prepotente do narcisismo infantil. Mesmo que psiquicamente continuemos com nossa base infante, com suas instabilidades, inseguranças, agressividades e soberbas, o amadurecer da alma nos leva a melhor lidar com a nossa natural e original puerilidade.

A maturidade permite ao Ego se voltar aos seus potenciais e experimentar um sentimento de continuidade na vida (Verdadeiro Self). Segundo Winnicott, o Verdadeiro Self é a pessoa que se é e apenas ela, uma pessoa que se constrói a partir de suas tendências inatas e que emerge de si mesmo como um Eu autêntico e congruente. Do núcleo mais profundo do Verdadeiro Self humano emanam a criatividade e o sentimento de realidade pessoal.

O emergir psíquico do Ego maduro contempla novas metas, desejos e motivações. É consequência do processo de individuação em que a psique madura pode desenvolver suas reais potencialidades, estando ela assim fiel às suas aptidões profundas, e não mais tão complacente e submissa às tendências narcísicas de antes. Internamente, portanto, a maturidade psíquica engloba um Eu integrado, um Self-Verdadeiro, um Ego maduro e uma identidade definida.

Mas evitemos a ilusão das idealizações. Um psiquismo maduro não é um psiquismo totalmente maduro. A maturidade e a imaturidade convivem no mesmo espaço mental. Falar de Ego maduro não exclui a presença dos resquícios do narcisismo primário. Na psique madura coexistem o *senex* e o *puer aeternus*. Todavia, a maturidade egoica possibilita que a pessoa psicologicamente adulta fique menos exposta às atuações de suas infantilidades psíquicas. O narcisismo sempre estará presente no interior da alma, porém sua evolução ocorre de maneira saudável. Certo grau de idealização, egoísmo, egocentrismo e interesse compõe a maturidade da alma, sem comprometimento do altruísmo, do amor e de uma boa autoestima e autonomia.

Um Ego mais integrado facilita a autoaceitação e o senso de realização pessoal, se concebe imperfeito e assim se tolera sem sofrer pelas pressões e cobranças superegoicas narcísicas. Uma pessoa com um Ego integrado sente toda a vitalidade de sua alma e personalidade. Trata-se de uma pessoa bem-sucedida consigo mesma, que valoriza e se orgulha de suas conquistas, e que aceita humildemente seus fracassos e falhas. Que se conhece e se entende, e que também conhece o significado de sua vida. Isso não quer dizer que não haja mais conflito interno, mas que ela se mantém equilibrada apesar de seus conflitos internos. Enfim, uma psique a serviço da sabedoria racional, emocional e social.

> "Já não receio
> meu avesso de medos.
> Distingo as coisas
> em sua proposta exata
> e sei — cada ser
> possui justa medida.
> Já não almejo
> o que me foi negado.
> Prossigo a caminhada
> colhendo o que
> me coube, consoante
> o chão lavrado."
> (Lara de Lemos)

Narcisismo saudável

É comum associarmos narcisismo a aspectos psicopatológicos. O narcisismo, *latu sensu*, não se supera, contudo se desenvolve. As necessidades narcísicas persistem pela vida inteira. O que se suplanta é o narcisismo primário. A alma é naturalmente narcísica. É sua essência. O narcisismo com o crescimento psíquico se transforma e igualmente evolui. Não se extingue. A alma humana será sempre narcísica. É salutar ser-se, pois é saudável querer se expandir, é saudável ambicionar ir além dos limites inibitórios, porém circunscrito aos limites da realidade. É saudável aspirar ser mais, desde que seja dentro do que é possível ser. É saudável desejar ser melhor, mesmo que jamais se chegue ao cume de todas as suas potencialidades nas poucas décadas de vida do organismo. É saudável, pois o narcisismo move o homem. Como verseja a poetisa mineira Adélia Prado, "não quero faca nem queijo. Quero a fome".

A experiência narcísica começa com o estado de plenitude do psiquismo lactente. Freud chamava esse início de *Ego de puro prazer*. Kohut de *Self narcísico*. Tudo que é bom, agradável, prazeroso e perfeito lhe pertence (Ego Ideal). Depois, como vimos, a idealização é dirigida à figura materna (seio bom), formando-se, como sustenta a Psicologia do Self, a *Imago Parental Idealizada* (narcisismo atribuído aos pais). A grandiosidade inicial do Self se transforma em ambição saudável (desejo = fome), e a idealização parental se torna internamente aspirações e valores (sonho = fome). A alma quer fome. Sem fome, para que serve a faca e o queijo? A ambição empurra a alma à frente, enquanto os ideais a puxam.

Vida é movimento, e não apenas movimento físico. O que seria da alma sem ambição? Seria uma alma estagnada. Uma alma estagnada sofre, assim como sofre seu Eu e seu Self. Sofre a pessoa que nela habita. Ambição é desejo e desejo é falta. Falta ao ser humano ser perfeito, sabemos. Mas a alma não é feita exclusivamente pelo desejo de perfeição. A alma também carece de se ampliar, explorar o mundo e de melhor viver a vida com toda a intensidade e potencialidade possíveis. A força dos nossos potenciais transcende a força da sobrevivência. A alma quer mais do que sobreviver, ela quer viver. "Quem tem alma não tem calma", dizia Fernando Pessoa. A alma (o psiquismo) é espontaneamente inquieta. A alma quer mais dela mesma. Quem psicologicamente a limita é o Eu (pessoa) que a ocupa, que é muitas vezes um Eu assustado e inibido, um Eu neurótico, resultado de um Ego fragilizado pelas pressões e cobranças da instância superegoica. Um Ego Real que se envergonha e é humilhado pelo Ego Ideal e Ideal de Ego, cuja autoimagem lhe é negativa e inferiorizada. Um Self com baixa autoestima.

Consonante com o aqui exposto é a posição da psicanalista francesa Janine Chasseguet-Smirgel, que distingue o narcisismo normal do patológico a partir da distinção entre Superego e Ego Ideal. Este – segundo ela –, por ser o herdeiro do narcisismo primário, insiste em recuperar a onipotência perdida sem considerar os limites impostos pela realidade. Trata-se, portanto, do narcisismo patológico. No tocante ao Superego, por ser ele herdeiro do complexo de Édipo e da angústia de castração, reconhece os limites determinados pela realidade através da renúncia à onipotência. Trata-se do narcisismo normal.

A existência no interior da alma de um narcisismo útil e sublimável (narcisismo saudável), baseado em um amor para consigo próprio, não fechado em si mesmo, mas sim aberto ao outro e ao desenvolvimento afetivo para com ele, é uma força psíquica fundamental para reparar e elaborar lutos durante a vida. O narcisismo normal e saudável é um sólido lastro para uma autoestima consistente. Podemos inclusive afirmar que uma boa e estável autoestima é a expressão do narcisismo normal.

No fundo de toda e qualquer pessoa há uma alma que se acha especial. Há valia em se achar especial, especial para si mesmo e não para o mundo que é indiferente a si. É necessário e saudável sentir que tem importância existir, que a sua vida é importante ser vivida, embora o sol e as estrelas não tenham sido feitos para nós. É psicologicamente salubre se estimar e ter apreço para consigo. Doses moderadas de vaidade, ambição, orgulho e egoísmo (amor-próprio) compõem o narcisismo saudável. Em termos psicodinâmicos, uma autoestima adequada é fruto do narcisismo normal, que é derivado dos investimentos libidinais dos pais ou cuidadores da criança, assim como dos próprios investimentos que o psiquismo faz em si. Um narcisismo que aceita o seu lugar dentro da realidade, mas que não aceita a mediocridade imposta pelas limitações e refreamentos inibitórios de uma neurose. Um narcisismo que é saudável porque faz a alma crescer.

O outro não tem o poder de nos dar alegria ou felicidade. Se sentimos isso junto ao outro é porque este nos despertou o que já havia dentro de nós. Para que um psiquismo possa amar outro psiquismo, isto é, um indivíduo amar outro, é preciso que o psiquismo se ame primeiro. Uma psique investida de afetos amorosos (libido) se desenvolve mais salutarmente. Se a psique foi satisfatoriamente atendida em suas necessidades narcísicas infantis e teve tal investimento libidinal, levará pelo resto de sua existência esse importante lastro afetivo a basear suas relações e realizações.

Assim, é indispensável à maturação do psiquismo sua autoestima. Quanto mais o narcisismo se desenvolver saudavelmente melhor será a autoestima da pessoa. O narcisismo saudável possibilita que a psique enfrente momentos adversos, mantendo-se a personalidade coerente, estável e com sentimentos pessoais de boa valia. Um narcisismo sadio, portanto, dá ao indivíduo o sentimento de sua importância e autovalorização. Que fique claro, pois, que os componentes narcísicos naturais da alma humana são a fonte de onde brota a autoestima e a assertividade. Quanto mais um indivíduo for confiante de si (não em termos excessivos), mais terá um Self integrado e coeso o suficiente para ser afirmativo frente à vida e para estabelecer relações amorosas não dependentes.

Por isso, o narcisismo que nos é inerente, quando não leva a uma autopercepção exagerada e distorcida, gera uma base de autoconfiança e estima necessária ao bem-estar subjetivo que, por sua vez, gera melhor bem-estar nas relações interpessoais significativas. Sem um investimento libidinal em si mesmo não haveria amor-próprio. Algo daquela ilusão narcisista da grandeza do Eu persiste em nossa alma na formação do amor que temos por nós próprios. Como escreveu Freud em "Sobre o narcisismo: uma introdução":

> o investimento libidinal de objetos não aumenta o amor-próprio. A dependência do objeto amado tem efeito rebaixador; o apaixonado é humilde. Alguém que ama perdeu, por assim dizer, uma parte do seu narcisismo, e apenas sendo amado pode revê-la. Em todos esses vínculos o amor-próprio parece guardar relação com o elemento narcísico da vida amorosa.[189]

Um psiquismo esvaziado de libido de Ego representaria um Ego bastante frágil. A distribuição da energia psíquica entre o Ego e os objetos se faz salutar, sem o esvaziamento de um polo pelo outro.

> "Perguntas-me qual foi o meu progresso?
> Comecei a ser amigo de mim mesmo."
> (Sêneca)

Personalidade

Em sua aurora, a alma não possui personalidade. Psicologicamente, o psiquismo não nasce com uma pessoa, vai tornar-se uma pessoa. No início, a psique é uma tumultuada desorganização de impulsos e instintos. Não existe ainda um senti-

---

189 Op. cit., p. 117.

mento de Eu, nem sequer uma estrutura que possamos chamar de Ego. Os eventos psíquicos se misturam com os fisiológicos. O futuro núcleo do Eu se acha espalhado nas inúmeras experiências sentidas de maneira desagregada e fracionada. O Ego não se encontra ainda integrado. A personalização da alma começa, pois, com a integração do Ego e o surgimento do Eu na psique. Consideramos o personalizar, em suas fases embrionárias, como a elaboração de partes, emoções e funções somáticas. Aos poucos o psiquismo adquire a sensação de que o corpo aloja um Eu, ou, nos dizeres de Winnicott, "o sentimento de que a pessoa de alguém se encontra no próprio corpo". Alcança-se, assim, um Ego Corporal, isto é, uma unidade psique e soma que formam o esquema corporal do indivíduo.

Cada um vai se tornar cada um. Não há duas pessoas iguais e idênticas. Cada qual é em si mesmo uma totalidade singular. Existe a natureza humana e nela existem as diferenças individuais. É da natureza humana que o ser humano tenha personalidade. E é da natureza da personalidade ser única em cada homem.

Define-se personalidade de várias maneiras, seja como organização comportamental singular, seja como propriedades estruturais e dinâmicas do indivíduo. Utilizaremos a definição dos psicólogos americanos Lawrence A. Pervin e Oliver P. John: "personalidade representa aquelas características da pessoa que explicam padrões consistentes de sentimentos, pensamentos e comportamentos".[190] Enfim, como dizia Allport, *a personalidade é o que um homem realmente é*. E o que é um homem? E o que cada homem realmente é? É o que pensa que é? É o que sua memória e sua biografia dizem que é? Ou será que é também aquilo que esqueceu de si?

Sabemos que a formação da personalidade humana é um processo progressivo, complexo e único a cada pessoa, que começa com o biológico e interage com o social do indivíduo. A personalidade é um conjunto de particularidades e peculiaridades psicológicas que definem o jeito de ser da pessoa, isto é, sua maneira de pensar, sentir e agir. A personalidade é a própria individualidade do sujeito.

Gradualmente, como vimos, o psiquismo se organiza e se estrutura como um todo complexo. Sua base é fincada na infância, a partir da hereditariedade e da relação da psique infante com seus primeiros objetos cuidadores e suas experiências vivenciais. A personalidade se constitui ainda de frustrações, traumas e conflitos. Embora não haja uma personalidade idêntica a outra, pode-se agrupá-las e classificá-las sob dois

---

190 *Personalidade: teoria e pesquisa*, 8. ed., Artmed, 2004.

esquemas de categorização, a saber: traços e tipos. Segundo o psicólogo alemão Hans Eysenck, o traço de personalidade é "um conjunto de atos comportamentais covariantes; o traço aparece assim como um princípio organizador que é deduzido a partir da generalidade do comportamento humano observado". Para ele o tipo de personalidade é definido com um grupo de traços correlacionados.

Um dos modelos mais antigos de personalidade é o do grego Hipócrates, considerado o "pai da Medicina", que descreveu quatro tipos básicos de personalidade, sustentados pelo temperamento. Seriam eles: o sanguíneo (esperançoso e otimista), o melancólico (triste e deprimido), o fleumático (sereno e apático) e o colérico (esquentado e irascível). Dentro de sua visão, os sanguíneos eram extrovertidos, expansivos e agiam mais pelos impulsos. Os melancólicos, por sua vez, eram introvertidos, pessimistas e com tendência à solidão. Já os fleumáticos eram pacíficos, tímidos e sonhadores. E os coléricos eram cheios de energia, ambiciosos e dominadores.

Claudio Galeno, médico e filósofo siciliano de origem grega, no século II d.C., influenciado pelo pensamento hipocrático, desenvolveu a teoria dos humores, relacionando-os aos temperamentos. Assim, o sanguíneo devia seu otimismo ao sangue, o melancólico era triste por causa da bílis negra, a irritabilidade do colérico era consequência da bílis amarela, enquanto o fleumático era sensato e menos afeito às paixões por causa da fleuma. A teoria humoral hipocrática e galênica sobreviveu até meados do século XVII.

No século XVII, o filósofo inglês John Locke teorizou que a mente humana nasce vazia como uma folha de papel em branco (teoria da tábula rasa), que vai sendo preenchida com a experiência e a vivência com o mundo. Por sua vez, o filósofo francês Jean-Jacques Rousseau entendia que o ser humano nascia inocente, bondoso e pacífico, e que era corrompido e desvirtuado pelo processo civilizatório. É célebre sua frase "o homem nasce livre, e por toda a parte encontra-se a ferros".

Com o nascimento da Ciência Psiquiátrica entre os séculos XIX e XX, várias teorias e tipologias sobre a personalidade foram surgindo. O psiquiatra alemão Ernst Kretschmer, nas primeiras décadas do século passado, propôs uma tipologia da personalidade com base na constituição física, que seriam três: leptossômico (pequeno e magro), atlético (musculoso e grande de estatura média) e o pícnico (gordo e atarracado). O leptossômico teria uma tendência maior à esquizofrenia, o atlético à epilepsia e o pícnico tenderia à ciclotimia.

Nesse vasto universo teórico, várias concepções foram desenvolvidas. Destacamos algumas resumidamente, a partir de seus principais pensadores e pesquisadores:

Freud: entendia o psiquismo subdivido em três instâncias: Id, Ego e Superego. O Ego é a parte da psique. A infância é a base estrutural da personalidade.

Jung: para Carl Jung são quatro as funções psicológicas básicas: pensamento, sentimento, intuição e percepção. No tocante à relação da psique com o mundo e seus objetos externos, a personalidade teria dois tipos: introvertido e extrovertido.

Allport: considerava a personalidade determinada biologicamente, porém moldada pelo ambiente. O Eu é o aspecto central da personalidade e do crescimento dela.

Erikson: sua concepção entendia a personalidade se desenvolvendo ao longo da vida em oito etapas psicossociais, sendo as quatro primeiras relacionadas à infância, a quinta à adolescência e as três últimas à fase adulta até a velhice.

Murray: o psicólogo americano Henry Murray desenvolveu sua teoria em torno das motivações e necessidades. Para ele são dois os tipos de motivações: as primárias (orgânicas, como oxigênio, alimento e água) e as secundárias (psicogênicas, como afeto e realização). Murray deu mais ênfase à pressão da realidade ambiental sobre o psiquismo e seus efeitos.

Cattell: Raymond Cattell, psicólogo norte-americano, criou a Teoria de Traço Fatorial-Analítica. Para ele, o traço de personalidade é fundamental, sendo o traço uma estrutura mental inferida à parte do comportamento observável. Segundo ele, a personalidade é uma predição do que uma pessoa fará em uma determinada situação. Cattell empregou a análise fatorial[191] como recurso para a identificação das estruturas elementares da personalidade.

Eysenck: segundo ele, o comportamento seria representado por duas dimensões: introvertido/extrovertido e instável/estável. Sua teoria é baseada na genética e no temperamento. Para Eysenck, os traços de personalidade se desenvolvem a partir de origens biológicas.

---

191 A análise fatorial analisa a estrutura das inter-relações (correlações) entre um grande número de variáveis, pormenorizando um conjunto de dimensões latentes comuns, chamadas fatores.

O senso comum concebe a personalidade como o "jeito de ser de uma pessoa". Por mais apática ou influenciável que for uma pessoa, ela sempre terá uma personalidade. Não existe ser humano sem personalidade. A personalidade é a essência da condição humana.

O termo personalidade tem sua origem na palavra latina *persona* (em grego, *prósopon*), nome dado às máscaras usadas pelos atores na Grécia Antiga. É a mesma etimologia da palavra personagem. Não nascemos com máscara (persona). Nossa personalidade irá se construir no contato do psiquismo com o mundo externo. Nesse sentido, a personalidade é uma máscara social. Isso não significa fingimento, mas sim como nos vemos e como os outros nos veem. O guatemalteco Miguel Ángel Asturias, Nobel de Literatura em 1967, expressava que "os espelhos são como a consciência. Nós nos vemos como somos e como não somos, pois quem se enxerga na profundidade do espelho tenta dissimular seus defeitos e consertá-los para parecerem melhores". Nem sempre a perspectiva que fazemos de nós condiz com a perspectiva das demais pessoas. Tem aquele que se vê e se acha tímido, mas é visto pelos outros como arrogante, por exemplo.

Um dos fundadores da Psicologia Moderna,[192] o médico norte-americano William James, costumava dizer que somos três: somos o que pensamos que somos, somos o que os outros pensam que somos, e somos quem realmente somos.

O primeiro espelho humano é o olhar de quem lhe cuida. O objeto materno não apenas cuida do bebê que ali está frente a ele, mas também do bebê que povoa o seu mundo imaginário. Antes mesmo de um filho nascer, seus pais já o idealizam em seus psiquismos. O processo de parentalização (tornar-se mãe e pai) começa no imaginário. O bebê imaginário é portador da história dos pais. Para o psiquiatra e psicanalista francês Serge Lebovici, há a existência de três bebês: fantasmático, imaginário (subjetivos) e real (objetivo). O bebê fantasmático representa as fantasias inconscientes formadas desde a infância dos pais, mais precisamente da mãe. O bebê imaginário se constrói durante a gestação (diríamos que até antes mesmo da gestação, consequência das expectativas e desejos conscientes). Já o bebê real – o bebê que concretamente nasce – não é exatamente nem o bebê fan-

---

192 Após Wilhelm Wundt (médico alemão considerado "pai da Psicologia Moderna"), William James é reputado um dos pioneiros desse novo ramo da ciência. A Psicologia Moderna nasce quando da separação com a Filosofia e, através de investigações experimentais, passa a ser a ciência que estuda o comportamento humano e seus processos mentais.

tasmático, nem o bebê imaginário. Em relação aos pais, dizia Lebovici, faz-se necessário um trabalho psíquico de elaboração de luto, luto referente à perda do bebê idealizado. Esse luto talvez não seja totalmente elaborável, isto é, deve permanecer sempre algum resíduo do filho idealizado no psiquismo parental.

Como dizíamos, o primeiro espelho humano é o olhar de quem cuida dele. É com esse olhar que o psiquismo primitivo irá primariamente se identificar. Porém, também como dizíamos, é bem provável que tal imagem especular não corresponda tão fidedignamente ao bebê real. É uma imagem de superfície que embute algo do imaginário (consciente e inconsciente) dos pais. Esse Eu especular, portanto, é influenciado pelas projeções parentais, pela história familiar e pelo lugar que o filho ocupa no contexto dessa história. Desse modo, a primeira visão que o psiquismo tem de si a partir de fora é uma imagem algum modo intersubjetivamente distorcida. Em outras palavras, a primeira imagem do Eu é uma imagem não absolutamente fiel do verdadeiro Eu que potencialmente se apresenta ao espelho.

Retornemos ao pensamento freudiano a respeito: "podemos comprovar o investimento feito pelos pais: esses pais afetuosos realizarão em seus filhos tudo o que gostariam de realizar e não conseguiram. Os pais não são capazes de perceber as imperfeições e os fracassos de seus filhos, porque estes são os filhos perfeitos".[193] O Eu primordial é, assim, uma inaugural imagem que a mente vê que lhe é dirigida e que com ela se identifica, e é internalizada em termos estruturais como um Ideal para o Ego. O Eu psíquico é, dessa maneira, antes de tudo, um Nós.

A construção da personalidade é uma construção psíquica, isto é, é uma imagem que a psique faz de si (noção de Eu). Em sua superfície, o Eu em muito reflete o que a pessoa julga que é (autoconceito). O *homo sapiens* tem a capacidade de julgar, inclusive a si mesmo. Nesse sentido, a autoimagem é a premissa em que se baseia a construção da personalidade. Uma pessoa, por exemplo, que se vê e se julga incompetente provavelmente selecionará e destacará as situações e circunstâncias que validam tal imagem de si. A Psicologia Cognitiva chama isso de *abstração seletiva negativa*.[194]

---

193 "Sobre o narcisismo: uma introdução", op. cit.
194 Abstração seletiva é quando o indivíduo dá atenção e relevo a apenas uma parte que confirma sua hipótese sobre si. Trata-se de um estreitamento perceptivo em que só se focaliza aquilo que justifica sua crença pessoal (autoconceito).

O autoconceito está intimamente relacionado à autoimagem, e esta, à autoestima. Enquanto o autoconceito avalia a autoimagem, a autoestima são os sentimentos de como o sujeito se vê. Muito próximo do Self, o autoconceito dele se diferencia no sentido de que o Self define o sujeito como um todo, enquanto o autoconceito é a forma como o indivíduo se pensa. E isso depende da maneira de como ele se sente em relação a si mesmo (autoestima). E, porque não dizermos também, vice-versa. Gera-se, assim, uma espécie de retroalimentação: o que o indivíduo pensa de si influencia o que ele sente por si, e o que ele sente por si influencia o que ela pensa de si.

Aqui tocamos em um ponto interessante a se indagar: se personalidade tem a ver com imagem, se personalidade representa o "jeito de ser" da pessoa, então pode se mudar a personalidade? Sim e não. Sim, pois uma imagem é uma abstração, e por isso é mutável (se um indivíduo muda a "leitura" que tem de si, algo se altera nele e em seu comportamento). Não, porque o indivíduo continua sendo quem ele é, ele não se transforma em outra pessoa. Porém, a questão não é deixar de ser quem se é, mas sim melhor ser quem se é, isto é, otimizar-se.

O psiquismo é naturalmente plástico e mutável. Se assim não fosse ele seria algo dado e já pronto. A personalidade não é inata (inata são certas características geneticamente herdadas e que compõem o arcabouço da personalidade, mas não a personalidade toda), ela se desenvolve, ou seja, ela é construída com o tempo e com as experiências. Ela não é constitucional; ela é adquirida (estruturada) no tempo da existência. Uma pessoa de temperamento agitado e colérico, por exemplo, pode aprender a melhor controlar seu temperamento. Quando melhor se controla o temperamento, externamente as pessoas próximas tendem a dizer: "você mudou".

Entendendo a personalidade como uma totalidade de características psicológicas que determinam a maneira de ser, pensar, sentir e agir, e que é resultado de um processo gradual e dinâmico, pode-se ponderar sua mudança como possível. Talvez o termo mais adequado seja *mudança psíquica*. Os estados mentais são maleáveis e adaptáveis; portanto, são móveis. Como disse Freud, "o limite entre o que se descreve como estado mental normal e como patológico é tão convencional e variável, que é provável que cada um de nós o transponha muitas vezes no decurso de um dia". Esse fenômeno cambiante reflete uma capacidade psíquica de mudança.

Outra expressão que nos parece tão adequada quanto mudança psíquica é *reestruturação da personalidade*. Do ponto de vista estrutural, vimos que a personalidade se forma sobre uma estrutura psíquica tripartite: Id, Ego e Superego. Tal entendimento nos leva a ver o psiquismo como uma constante luta entre instâncias, mais precisamente entre o Id x Superego, cabendo ao Ego administrar demandas antagônicas a serviço da realidade. Para tal, é necessário um Ego forte capaz de conter as pressões internas. Um Ego frágil é mais vulnerável a se submeter ao Id ou ao Superego. Assim como um Superego bastante rígido e severo pode ter força psíquica opressora sobre o Ego, esmagando-o. Por isso Freud já dizia que o objetivo do tratamento psicanalítico é fazer com que onde antes era Id agora seja Ego, isto é, ampliar a energia psíquica à disposição do Ego. Tal reestruturação ou mudança psíquica se processa levando o Ego, através de insights e elaborações, a vencer suas próprias resistências (mecanismos de defesa), levando-o a tomar consciência dos conflitos internos, com vista a superá-los. Quanto mais a parte consciente da psique (Ego) se apropria do que lhe era antes inconsciente, mais o Ego dinamicamente cresce e se fortalece psiquicamente. Fortalecer estruturalmente o Ego é torná-lo mais independente do Superego, ampliando seu campo de percepção, e mais senhor do Id. A importância do autoconhecimento já se encontrava inscrita na entrada do templo de Delfos na Grécia Antiga, por meio do aforismo: "conheça-te a ti mesmo e conhecerás os deuses e o universo". A reestruturação da personalidade (mudança psíquica), portanto, não é uma mudança de personalidade, mas sim uma reorganização psicodinâmica da mesma.

Análogo à perspectiva acima descrita, não se muda a história ou a biografia, mas sim a sua leitura. A visão do indivíduo sobre si (autoimagem) e sobre o mundo e sua vida (cosmovisão) são igualmente passíveis de análise e mudança, intrapsíquica e interpessoal. Um indivíduo que se pensa mais frágil do que é, e com isso se comporta de maneira defensiva e retraída, quando se percebe menos frágil modifica não somente sua autoimagem, mas também seu comportamento frente à vida, o mundo e as pessoas. Como também disse certa vez Winnicott, "sentir-se real é mais do que existir, é descobrir um modo de existir como si mesmo, de relacionar-se com os objetos como si mesmo e ter um Self para retrair-se para relaxamento".

Um rearranjo estrutural potencializa o crescimento psíquico que, por sua vez, propicia o desenvolvimento e o maturar emocional do sujeito. Freud, em seu artigo de 1905, "Tratamento psíquico (ou mental)", escreveu:

> agora, também, começamos a compreender a mágica das palavras. As palavras são o mais importante meio pelo qual um homem busca influenciar outro; as palavras são um bom método de produzir mudanças mentais na pessoa a quem são dirigidas! Nada mais existe de enigmático, portanto, na afirmativa de que a mágica das palavras pode eliminar os sintomas das doenças, e especialmente daquelas que se fundam em estados mentais.[195]

Esta é a premissa principal do tratamento psicanalítico: a mudança psíquica através das palavras e das ressignificações. Ou seja, tornar consciente o inconsciente. Onde antes era Id ou Superego, que agora seja Ego.

"Não, Tempo, não zombarás de minhas mudanças!
As pirâmides que novamente construíste
Não me parecem novas, nem estranhas;
Apenas as mesmas com novas vestimentas."
(William Shakespeare)

---

[195] Imago, 1976, p. 302.

A MEMÓRIA E O TEMPO

Os dias talvez sejam iguais para um relógio,
mas não para um homem.
Marcel Proust

O tempo psicológico

A alma humana está não somente sujeita aos limites da realidade, mas também aos limites do tempo. Aliás, tudo que é vivo é finito. Tudo passa. Tudo acaba. No entanto, a alma em seu narcisismo não suporta perdas; não aceita termos. A alma humana em seus devaneios narcísicos deseja a imortalidade. O *homo mythicus*[196] (que antecede ao *homo sapiens*) aspira ser um *homo deus*.

O psiquismo humano nasce atemporal. Em seus primórdios não há sentido de tempo. A psique originariamente não sabe da provisoriedade das coisas e de sua existência. Ela é analfabeta de noção de tempo. Nada sabe sobre passado, presente e futuro. Vive sensitivamente o instante como se ele fosse cósmico e universal. A psique primitiva, portanto, tem uma vivência existencial *hic et nunc*,[197] isto é, o presente imediato. Ela é regida pelo Princípio do Prazer, cujo lema é o imperativo imediato da satisfação dos impulsos e desejos.

Embora o psiquismo desde seu início já registre as vivências, a marcação mnêmica delas e sua evocação serão no *posteriori*, quer dizer, no inconsciente estruturado em sua atemporalidade. A estrutura matricial psíquica precede à visibilidade do tempo psicológico.

---

196   O *homo mythicus* (homem mítico) é o homem mitológico, fantástico e quimérico. O psiquismo humano, antes de ser racional (*sapiens*) é *mythicus* (imaginário), ou seja, possui qualidades ficticiamente narcísicas.

197   *Hic et nunc* é uma expressão latina que significa o imediatismo do aqui-agora.

O tempo psicológico difere do tempo dos calendários e dos relógios. É um tempo não cronológico. Os gregos da Antiguidade usavam dois termos para o tempo: *chronos* e *kairós*. Chronos se refere ao tempo sequencial e linear (mensurável e quantificável), já kairós é de natureza qualitativa, isto é, o momento indeterminável em que algo acontece. Trata-se, pois, da experiência do momento. Da eternidade de um tempo que a mente temporalmente não sabe ainda sequer existir.

Primariamente, o psiquismo pensa de maneira caótica e fragmentada. Não há ainda noção de Eu, noção de limite, linguagem verbal e sentido de tempo. A noção do tempo e de sua sequência temporal é uma conquista paulatina da mente. No psiquismo lactente não há distinção entre manhã e noite, embora um bebê perceba claridade e escuridão; a mente somente age instintivamente, não sabe dos minutos, das horas, dos dias e dos meses. Para tal, é necessário haver o desenvolvimento da linguagem, pois ela é fator fundamental para a estruturação psíquica da temporalidade. A Psicologia do Desenvolvimento supõe que entre um e dois anos o psiquismo pueril começa a compreender alguma rotina e, assim, diferenciar, por exemplo, final de semana dos demais dias. Em torno dos 3 e 4 anos, já se consegue distinguir o antes e o depois, o ontem e o amanhã. E é a partir dos 4 anos aproximadamente que o psiquismo infantil já progrediu o suficiente para perceber a passagem de um dia. Segundo Piaget, uma criança em estado pré-operacional[198] não conseguiria coordenar as sucessões temporais e espaciais. Para ele, a aquisição do conceito de tempo só é possível na fase operacional, quando a criança adquire noção de velocidade e relação entre espaço e tempo.

Conseguir se situar no tempo é, para o psiquismo, uma obtenção cognitiva muito importante e fundamental para a compreensão da sucessão dos acontecimentos diários. Porém, sabemos que no início a mente não funciona assim. Por mais que o psiquismo desenvolvido consiga adquirir noção de tempo, no fundo da alma humana é inconcebível pensar em termos de brevidade e término. A mente não sabe ter tido um início, muito menos que terá um fim. Por não se perceber com começo nem fim, o psiquismo em suas bases originais se sente

---

198   Na fase pré-operacional a criança ainda é bastante egocêntrica e não consegue se colocar no lugar do outro. Ainda há ausência de esquemas conceituais, predominando no psiquismo a tendência lúdica. Na fase denominada de operatório concreto, o psiquismo infantil desenvolve noção de tempo, espaço, velocidade e casualidade.

eterno. Inconscientemente, para a mente humana é impensável a finitude, a decrepitude e a morte. É inconcebível para a psique primitiva (inconsciente à psique madura) imaginar sua própria morte. A pulsão de morte, de que falava Freud, não representa um desejo de morrer, mas sim o Princípio do Nirvana, que é a redução completa das tensões.

Do ponto de vista físico, o tempo não passa, não flui. O tempo apenas é.[199] Psicologicamente a noção humana de tempo está ligada ao campo senso-perceptivo. Nesse sentido é um evento psicológico, haja vista ser uma sensação e percepção da mudança derivada do movimento. Temos um modo interno de captar a passagem do tempo, e tal percepção não necessariamente coincide com o tempo cronológico. A consciência psíquica da passagem do tempo é o que chamamos de **tempo psicológico**.

O tempo psicológico é interno. Nem sempre tem relação com o tempo imposto pela realidade. A realidade psíquica tem seu tempo próprio, filtrado pelas vivências subjetivas e impregnado de afetos. É um tempo que se alarga ou se estreita dependendo do estado de ânimo da alma. Ele flui seguindo as emoções e as fantasias. Por ser uma experiência temporal interior, ela não é mensurável, porém é subjetivamente vivenciável. Por isso, um evento de duração de poucos minutos pode ter repercussões psicológicas de meses ou anos. Trata-se de um tempo baseado na percepção do evento, se agradável ou desagradável. Sua durabilidade em muito depende de tal percepção.

O tempo psicológico transcende o tempo cronológico individual e social. Em sua monumental obra *Em busca do tempo perdido*, obra romanesca em sete volumes publicada entre 1913 e 1927, Marcel Proust explora a durabilidade desse tempo subjetivado. No seu sétimo e último volume, *O tempo recuperado*,[200] escreveu: "uma hora não é apenas uma hora, é um vaso repleto de perfumes, de sons, de projetos e de climas". O tempo de que aqui falou Proust é o tempo impresso e tatuado na memória da alma. É um tempo espesso, frondoso e diferente. É um

---

199   O tempo na Física Clássica (mecânica newtoniana) é absoluto e uniforme, isto é, ele transcorre sempre da mesma forma. Dizia o físico e matemático inglês Isaac Newton: *o tempo absoluto, verdadeiro e matemático, por si mesmo e por sua própria natureza, flui igualmente sem relação com nada de externo, e com outro nome, é chamado de duração*. Já para o físico alemão Albert Einstein (teoria da relatividade/Física Moderna), passado, presente e futuro são apenas ilusões.
200   *Em busca do tempo perdido: o tempo recuperado*, 7. ed., Ediouro, 1995.

tempo resgatável e que dá significado ao presente. Ele vem do ontem ontológico, e subjaz invisível no viver humano do seu presente. Como dizia Proust:

> é assim com o nosso passado. Trabalho perdido procurar evocá-lo, todos os esforços da nossa inteligência permanecem inúteis. Está ele oculto, fora de seu domínio e do seu alcance, nalgum objeto material (na sensação que nos daria esse objeto material) que nós nem suspeitamos. Esse objeto, só de acaso depende que o encontremos antes de morrer, ou que não encontremos nunca.[201]

Seja psicológico, seja cronológico, o que é o tempo afinal? Santo Agostinho (Agostinho de Hipona) reflete filosoficamente sobre a questão no Livro XI de sua obra *Confissões*.[202] Tematizou ele:

> que é, pois, o tempo? Quem poderá explicá-lo clara e brevemente? Quem o poderá apreender, mesmo só com o pensamento, para depois nos traduzir por palavras o seu conceito? E que assunto mais familiar e mais batido nas nossas conversas do que o tempo? Quando dele falamos, compreendemos o que dizemos. Compreendemos também o que nos dizem quando dele nos falam. O que é, por conseguinte, o tempo? Se ninguém me perguntar, eu sei; se o quiser explicar a quem me fizer a pergunta, já não sei.

Para Agostinho, o tempo é um só: o presente. "Se nada sobrevivesse, não haveria tempo futuro, e se agora nada houvesse, não existia o tempo presente", disse ele. No agora do presente conserva a alma tanto a memória do passado quanto a espera do futuro. No futuro que ainda não é, o amanhã existe na alma que o espera. E mesmo o passado que já não mais existe, existe na memória da alma que guarda a lembrança das coisas passadas.

Seguindo a lógica agostiniana, o tempo é imensurável, visto o presente não ter extensão. Um instante deixa de ser velozmente em cada instante, e se transforma

---

201 *Em busca do tempo perdido: no caminho de Swann*, 3. ed., Globo, 2006, p. 44-45.
202 Apostolado da imprensa, 1995, p. 333.

aceleradamente em passado. Nesse sentido, o tempo não é um sucedimento de espaços separados, mas sim uma continuidade indivisível e inseparável. Este é, pois, o tempo da alma: que se distende e se assenta na vida interior do ser humano.

O poeta de língua inglesa T. S. Eliot, Prêmio Nobel de Literatura de 1948, assim poetizou: "o tempo presente e o tempo passado/Estão ambos talvez presentes no tempo futuro/ E o tempo futuro contido no tempo passado". Sim, a vida humana é constituída por uma pluralidade diversa de momentos registrados na memória que funciona não como um depósito de acontecimentos, porém como um conjunto complexo de componentes subjetivos que se mesclam, se misturam e se fundem constantemente. O ser humano é inconcebível e impensável sem o tempo. O tempo em nós nos eleva além da condição de sermos apenas animais. O tempo nos humaniza.

Conscientemente o psiquismo vive o instante. Estamos sempre no presente, mas podemos no presente estar psicologicamente voltados ao passado ou ao futuro. A psique no presente tanto pode estar sonhando com a amanhã quanto relembrando seu passado. O passado é por excelência um tempo passante. O passado sempre passa. O passado é substancialmente o tempo que fica. Estamos o tempo inteiro no passado com o presente. Estamos o tempo inteiro no presente indo ao futuro. O futuro é o tempo da incerteza. O passado o tempo cumulativo. Vivemos cada instante no aqui-agora com o pano de fundo da memória. Temos o passado que se evoca e o passado que se repete. Ninguém está livre do seu passado. Como afirmava o poeta e filósofo espanhol George Santayana, "quem não recorda o passado está condenado a repeti-lo". Nossa memória muitas vezes nos conduz.

"Qualquer tempo é tempo.
A hora mesma da morte
é hora de nascer.
Nenhum tempo é tempo
bastante para a ciência
de ver, rever.
Tempo, contratempo
anulam-se, mas o sonho
resta, de viver."
(Carlos Drummond de Andrade)

O passado da alma

O ser humano é um ser de reminiscências. A memória faz mais que recordar o passado no hoje, pois não há hoje humano sem memória. No interior da memória nasce o sujeito e sua identidade. A personalidade humana inexistiria sem memória.

Ninguém nasce vestido, mas nascemos com memória. Memória filogenética e genética, e memória fetal. Da espécie trazemos a memória ancestral de mamar. Trazemos igualmente nosso patrimônio hereditário contido nos genes. No popular se diz "veio de fábrica". Nossa "fábrica" é composta pelos cromossomos dos nossos genitores, e sua transmissão não é diretamente psíquica, mas biológica. Mesmo que o código genético não determine a pessoa que seremos, ele provavelmente influencia nossas primeiras ações e respostas. Assim, por exemplo, certa vulnerabilidade biológico-genética pode influenciar um lactente na forma de hipersensibilidade a certos estímulos estressores. O temperamento humano tem uma dupla filiação: biológica e ambiental. O primeiro ambiente humano é sempre o útero. Posteriormente o ambiente extrauterino, além de físico e material, é também sócio-histórico-cultural.

Já se nasce com algumas redes neurais formadas. Estima-se que aproximadamente em torno do 30ª semana de gestação a memória fetal já seja capaz de reter informações da vida uterina. Por meio de ultrassonografia, estudos apontam que o ser humano não nasce uma "folha de papel em branco". O feto não é um corpo inerte, ele tem experiências sensoriais e cenestésicas. O psiquismo fetal memoriza o que sente como uma espécie de registros básicos. Afinal, o psiquismo não se inicia com o parto, já existe no pré-natal.

O psiquismo tem capacidade de armazenar informações. Tal capacidade é conhecida como memória. A memória permite aprendizagens, por mais rudimentares e toscas que sejam. Trata-se de um arquivo psíquico complexo que envolve neurônios e conexões sinápticas. A manutenção de respostas adaptativas, tanto da espécie quanto do indivíduo, tem papel preponderante. Sem memória não haveria passado na alma. Sem passado não haveria de se formar uma pessoa dentro da alma. O senso de nossa individualidade, a pessoa que se é, é um sentimento consciente da nossa singularidade e existência. Somos e nos sentimos como uma uniformidade biográfica, isto é, percebemo-nos como uma continuidade entre o que fomos (passado) e o que queremos ser (futuro). Vivemos, pois, sempre no intervalo de um presente entre o não mais e o ainda não. Como afirmava o escritor britânico Oscar Wilde, "não há homem que não seja, em cada momento, o que tem sido e o que será".

O futuro é um tempo psicológico muito influente na alma humana, pois é nesse tempo incerto que se projetam as ambições, os sonhos e os ideais. O indivíduo é uma continuidade de sua história, tendo na memória o prolongamento do passado no presente. O filósofo francês Henri Bergson, conhecido por seus estudos sobre consciência e memória,[203] ponderou não serem possíveis dois momentos idênticos na consciência, pois cada momento "contém sempre, além do precedente, a lembrança que este lhe deixou". A psique traz em seu passado suas frustrações, porém é no futuro que a alma suspira a realização de seus desejos. Cada presente é o fim de um futuro pretérito, isto é, o hoje já foi para o ontem seu amanhã. O psiquismo estende para o futuro vindouro o futuro pretérito que o presente não realizou. A alma é insaciável em sua fome de ideais, e a fonte de sua fome é inesgotável. Como diz o poeta Ruy Espinheira Filho no início do seu poema "Aniversário": "metade do tempo consumada/ ou ainda mais./ No peito, a mesma fome, a mesma sede/ do menino, do rapaz".

Todavia, sendo o futuro um tempo incerto, nele psicologicamente tanto habitam as aspirações quanto os medos. A relação psíquica entre o Eu e seu futuro pode ir da esperança à desesperança. Podemos ver no amanhã a esperança de ser o que ainda não somos, de realizar o que ainda não realizamos. Podemos sonhar com dias melhores no futuro. Porém, igualmente, podemos temer que o futuro nos reserve dias piores. O Eu com seu amanhã é ambíguo. Talvez o futuro seja o tempo mais psicológico dos tempos psicológicos. Nele habitam até nossos enganos. Assim reconhecia Fernando Pessoa na estrofe que abre seu poema "Andaime":

"O tempo que eu hei sonhado
Quantos anos foi de vida!
Ah, quanto do meu passado
Foi só a vida mentida
De um futuro imaginado!"

---

203 Vide *Matéria e memória: ensaio sobre a relação do corpo com o espírito*, Martins Fontes, 2010.

A alma é repleta de sonhos não consumados e idealizados. Se no presente não se é quem no passado se sonhou um dia ser, resta ainda o futuro como esperança anímica. O passado e o futuro tanto podem ser "lugares psicológicos" onde nos refugiamos da insatisfação do presente quanto podem ser "lugares psicológicos" para nos atormentarmos. Certa vez exprimiu Albert Einstein: "a diferença entre passado, presente e futuro é somente uma persistente ilusão".

Seja quem o sujeito for, ele só é quem é por causa de seu passado. O sujeito é sempre histórico. O sujeito é fincado no passado. Mesmo que nem lembre de todo o seu passado e história, tudo o que se vivencia – sentimentos, pensamentos e desejos – acompanha o ser humano em cada instante da trajetória de sua existência. Como escreveu Henri Bergson, a personalidade e o caráter são

> a condensação da história que vivemos desde o nosso nascimento, antes dele até, já que trazemos conosco disposições pré-natais. É certo que pensamos apenas com uma pequena parte do nosso passado; mas é com o nosso passado inteiro, inclusive com nossa curvatura de alma original, que desejamos, queremos, agimos.[204]

O passado psíquico tem seu lugar na memória. E de que é feita a memória? É feita de lembranças, sensações e sentimentos. Mas a memória também é feita de esquecimentos. A matéria da memória é a experiência vivida, é a apropriação subjetiva pelo psiquismo sobre sua realidade objetiva. Não existe percepção *a posteriori* que não esteja entranhada pelas lembranças. As experiências passadas se misturam no presente dos sentidos e das sensações. Consciente e inconscientemente, nossas qualidades sensíveis e perceptíveis estão impregnada de memória. Complementaríamos Shakespeare dizendo que somos feitos da mesma matéria de que são feitos nossos sonhos e nossas lembranças.

O lugar físico da memória é o cérebro. Seu lugar anatômico no cérebro acredita-se ser o hipocampo (memória de longo prazo). Situado nos lobos temporais, o hipocampo é ligado diretamente às fibras de transmissão dos acessos multissensoriais dos sentidos. Na alma não há um lugar anatômico, visto ser ela imaterial. Na alma a memória se espalha por ela inteira.

---

204 *Memória e vida*, Martins Fontes, 2006, p. 48.

A memória é feita em três tempos: o da codificação, o do armazenamento e o da recuperação. A memória tanto pode ser explícita quanto implícita. A memória explícita é uma memória declarativa (envolve a consciência) e a implícita é uma memória não declarativa (não envolve a consciência). A memória também pode ser racional (ligada ao córtex) e emocional (ligada à amígdala cerebelar). A memória emocional é inconsciente, e é fundamentalmente atemporal.

"Ninguém se cura da própria infância", diz o filósofo francês André Comte-Sponville. A criança que um dia se foi reside nas entranhas labirínticas da memória de um adulto. O presente em que se encontra o Eu consciente é separado do passado por uma dupla força: a da lembrança e a do esquecimento. Uma lembrança que se faz consciente não é mais a lembrança do que ficou e se foi, mas a lembrança que se lembra interpretada pelo presente. Até o evento que lá atrás se fez lembrança não é o exato evento que ocorreu, mas é como a mente à época percebeu e compreendeu. Em princípio, nenhuma lembrança é totalmente fidedigna. Ela se imprimiu na alma pelo filtro das emoções e das fantasias.

A memória é composta de traços mnêmicos. Um traço mnêmico é uma inscrição, uma impressão que marca o psiquismo. Um traço mnêmico é, pois, uma representação psíquica de algo. Se a pessoa é uma construção que faz na alma, cada traço mnêmico, cada marca, é um tijolo que se coloca no edifício humano.

Uma representação mnêmica já é resgatável à consciência do Eu se nela for investida uma *energia de atenção*. Uma lembrança ou um pensamento só é psicologicamente visível ao Eu se a ela/ele for dada(o) luz pela energia que nela(e) se concentra. Toda representação psíquica (consciente ou inconsciente) é na mente uma ideia. O interior da pura escuridão só se ilumina quando uma ideia é energizada pela atenção. Em outras palavras, uma ideia ou pensamento só é consciente quando psiquicamente recebe a energia de atenção.

O conceito de energia psíquica é uma metáfora bastante útil para a compreensão de fenômenos intrapsíquicos. Ajuda-nos, por exemplo, no entendimento da dinâmica de como um pensamento pode ser reprimido e expulso da consciência. A energia tanto é condensável como deslocável. Graças a essa capacidade de deslocamento da energia, ela pode se ligar ou se desligar de uma representação psíquica qualquer, assim como ser transferida de um conteúdo mnêmico para outro. Não é o pensamento que se movimenta no psiquismo da esfera consciente para a inconsciente. Pensamentos não ocupam um lugar físico ou anatômico. O que se desloca é a energia. Desligado de energia, um conteúdo mental "desaparece" do Eu consciente. Conteúdos intrapsíquicos assim reprimidos, embora apagados pela ausência de luz (investimento de energia), não desaparecem da psique. Permanecem nela inconscientes à consciência. Resumidamente, a memória inconsciente é um conjunto de conteúdos psíquicos não presentes no campo cognitivo da consciência. Tais conteúdos, barrados da consciência, podem retornar não como lembranças, mas como sintomas psicológicos e/ou somáticos. É o caso das antigas histerias conversivas, quando há um desvio da esfera mental para uma inervação somática.

A memória guarda mais do que apenas lembranças. Guarda sensações a elas ligadas. Nessa perspectiva, a memória é a conservação na alma de sensações e afetos, sejam elas prazerosas ou dolorosas. O esquecimento, portanto, é para o Eu Cognitivo a perda da lembrança, quer dizer, a perda de sua ligação com o Eu do Ego. A mente é escapista: se algo intrapsiquicamente é doloroso, ela busca fugir do que lhe incomoda. Como o que a incomoda parte de dentro dela, ela o esquece, apagando-o (reprimindo). O esquecimento representa o silêncio e a mudez de um pensamento.

Pela lógica aqui disposta, o mesmo pode ocorrer com o sentimento. O sentimento é um estado afetivo em que o psiquismo tem consciência do que se passa com seu organismo. Se a emoção é uma resposta bioquímica e neural que ocorre nas regiões subcorticais do cérebro, o sentimento é uma resposta intelectiva à emoção, isto é, como o indivíduo se sente frente à emoção. Como diz a neurocientista neozelandesa Sarah McKay, as "emoções ocorrem no palco teatral do corpo. Sentimentos ocorrem no palco da mente".

Teórica e literalmente não podemos falar de afetos inconscientes. O que psicologicamente faz um afeto não ser sentido pelo Eu (consciência) é a separação da ideia (significante) do afeto. Assim, como dizia Freud, um afeto pode ser inibido ou suprimido, porém não recalcado. Portanto, como escreve o psicanalista Luiz Alfredo Garcia-Roza,[205] "o que é inconsciente não é o afeto propriamente dito, mas a representação à qual estava originalmente ligado". Em outras palavras, o afeto não é, ao pé da letra, inconsciente. O que ocorreu é que sua ideia foi reprimida/recalcada.

Sentir vem do verbo latino *sentire*, que significa perceber pelos sentidos. Assim, o psiquismo pode igualmente reprimir de sua consciência um sentimento, retiran-

---

205 *Introdução à metapsicologia freudiana 3*, Zahar, 1995.

do a percepção sobre ele. Como se diz: *sentimento que não se pensa é cego*. Podemos não estar sentindo raiva ou culpa, por exemplo, mas nos comportamos agressivamente ou nos punimos sem perceber. Talvez seja por isso que assim tenha escrito Fernando Pessoa: "sou um visual. O que na memória trago, trago-o visualmente, se susceptível é de assim ser trazido". Parte de nossa memória está fora de nós.

"Recife...
Rua da União...
A casa de meu avô...
Nunca pensei que ela acabasse!
Tudo lá parecia impregnado de eternidade."
(Manuel Bandeira)

Finitude

A finitude é o destino de tudo, afirmava o escritor português e Nobel de Literatura de 1998 José Saramago. A morte é o momento em que a eternidade sai da alma. A alma aspira à eternidade. Não há nada que esteja vivo que não morra, pois a morte habita a vida. Dizia Santo Agostinho que a materialidade da vida é uma morte vivente ou uma vida morredoura. Mas a alma se engana de imortalidade.

No fundo inconsciente da mente humana é impensável a finitude, a decrepitude e a morte. Em nossas entranhas anímicas e narcísicas a alma se pretende permanente e não transitória. A brevidade da vida é inadmissível para a onipotência psíquica. A dissolução (morte) do Ego é intolerável para um narcisismo que se pretende ilimitado. Regido pelo Princípio do Prazer, o psiquismo basal não suporta qualquer limite. A imortalidade nos é tão ilusória quanto nosso narcisismo. O Ego Ideal, portanto, é imperecível.

O Eu é fruto do Ego e de seus ideais. O Eu sabe que um dia morrerá. Quem nega a morte de si é o Ego Ideal. Esse horror à morte se encontra nas profundezas psíquicas do inconsciente humano. O Eu do Ego, o Ego Cogito, vive na realidade da vida e da morte. Quem dela se esquiva é o Ego Ideal, por não admitir a perda da onipotência. Quem acha que pode tudo também se acha imortal. Formulou

Freud que *no inconsciente cada um de nós está convencido de sua própria imortalidade*, afinal o tempo não passa no inconsciente, pois o inconsciente é atemporal.

A morte da alma nem sequer pode estar na memória, porquanto o psiquismo nunca passou pela experiência de sua própria morte. Talvez o que se tema seja mais do que o desconhecido e o nada. Talvez o maior pavor da mente seja o desaparecimento do abandono, o desaparecimento do mundo e dos outros, e a eterna solidão da perda de tudo.

Como narcisicamente aceitar que o mundo e a realidade vivem sem mim? Logo cada um de nós, que egocêntricos nos achamos o centro do mundo, como aceitar um mundo sem o mim? Como tolerar que a vida não nos pertença e que a realidade não precisa de nós para continuar? Como pode o narcisismo, que leva o indivíduo acreditar que é especial, conceber que o universo lhe é indiferente? O Eu pode, a contragosto, saber que é mortal. O resto do psiquismo não.

Morrer é acabar. A mente se defende de tal possibilidade reprimindo-a, negando-a, iludindo-se de que mais adiante lhe espera uma Pasárgada ou um Shangi-La. Mesmo para o Eu consciente de sua finitude, a morte não é algo para ser pensado. Quem muito pensa em sua própria morte se deprime, ou se encontra deprimido. O medo da morte se encontra na base psicológica do homem.

Segundo o antropólogo americano Ernest Becker, em seu livro *A negação da morte*,[206] "a ideia da morte e o medo que ela inspira perseguem o animal humano como nenhuma outra coisa. É uma das molas mestras da atividade humana – atividade destinada, em sua maior parte, a evitar a fatalidade da morte, a vencê-la mediante a negação de que ela seja o destino final do homem". A alma humana, que crê ser o mundo um palco para seu heroísmo, vê-se em conflito com a fatalidade de se deparar, afinal, em ser um homem trágico.

Mesmo que o medo da morte seja essencial à sobrevivência, e por mais que o psiquismo lute com todos os seus mecanismos defensivos e busque falsear a realidade, o organismo que sustenta a alma envelhece e perece. Por mais que se queira bani-la ou ocultá-la, a vida é transitória e finita. A psique pueril pode ignorá-la (*puer aeternus*), mas o mesmo não pode fazer a mente madura (*senex*). Lidamos com a perda e a morte a vida inteira.

---

206 Record, 2007.

"A vida é a perda lenta de tudo o que amamos."
(Maurice Maeterlinck)

Como vamos acabar? Não adianta desejar viver para sempre e achar que isso é possível. Não é. A impermanência nos aflige. A finitude frustra o Ideal de Ego e seus projetos de felicidade plena e duradoura. Aqui reside a ansiedade básica. O futuro acaba sendo para a alma o fracasso de seu narcisismo. Por isso muitos vivem desesperadamente em busca do elixir da eterna juventude. A ideia da eternidade nada mais é do que uma batalha para escapar do sofrimento de envelhecer e morrer. Nesse duelo do narcisismo e da realidade, a segunda sempre ganha. Por mais que se encubra a transitoriedade com véus de permanência, a brevidade da fragilidade do existir se revela.

O ser humano é um ser adaptável. O psiquismo também. Alheio às pretensões narcísicas que lhe são próprias, a mente tem recursos para lidar com o desaparecer e o morrer das coisas que lhe são significativas e afetivamente importantes. A mente lida com as perdas através do luto. O luto é uma reação psicológica necessária frente à dor emocional da perda de um objeto que lhe é significativo, ou seja, investido de energia afetiva (libido). O processo mental elaborativo do luto é um mecanismo psíquico de adaptação para continuar a vida sem o objeto perdido. O luto é um processo longo e penoso que leva a psique do enlutado a reinvestir no vazio deixado pelo objeto em sua vida.

Ao se perder alguém amado, quando o Self perde seu objeto, perde-se alguém que nos ama. Perde-se um objeto que não mais irá pensar em nós, desejar-nos. Como afirmou Freud, o luto só existe a partir de um investimento de base narcísica. E continua Freud:

> as recriminações feitas ao objeto eleito nada mais são que recriminações deslocadas para o eu do próprio sujeito, mostrando claramente que a escolha objetal havia se dado sobre uma base narcísica e por meio de uma identificação também narcísica, isto é, o eu da enlutada confunde-se com o próprio objeto. Assim a sombra do objeto caiu sobre o Ego e uma perda objetal se transforma numa perda do ego.[207]

---

207 "Luto e melancolia", em *Obras completas de Freud*, v. XIV, Imago, 1997, p. 253.

O processo de elaboração psíquica é uma função fundamental à mente. Trata-se da capacidade que ela tem de fazer frente às tensões provocadas pelas modificações externas e internas. Trata-se de uma assimilação dos acontecimentos modificantes que a psique se vê tendo de enfrentar. Um indivíduo que tem incapacidade de tal elaboração tende a desenvolver transtornos psíquicos e somáticos.

Provavelmente a primeira perda extrauterina seja a perda do útero materno em que se vivia. Da perda de um ambiente e modo de vida que não existe mais, outras perdas irão suceder, como a perda do seio idealizado (Posição Depressiva). A maioria das nossas primeiras perdas é mais de caráter simbólico e fantasmático. O enlutamento narcísico já se faz presente nos primeiros meses de vida humana, desde a época em que o psiquismo lactente tem percepção distorcida da realidade e mantém relações objetais parciais (vide sessão "Objeto interno e externo", do capítulo "O nascimento do sujeito"). Do ponto de vista da realidade, o desmame é igualmente outra perda, e tal luto remete o psiquismo rudimentar à Posição Depressiva de que faz menção Melanie Klein. Como em todo processo de luto, a elaboração do seio ideal consiste no desligamento da libido da representação idealizada. O luto primitivo, assim como os posteriores, portanto, está vinculado à realidade. A experiência nos demonstra que o luto narcisista não é totalmente elaborado e superado. Porém, sua insuficiência varia de indivíduo para indivíduo.

O processo do luto visa uma reorganização do psiquismo após a perda. O impacto da perda de uma pessoa querida e subjetivamente significativa, por exemplo, rompe um elo real entre o Self e o objeto. O Ego em trabalho de luto inicialmente diminui consideravelmente seus investimentos no mundo externo. Há uma introversão da libido de objeto para o Ego, ou mais precisamente do mundo externo em que o objeto real já não mais existe para a representação interna do objeto perdido. Assim, a lembrança do ente perdido fica hipercatexizada.[208] A representação mnêmica fica inflacionada, sugando energia do restante do psiquismo.

A psiquiatra suíça Elisabeth Kübler-Ross identificou cinco etapas para a experiência do luto se completar, a saber: negação, raiva, barganha, depressão e aceitação. A negação se dá inicialmente em relação à perda real. É uma defesa psíquica temporária que rejeita a realidade. É comum nessa fase o sujeito evitar falar

---

208 Catexia vem do inglês *cathesis*, que significa investimento. É o processo psíquico em que, na psique, a energia é vinculada à representação mental do objeto (objeto interno). Quando a representação psíquica do objeto (objeto interno) é sobrecarregada, usa-se o termo *hipercatexia*.

sobre a perda. Demoramos algum tempo para acreditar e nos acostumar. Não é uma negação psicótica onde a realidade é totalmente negada. O Self sabe que perdeu o objeto, mas psicologicamente fica com aquela sensação de que tudo não passa de um pesadelo e que irá logo acordar. Passamos um tempo sentindo que a qualquer momento a pessoa irá passar por uma porta e retornar ao nosso convívio. Apenas impressão. Há aqueles, contudo, que negam os sentimentos dolorosos e tocam a vida como se quase nada tivesse acontecido. Não choram a perda, não sofrem (luto ausente ou luto retardado).

A raiva se manifesta como uma revolta do mundo, em que o sujeito se sente injustiçado. Surge aí no interior do ser sensações de desespero, indignação, agressividade e zanga. Já na fase de barganha o sujeito começa dentro de si uma negociação consigo mesmo. A raiva começa aos poucos a ser substituída pela esperança. É a etapa das promessas.

A etapa da depressão eclode da melancolia e do sentimento de impotência. Uma tristeza profunda invade o psiquismo, que se sente vazio e solitário. É comum a pessoa se ensimesmar, voltar-se para dentro como se fosse uma concha. É um período em que a psique tende a se "autoflagelar" emocionalmente. É um importante momento psíquico onde lentamente se enfrenta o vazio da perda, e gradualmente vai se refletindo o verdadeiro significado da perda. Sem esse período de sofrimento, uma espécie de "vale de lágrimas", não é possível ao psiquismo concluir o processo de elaboração do luto que se alcança com a aceitação. Aceitando psicologicamente a perda, o psiquismo do enlutado reposiciona-se emocionalmente e a vida pode, finalmente, seguir em frente.

A morte é um mistério. Impensável à mente lidar com sua ausência absoluta. Como psicologicamente pensar o nada, o vácuo sem fim? Inexistir é o medo de quem existe. Ter em si próprio um início e um fim vai de encontro ao narcisismo natural da alma. A alma anseia a eternidade. A experiência da morte do outro já nos é por si só dolorosa, fere nosso narcisismo. E nada podemos fazer de fato. Às vezes o psiquismo se culpa pela perda, como se fosse possível a ele impedi-la. Isso está no âmbito da pretensa onipotência anímica. Lidar com a experiência de seu próprio desaparecimento, então, é atemorizador à alma. Psicologicamente necessitamos de fantasias de interminabilidade. De alguma forma, psiquicamente necessitamos de um céu ou eternidade a nos esperar. Isso assossega um pouco ou um tanto a inquietação da alma frente à inevitabilidade de sua morte. A realidade pura e concreta é intolerável à mente. Precisamos das fantasias, ilusões e sonhos para suportar a existência, afinal "somos feitos da mesma matéria que nossos sonhos" (Shakespeare).

> "Quando vier a Primavera,
> Se eu já estiver morto,
> As flores florirão da mesma maneira
> E as árvores não serão menos verdes que na Primavera passada.
> A realidade não precisa de mim."
> (Alberto Caeiro/Fernando Pessoa)

De senectude

A alma não envelhece. Quem envelhece é o corpo. Se dependesse do narcisismo humano, não se morreria. Quem definha e morre é o corpo. Acontece que a alma (o psiquismo) está atrelada ao corpo. Morrendo o corpo, o psiquismo desaparece. Dizia Oscar Wilde: "a tragédia da velhice consiste não no fato de sermos velhos, mas sim no fato de ainda nos sentirmos jovens".

O *puer aeternus* psíquico não envelhece. Quem amadurece é a qualidade *senex* da mente. O *puer* e o *senex* são lados de uma mesma moeda. Não é porque se cresce que o ser humano deixará de ter as qualidades naturais e originais do psiquismo primário. Em sua profundeza anímica, nunca o homem deixará de possuir seu mundo lúdico de sonhos e fantasias. No fundo a alma é infantil. O adulto que nela se formará é a sua superfície.

Para o psiquismo pode ser inexprimível o nada. Contrário é a velhice. Durante seu desenvolvimento, a mente humana construirá representações sobre a velhice. Psiquicamente não se consegue representar o absoluto nada, porém temos em nossas interioridades imagens de velho, construídas desde experiências e vivências com um, até representações sociais e fantasias a respeito.

Tais imagos e representações se conjugam no acervo do Ego Consciente. No inconsciente não há temporalidade, velhice ou morte. No narcisismo profundo da alma não há qualquer noção e limite. Se a alma é eterna, ela só o é em suas pretensões divinas. Se a alma é sempre jovem, ela só o é em suas próprias quimeras e ficções. Envelhecer pertence à biologia, quer dizer, ao organismo envelhecer é o processo natural de desgaste vital ao longo do tempo. O envelhecer corpóreo, portanto, é cronológico. Na idealização anímica não há velhice na eternidade.

Psiquicamente envelhecer é também um embate entre memória e desejo x atualidade. Não se sonha envelhecer. Apenas, com o passar dos anos, envelhecemos. Há um dito popular que pejorativamente diz: "quem gosta de velho é museu". O psiquismo não lida bem com a velhice, portanto narcisistamente a negamos. Quanto mais se nega o envelhecer, mais haverá o Eu do Ego de sofrer. Sofrer frente ao espelho do banheiro e frente ao espelho narcísico da alma. Porém, assim como é inevitável morrer, inevitável é envelhecer. Estamos, pois, fadados a duas frustrações narcísicas: não envelheceremos se morrermos jovens, mas, assim, iremos nos desiludir da eternidade. Se não morrermos jovens, morreremos velhos, mas, assim, iremos nos desiludir da eterna juventude. Não há saída, exceto viver.

É tarefa da psique madura elaborar o envelhecer do corpo e sua impotência. Um dia parece que nos depararemos com a percepção de que estamos velhos e ficando ainda mais velhos. A autoimagem e o esquema corporal deverão ser reformulados. Sem deixar de ser quem se é, deve-se aprender a ser o que agora se é. Chegar-se-á ao instante do poema "Espelho e Envelhecimento" de Cecília Meireles:

> "Eu não tinha este rosto de hoje,
> assim calmo, assim triste, assim magro,
> nem estes olhos tão vazios,
> nem o lábio amargo.
> Eu não tinha estas mãos sem força,
> tão paradas, e frias e mortas;
> eu não tinha este coração
> que nem se mostra.
> Eu não dei por esta mudança,
> tão simples, tão certa, tão fácil:
> - Em que espelho ficou perdida
> a minha face?"

O processo de decadência do corpo, a perda do vigor e da beleza juvenil, além da proximidade com a finitude, são injúrias narcísicas que o psiquismo maduro tem de lidar. Parece comum que o indivíduo, quando percebe que já não consegue gratificar seus desejos, possa entrar em conflito e recolher grande parte de sua energia psíquica voltada ao mundo externo, introvertendo-a a sua interioridade, mormente para sua memória e recordações do passado. Percebe-se, assim, um recrudescimento do narcisismo na velhice. Nesse ensimesmar com as reminiscências se denota certa defesa às limitações impostas pelo envelhecimento, como um mecanismo psíquico de manutenção da autoestima ameaçada.

Segundo o filósofo político italiano Norberto Bobbio, o tempo da velhice é o tempo da memória. Aos 87 anos de idade ele escreveu o livro *O tempo da memória*,[209] em que, ao falar sobre sua idade avançada, ele dispôs que para um velho o apropriado é conhecer e aceitar os limites resultantes do avizinhar-se do fim do ciclo da vida. Uma pessoa velha, entendia Bobbio, recorre à memória como forma de sobrevivência. Temia ele a rigidez dos pensamentos e o apego às velhas ideias em detrimento às novas. O excessivo apego às próprias ideias torna o psiquismo do velho faccioso. Em tom derrotista e cético escreveu Bobbio: "a velhice passa a ser então o momento em que temos plena consciência de que o caminho não apenas não está cumprido, mas também não há mais tempo para cumpri-lo, e devemos renunciar à realização da última etapa".

Não é incomum o surgimento de estados depressivos na pessoa velha. Quanto mais a pessoa for pautada por anseios narcisistas, mais tenderá a desenvolver baixa autoestima e visão pessimista da vida e do futuro. Personalidades lastreadas em uma autoimagem voltada à beleza e à estética são mais frágeis a sucumbirem frente ao enrugamento da pele e à flacidez muscular.

A presença de estados depressivos na velhice não significa que seja algo normal a essa etapa de vida. Com o avançar da idade algumas pessoas podem sentir que não mais possuem o controle de suas vidas devido a problemas físicos e limitações corporais. A solidão é outro fator influente no desenvolvimento da depressão, aumentando ainda mais o isolamento social do sujeito.

Não se sofre somente pressões advindas de fora do psiquismo (o corpo aqui incluído), mas também pressões intrapsíquicas, principalmente provenientes do Ideal de Ego sobre o Ego Real. Este cada vez mais se distancia de corresponder ao ideal superegoico. É como se o narcisismo não se reconhecesse ao espelho e o re-

---

209 *O tempo da memória: de senectute e outros escritos autobiográficos*, Elsevier, 1997.

futasse. O psiquiatra francês Jack Messy chama de "*Ego feiura*" o ataque do Ego Ideal sobre a imagem espelhada do Ego Real. O "Ego feiura" representa, assim, o ideal que se desconstrói na velhice. Trata-se de uma autoimagem deturpada pelo psiquismo quando não mais se sente objeto de desejo dos outros. E aqui reside um ponto bastante vulnerável na alma para o desenvolvimento de estados depressivos: a falta de projeções de ideais a serem alcançados. A alma é por natureza inquieta. Se ela se acalma e se conforma, adoece. A compressão intrapsíquica do Ideal de Ego sobre o Ego Real pode abatê-lo, levando à demolição da estrutura mental.

A velhice é inimiga da eterna juventude, da mesma maneira que a morte é inimiga da imortalidade. Sim, o envelhecimento do corpo não é sinônimo do envelhecimento da alma. Certa vez exprimiu o escritor de língua alemã Franz Kafka: "quem possui a faculdade de ver a beleza, não envelhece". A envelhescência da alma é diferente da do corpo. Uma alma velha é aquela que parou de crescer e de sonhar. O maturar psíquico não tem limite cronológico. Caso pudéssemos viver os anos de Matusalém, ainda haveria espaço intrapsíquico para amadurecer. Chegar à velhice não representa encerrar as ambições e o gosto pela vida. Disso sabia o romano Sêneca, que no primeiro século depois de Cristo afirmava ser boa a velhice. A tranquilidade em envelhecer é aceitar envelhecer. Aceitar não significa resignar-se a ser velho. É continuar buscando mais da vida em toda sua brevidade. Aceitar que perder a juventude na velhice não é perder a jovialidade do adulto longevo. É não caducar dos desejos de querer ser mais. Velho – um velho mentalmente jovial e aberto ao novo – é um velho vencedor em sua velhice.

A maturidade psíquica é aceitar continuar amadurecendo. O fim só chega quando termina a vida. É dos antigos velhos que vem a verdadeira sabedoria da alma. O escritor e orador romano Cícero, cerca de 100 anos antes de Sêneca, ensinava que "os velhos inteligentes, agradáveis e divertidos suportam facilmente a idade, ao passo que a acrimônia, o temperamento triste e a rabugice são deploráveis em qualquer idade". É imperdoável, ainda constatava, que "todos os homens desejam avançar a velhice, mas ao ficarem velhos se lamentam. Eis aí a consequência da estupidez". Uma alma lamuriosa é, pois, um psiquismo deprimido.

> "Quando era novo, mandei fazer numa tábua
> A canivete e nanquim a figura dum velho
> A coçar-se no peito por causa da sarna

Mas de olhar implorativo porque esperava que o ensinassem.
Uma segunda tábua pra o outro canto do quarto,
Que devia representar um moço a ensiná-lo,
Nunca mais foi feita.
Quando era novo tinha a esperança
De encontrar um velho que se deixasse ensinar.
Quando for velho, espero
Que se encontre um moço e eu
Me deixe ensinar."
(Bertolt Brecht)

AS VÁRIAS MÁSCARAS DO NARCISISMO

Eu não sou eu nem sou o outro,
Sou qualquer coisa de intermédio.
Mário de Sá-Carneiro

A configuração psíquica

Na mitologia grega havia uma esfinge e seu enigma "decifra-me ou te devoro" em que interpelava: "que criatura pela manhã tem quatro pés, ao meio-dia tem dois, e à tarde tem três?". Somente o jovem Édipo a decifrou: "o homem". O homem que ao início da vida engatinha (quatro pés), que adulto anda (dois pés) e que na velhice necessita de uma bengala para se locomover (três pés).

Outra pergunta antiga é talvez a mais intrigante indagação ontológica: "quem sou, de onde vim e para onde vou?". Não é fácil responder quem se é. Somos o que os outros dizem que somos? Somos quem aprendemos que somos? Ou será que somos ainda outra coisa? Conscientemente ou inconscientemente o ser humano está sempre em busca de si mesmo, o seu verdadeiro Eu.

Somos o que pensamos? Mas pensamos ser tantas coisas, e há tantos que se pensam ser a mesma coisa que não pode haver tantos – já refletia Fernando Pessoa.[210] Freud, por sua vez, acreditava, como já visto, que não somos quem pensamos que somos. A pessoa que pensamos ser é muito mais apenas a superfície de quem somos: o rosto que o psiquismo se deu. A face que a alma vê no espelho de

---

210 Trecho do poema "Tabacaria": "Que sei eu do que serei, eu que não sei o que sou?/ Ser o que penso? Mas penso ser tanta coisa!/ E há tantos que pensam ser a mesma coisa que não pode haver tantos!".

si mesma. Seja lá o que somos, somos sempre primeiramente uma máscara, ou uma roupa com que a alma se encobre para se proteger das intempéries do mundo e da vida.

"A vida é uma pedra de amolar:
ela vos desgasta ou afia, conforme o metal de que sois feitos."
(Bernard Shaw)

Vem do latim *persona* a origem da palavra personalidade. Persona é um tipo de máscara usada no teatro, feita para ressoar a voz do ator (*per sonare* significa "soar através de"). As máscaras também foram utensílios teatrais da Grécia Antiga, para evidenciar características dos personagens. Pois bem, toda personalidade é, em princípio, uma máscara. É a imagem com que uma pessoa se mostra externamente, mas igualmente é uma imagem com que a pessoa se vê em sua interioridade. A personalidade é o modo de ser do indivíduo. Mas o modo de ser de uma pessoa (personalidade) é o ser de uma pessoa ou a maneira como a pessoa se acostumou a ser? Depende. Depende como se está sendo definido o termo personalidade. Diríamos que as duas coisas, isto é, a personalidade tanto é a maneira como a pessoa se habituou a ser, como em essência quem ela realmente é ou pode ser. Existe a dimensão conhecida da personalidade (Eu do Ego) e a dimensão desconhecida (inconsciente). Como fator consciente, a personalidade é intrapsiquicamente uma imagem que o psiquismo faz de si ou o conceito que o indivíduo tem dele mesmo (autoconceito). A personalidade em termo total abrange o Eu e os outros subsistemas da psique.

O conhecimento que uma pessoa tem dela mesma (si mesmo) é chamado de Self. O Self, portanto, pode ser conceituado como aquilo que define o indivíduo em sua subjetividade. Desse modo, o Eu está subordinado ao Self. É o lugar psíquico da pessoa dentro da alma, sendo resultado de processos psíquicos que dão unidade e totalidade ao sujeito. Em termos psicodinâmicos, o Self é uma construção psicológica do Ego, uma representação psíquica de si. Nessa acepção, o Self é a porta de entrada do ser.

O aforismo "conheça-te a ti mesmo" inscrito no portal de entrada do Oráculo de Delfos na Grécia Antiga ressalta a importância do ser humano saber quem se é. Tornar-se o que se é não é tarefa fácil. Comumente o homem pouco sabe de si, e o pouco que sabe é o que ele pensa sobre si. "Conheça-te a ti mesmo e conhecerás os deuses e o universo" faz do viver humano uma busca de identidade e autenticidade. "Só sei que nada sei", frase atribuída ao filósofo grego Sócrates, enfatiza a própria ignorância humana, inclusive sobre si próprio. "Não procure fora. Entra em ti mesmo: no interior do homem habita a verdade" [*Noli foras ire, in teipsum redi: in interiore homine habitat veritas*], dizia Santo Agostinho.

Há quem diga que o ser humano tende a projetar na ideia de si mesmo quatro tipos de personalidade, a saber: a **personalidade rudimentar**, incerta e imperfeita; a **personalidade ideal, perfeita** e sem falhas ou erros; a **personalidade modelar**, introjetada a partir de um modelo ou protótipo idealizado em personagens ou ídolos; e a **personalidade autêntica**, que se aceita como se é, com defeitos e qualidades. Uma pessoa cuja personalidade em suas potencialidades é bloqueada por paralisações imaturas ou neuroses tende a sofrer de vazios, angústias, ansiedades, e do perpétuo conflito interno entre ser ou não ser. "Fiz de mim o que não soube,/ e o que podia fazer de mim não o fiz", escreveu Fernando Pessoa em seu poema "Tabacaria".

A roupa que vestirá a alma é sua personalidade. A personalidade irá se desenvolver e se constituir na alma a partir de seu contato com o mundo externo e a realidade. A formação da personalidade se organiza, sobretudo, na infância, é lá que se encontram as bases da personalidade humana.

"Depus a máscara e vi-me ao espelho. —
Era a criança de há quantos anos.
Não tinha mudado nada...
É essa a vantagem de saber tirar a máscara.
É-se sempre a criança,
O passado que foi
A criança.
Depus a máscara, e tornei a pô-la.
Assim é melhor,
Assim sem a máscara.
E volto à personalidade como a um terminus de linha."
(Álvaro de Campos/Fernando Pessoa)

Assim como temos sete notas musicais, e com as sete notas compõe-se um número incontável de composições musicais, o ser humano também tem todo ele características que nos fazem psicologicamente humanos. Na combinação dessas características, compomos várias maneiras de ser o ser humano. Há pessoas que são mais dominadoras e outras mais submissas. Há pessoas que são mais emotivas e outras menos emotivas, bem como pessoas que são mais extrovertidas, enquanto outras são mais introvertidas. Da mesma forma existem indivíduos mais persistentes e outros que facilmente desistem de seus projetos. Enfim, uma maneira de classificar a diversidade humana é agrupar o indivíduo pela presença de alguns traços comuns e relevantes. Dessa forma, por exemplo, o psiquiatra e psicanalista suíço Carl Gustav Jung considerou categorizar as personalidade em dois tipos (introversão e extroversão) e quatro funções (sensação, pensamento, sentimento e intuição). Já o psiquiatra alemão Emil Kraepelin classificou as personalidades como: instáveis, irritáveis, impulsivos, excêntricos, mentirosos, disputadores e antissociais. Pode-se também dividi-las em termos psicodinâmicos, como: personalidades erótica (dominada pelas demandas do Id), narcisista (centrada no Ego) e compulsiva (regulada pelo Superego). Ainda há quem as classifique no que concerne à estrutura, como: neuróticas, psicóticas e perversas. Ou com base no desenvolvimento da psicossexualidade em personalidades orais, anais, fálicas e genitais. No presente texto, consideremos em termos de maturas e imaturas.

Uma personalidade matura é aquela capaz de contrair verdadeiras relações afetivas, com boa capacidade para amar e ser amado, ajustada, equilibrada e saudavelmente funcional. Tem melhor segurança emocional e percepção realística de si mesma (autoconfiança e autoaceitação), com boa habilitação para lidar e tolerar frustrações e ansiedades.

O indivíduo psicologicamente maduro é capaz de relacionamentos interpessoais afetivos com intimidade e senso de Self consolidado. De acordo com Allport, pessoas amadurecidas têm autoconfiança, senso de humor, discernimento, entusiasmo e prazer. Todavia, não fiquemos com a concepção de uma pessoa perfeita, que não possui fraquezas ou carências. Todo ser humano, sem exceção, tem suas fragilidades e carências. Por mais amadurecida que possa ser ela, não existe ninguém que não tenha alguma insuficiência e/ou inibições e limitações psíquicas. O homem "normal", sem conflitos, é uma figura de linguagem. Uma pessoa normal, uma personalidade amadurecida, é aquela que detém equilíbrio emocional e bem-estar subjetivo, mesmo com suas carências, fraquezas e conflitos. Dependendo da circunstância e do momento, é um indivíduo que também oscila. Contudo, ao longo de sua existência, consegue manter-se em seu basal e em um controle e equilíbrio, em que oscilar entre alegria, tristeza, raiva e ansiedade não fogem ao seu usual, e nem lhe descompensa.

Por outro lado, há pessoas cujas personalidades se organizam em bases psicológicas frágeis. Personalidades que ainda mantêm fortes componentes orais, mais conhecidas como *personalidades de estruturação narcísicas*. São estruturas de personalidade imaturas, lábeis emocionalmente, excessivamente carentes, influenciáveis, dependentes, com baixa autoestima e Ego frágil. São usualmente pessoas inseguras, impulsivas, de comportamentos infantilizados, com baixa tolerância à ansiedade e à frustração.

Tais estruturas de personalidade são denominadas de *Transtornos de Personalidade*. Os transtornos de personalidade caracterizam-se como padrão arraigado e persistente de vivência subjetiva e comportamental, cujas configurações representam modelos de interações interpessoais desviantes da média em uma dada cultura. Os que sofrem destes transtornos distinguem-se por serem indivíduos bastante inflexíveis e mal ajustados a determinadas situações, comprometendo, assim, sua qualidade de vida, provocando sofrimento (em si e nos outros) e disfuncionalidade socioafetiva em várias esferas da vida.[211] Geralmente tais transtornos têm começo na adolescência e no início da vida adulta e tendem a perdurar ao longo do tempo.

Os transtornos de personalidade, conforme o DSM-V, são reunidos em três grupos, de acordo com semelhanças descritivas, a saber: Grupo A (esquisitos ou excêntricos), Grupo B (dramáticos, emotivos ou erráticos) e Grupo C (ansiosos ou medrosos). Não é incomum, entretanto, indivíduos exibirem traços que não se limitam a um único transtorno de personalidade.

Traços de personalidade não indicam propriamente um transtorno de personalidade. Tais transtornos caracterológicos somente são caracterizados quando os traços apresentados são rígidos e inadequados, causando prejuízo considerável na funcionalidade do indivíduo. Como descreve a Organização Mundial de Saúde (OMS):

---

211 As áreas mais afetadas são: cognição, afetividade, funcionamento interpessoal e controle da raiva e do impulso.

as características de personalidade por si só não caracterizam um Transtorno de Personalidade, elas são os traços, ou seja, padrões duradouros de percepção, relação e pensamento acerca do ambiente e de si mesmo, e são exibidos numa ampla faixa de contextos sociais e pessoais importantes. É somente quando as características de personalidade são inflexíveis e desadaptadas, causando um comprometimento significativo no desempenho da pessoa é que elas podem constituir-se em Transtornos da Personalidade.[212]

"Foi num lavatório de edifício público, por acaso. Eu era moço, comigo contente, vaidoso. Descuidado, avistei... Explico-lhe: dois espelhos – um de parede, o outro de porta lateral, aberta em ângulo propício – faziam jogo. E o que enxerguei, por instante, foi uma figura, perfil humano, desagradável ao derradeiro grau, repulsivo senão hediondo. Deu-me náusea, aquele homem, causava-me ódio e susto, eriçamento, e pavor. E era – logo descobri... era eu, mesmo! O senhor acha que eu algum dia ia esquecer essa revelação?".
(conto "O Espelho", Guimarães Rosa)

Perturbações narcísicas

Há muito mais subjetividade por detrás da máscara. Fachadas histéricas, obsessivas, borderlines, esquivas, paranoicas, psicopáticas, entre outras, camuflam carências narcísicas. Por baixo das superfícies submergem profundas enfermidades da alma, cujas raízes se encontram em dificuldades de identificação, autoconhecimento e autovalorização. São pessoas que não puderam avançar em seus narcisismos anímicos, seja por excesso de estimulação na infância, seja por escassez. Personalidades que se organizaram e se estruturaram em bases frágeis, cujo equilíbrio psíquico é débil.

Se na formação do Ego ele se deparou com um ambiente percebido como hostil e pouco seguro ao seu normal desenvolvimento, tenderá a se manter retraído e amparado no narcisismo primário. A angústia e o medo de viver dificultam

---
212 *Classificação de transtornos mentais e de comportamento, CID-10*, Artmed, 1993.

sua relação afetiva com os outros, de onde reações de natureza narcisista funcionam como uma busca de proteger a integridade psíquica ameaçada. Assim, uns se isolam socialmente, outros desenvolvem uma susceptibilidade paranoide, já outros podem procurar refúgio nas drogas, enquanto alguns inflam seus egos de ilusões narcisistas. Seja como for, uma psique vulnerável é mais propensa a reagir com ataque ou fuga.

Várias são as patologias narcísicas, e diversas podem ser suas morfologias, tais como compulsões, histrionismos, depressões, impulsividades, bulimias, perversões, adicções, transtornos de personalidade etc. São almas que padecem de vazios e de falhas básicas. Personalidades formadas a partir e ao redor de um Falso Self. Vítimas de uma história pregressa em que tiveram a desfortuna de encontrar um ambiente afetivo não suficientemente bom no desenvolvimento de suas infâncias.[213]

As patologias do narcisismo são em essência problemáticas da autoestima. Até mesmo uma personalidade manifestadamente narcísica (vaidosa, arrogante e soberba) demonstra falhas na consistência do Self. Sua vulnerabilidade psíquica é vista tanto na exigência em ser excessivamente admirada quanto nos frequentes sentimentos ou de inveja ou de estar sendo alvo da inveja alheia. Apresentam hipersensibilidade à crítica, podendo até reagir com sentimentos de raiva ou de vergonha. Por detrás de toda a prepotência, autossuficiência e empáfia, subjaz primitivamente uma criança que busca ser amada. A grandiosidade explícita e a tendência a se idealizar, a desvalorizar e a menosprezar os outros são artifícios psíquicos defensivos que visam proteger uma autoestima frágil, resultado de relações afetivas iniciais incipientes e conflituosas.

As atuais perturbações narcísicas são fruto de um desenvolvimento prejudicado no surgimento do Eu e da personalidade em sua relação com o ambiente socioafetivo. Quando o psiquismo em formação não encontra um ambiente amparador e empático, pode se retrair em uma autossuficiência ilusória, buscando encontrar em si mesmo o atendimento de suas necessidades narcísicas de ser admirado e amado. O elevado investimento da energia psíquica em si mesmo é

---

213 Segundo o teórico cultural e sociólogo jamaicano Stuart Hall, "a identidade é formada na 'interação' entre o eu e a sociedade. O sujeito ainda tem um núcleo ou essência interior que é o 'eu real', mas este é formado e modificado num diálogo contínuo com os mundos culturais 'exteriores' e as identidades que esses mundos oferecem" (*A identidade cultural na pós-modernidade*, DP&A, 2001, p. 11).

um recurso de defesa para lidar com sofrimentos e frustrações advindas do contato do psiquismo infantil com um ambiente não satisfatoriamente receptivo às suas necessidades, nem estimulador de suas potencialidades e promotor do seu desenvolvimento emocional saudável, ou até mesmo frente a um ambiente tóxico ou obstaculizador ao crescimento natural da alma humana.

O inverso também pode gerar consequências análogas, isto é, um ambiente excessivamente devotado à criança também pode comprometer seu desenvolvimento psicoafetivo. Lembremos que *bebê sozinho não existe*. Não se pode pensar um bebê sem alguém que lhe exerça a função materna. O ambiente inicial é que dá sustentação física e psicológica ao lactente. Sem ele um bebê não sobrevive, não existe. Para Winnicott, o primeiro ambiente do ser humano é a mãe (função materna). A dependência do lactente com a mãe (ambiente) é absoluta. É o ambiente que dá sustentação ao bebê e que lhe atende em todas suas necessidades. Como dizia Winnicott, um ambiente provedor favorável permite à criança a *continuidade do ser*. A mãe, ao se adaptar às necessidades do seu filho, possibilita ao seu psiquismo imaturo criar a ilusão de que é ele quem gera aquilo que ele necessita (narcisismo primário). A mente está na fase primitiva da indiferenciação entre mundo interno e mundo externo. Escreveu Winnicott: "a mãe, no começo, através da adaptação quase completa, propicia ao bebê a oportunidade para a ilusão de que o seio dela faz parte do bebê, de que está, por assim dizer, sob o controle mágico do bebê".[214]

Nessa fase fundamental e importante ao crescimento psíquico, a sensação de onipotência é, assim, alimentada nos primeiros meses de vida, quando a psique da mãe encontra-se em estado subjetivo de *preocupação materna primária*.[215] Porém, é igualmente necessário que com o crescimento da criança sua mãe lhe forneça também frustrações suportáveis a sua capacidade maturacional psíquica. Uma mãe não é perfeita, ela também falha. É normal que haja falhas maternas.

---

214 *O brincar & a realidade*, Imago, 1975.
215 A *preocupação materna primária* é a condição psicológica da mãe alcançada nos primeiros meses de vida do bebê, quando seu psiquismo fica em elevada sensibilidade em respeito às necessidades de seu filho lactente. Segundo Winnicott, esse estado mental é de extrema importância tanto para o bem estar do bebê quanto para sua continuidade de ser. Isso possibilita ao psiquismo imaturo do bebê um indispensável apoio egoico. Bion chamava de *função continente*, na qual a mãe, na condição de receptora, é capaz de acolher, conter e processar psiquicamente as angústias do bebê.

Elas em si não são comprometedoras se ocorrerem em conformidade com a fase do desenvolvimento e sua a capacidade mental para lidar com elas. A Psicologia do Self as chama de *falhas ideais*, que permitem ao psiquismo imaturo vivenciar o que Kohut denominou de *frustração ótima*. Segundo o autor do livro *Heinz Kohut e a Psicologia do Self*,[216] Allen Siegel, "uma frustração ótima é o período de espera que a criança experiencia até que um determinado desejo possa ser satisfeito. Por meio dessa demora, a criança vem a se dar conta de que é preciso dar passos ativos a fim de satisfazer o desejo". Trata-se, pois, de uma frustração que não é tão intensa que provoque trauma, nem tão pequena para que seja desprezível. Frustrações ótimas contribuem para arrefecer a onipotência do narcisismo anímico e contribuir para a distinção entre desejo e realidade. Não atendendo sempre os desejos do psiquismo infantil (experiência de desilusão), este vai aos poucos, com a demora da gratificação, se inserindo no Princípio de Realidade. É como se a mente aprendesse a dizer a si mesma: "quer realizar um desejo? Esforce-se, lute por ele. Ele não se realizará magicamente somente por que você quer".

Ensinou-nos Kohut que se uma criança pequena for excessivamente mimada, isto é, não sofrer as frustrações ótimas e desilusórias, seu psiquismo infantil tenderá a reter uma dose elevada de narcisismo e onipotência, criando-lhe assim dificuldades em se sentir menos do que grandioso. Desse modo, as frustrações ótimas funcionam como um desmame psicológico, indispensável ao desenvolvimento de um narcisismo normal e saudável,[217] reconhecedor dos limites impostos pela realidade.

Personalidades que se edificam em um psiquismo imaturo emocionalmente são ingênuas ou intolerantes frente à realidade. Pessoas imaturamente emocionais têm dificuldades em lidar com o sofrimento psíquico, as frustrações e as incertezas. Afetivamente possuem baixo autocontrole e são frequentemente impulsivas. A imaturidade emocional se revela em baixa capacidade para lidar com o sofrimento e as decepções, e com fantasias de invulnerabilidade e eternidade. Indivíduos assim, quando frustrados, tendem a reagir com *fúria narcísica*.[218]

---

216   Casa do Psicólogo, 2005.
217   O narcisismo normal é base para uma autoestima boa, adequada e consistente.
218   Além de quadros de violência e agressão, uma depressão severa também é própria da "fúria narcísica", quando a pessoa se desencanta pela vida e se sente profundamente vazia e oca por dentro. Para Kohut, o ódio explícito é uma forma de fúria narcísica. Para Freud, a indife-

A baixa tolerância à frustação é consequência direta de uma mente que ainda se acha egocêntrica, ou seja, para a qual o mundo gira em torno dela. O egocentrismo da alma humana em um indivíduo não mais criança é como se fosse um pequeno reizinho tirânico habitando em seu interior psíquico, sempre desejando ditar ordens e vendo os outros como súditos. A imaturidade emocional se mostra na grande dificuldade em aceitar nãos. O "eu quero" se sobrepõe ao "eu não posso". Quanto mais imatura for sua mente, mais egocêntrica e inconformada a pessoa é. Torna-se, assim, uma pessoa altamente centrada em si mesma, tanto nas suas fantasias de elevada autovalia quanto nos seus sofrimentos de humilhação e vergonha. Ensimesma-se em seu mundo afetivo interno, prejudicando, assim, o exercício da empatia.

As perturbações narcísicas se revelam em transtornos de personalidade, mais notadamente nas personalidades narcisistas e borderlines, além de muitos estados depressivos. Ao longo da vida todos enfrentamos conflitos e problemáticas cotidianas. A maneira como se lida com eles (*coping*) tem a ver com a estrutura psíquica de cada um. Estruturas saudáveis suportam enfrentar os problemas, contornando-os ou resolvendo-os. Estruturas débeis ou deficitárias afetivamente apresentam sérias dificuldades, principalmente na autorregulação de suas emoções. Vivemos uma vida de incertezas, dilemas, ambiguidades, conflitos e cobranças (externas e internas). Para melhor suportar a vida com equilíbrio, é fundamental uma boa autoestima e autoconceito adequados à realidade. Quanto mais o sujeito se distancia da realidade, com seus limites e potencialidades, mais estará ele sujeito a padecimentos psíquicos de origem narcísica. Conjugado a autoestima e a autoimagem, faz-se necessário também um bom autocontrole das emoções, dos desejos e dos impulsos.

"Os desejos humanos são infindáveis. São como a sede de um homem que bebe água salgada, não se satisfaz e a sua sede apenas aumenta".
(dito budista)

Vejamos o transtorno de personalidade borderline, por exemplo. Uma personalidade borderline é caracterizada pela labilidade do humor, constante irritabilidade, comportamentos impulsivos e fortes sentimentos de solidão e sensação de

---

rença igualmente é outra forma de ódio.

vazio interior. Pessoas assim vivem com muito medo de ficar sozinhas e de serem abandonadas, e tendem a ter relações muito intensas com os outros. Sua vida afetiva e relacional é uma verdadeira montanha-russa. São pessoas inseguras em relação ao amor das pessoas que lhe são próximas, excessivamente carentes e que não toleram ser rejeitadas e nem suportam frustrações. Tendem a ser emocionalmente explosivas. Em sua couraça psíquica narcísica, a pessoa borderline sempre percebe suas necessidades e carências como sendo aflitivas e imediatas, sendo, consequentemente, muitas vezes desatenta às necessidades e carências de outras pessoas (empatia). Vivem oscilando entre a idealização e a desvalorização dos outros, alternando momentos de alta consideração e apego afetivo, ou momentos de colossal desilusão e enorme, ruidosa decepção.

A natureza da angústia de uma personalidade borderline é a de separação. Uma pessoa assim demonstra sua grande insuficiência em viver sem a presença de uma figura de apoio. Ela precisa manter-se perto de alguém que seja mais apto para lidar com o mundo e a vida. Em termos endopsíquicos, suas representações de apego são inseguras. A internalização de um objeto de apego inseguro[219] indica que suas primeiras relações afetivas com seus objetos cuidadores foram ansiogênicas e desorganizadas. Podemos, pois, considerar que houve déficit ou prejuízo na preocupação materna primária. Uma maternidade assim não confiável na formação do psiquismo infante provoca consideráveis dificuldades na internalização de um objeto tranquilizador e acolhedor. Há um claro comprometimento na constituição da subjetividade, não sendo possível desenvolver internamente o que Winnicott chamava de *capacidade para estar só*. Sua relação com os objetos externos é do tipo anaclítico (de apoio), e a perda do objeto é sentida como um desabamento e uma perda de si.

Diferente do transtorno borderline de personalidade é a personalidade narcisista. No transtorno narcisista de personalidade, o Self narcísico é integrado, porém excessivo e anormalmente grandioso. Em sentido estrutural, podemos dizer que o Ego Real fundiu-se com o Ego Ideal e o Objeto Ideal do período simbiótico. Por isso, a personalidade narcisista tem de si uma autoimagem idealizada, em

---

219 Apego é o vínculo que a criança estabelece com seus pais como fonte de referência no início da vida. O apego tanto pode ser uma ligação saudável ou, pelo contrário, ser de um vínculo instável marcado pela ansiedade e insegurança. O apego é inseguro quando o objeto de apego não atende às necessidades da criança.

detrimento de suas relações interpessoais. Diferente da labilidade idealização/ desvalorização do Self da personalidade borderline, o narcisista mantém o funcionamento do seu Self Grandioso integrado e consistente. Para Kohut, o Self da personalidade narcisista permanece arcaico, como que congelado em seu desenvolvimento. Sob a superfície de grandiosidade e autossuficiência escondem-se profundos sentimentos de inveja e baixa autoestima.

No íntimo da alma, demandas narcisistas normais de um psiquismo imaturo durante a formação do Eu e não suficientemente atendidas resultam em intensidades exageradas futuras, tomando formas alternativas, camufladas ou explícitas, de buscas atuais por satisfações necessárias e não atendidas do passado. O ambiente afetivo no qual se formou o psiquismo contribui, nesses casos, para a estruturação de egos frágeis, com efeitos negativos e deletérios *a posteriori*. Se o sujeito não teve tempestivamente investimento libidinal parental satisfatório em sua fase narcísica primária, deverá carregar sofridamente, em estado faltante, o sentimento interno de vazio.

Preencher o vazio na alma é uma tarefa interminável fadada ao insucesso. Quem carrega em si tal vazio sofre de uma insaciável fome emocional. Não é à toa que pessoas com transtornos de personalidade borderline manifestam frequentemente acessos de forte raiva e fúria. Qualquer mínimo abandono ou sinal ameaçador de abandono é reagido com cólera e ira. Como uma criança pequena com medo de ficar sozinha em um quarto escuro, o indivíduo borderline teme a solidão que no fundo carrega. Às vezes entra em desespero e sente pânico.

Personalidades borderline pensam de maneira dicotômica, isto é, mais uma vez tal como uma criança pequena, seu imaginário parece povoar o mundo externo de mocinhos e bandidos, heróis e vilões. Não conseguem estar no meio-termo. Não lidam psicologicamente bem com as ambiguidades e ambivalências. Assim como na Posição Esquizo-Paranoide, o bom e o mau são excludentes. Seus relacionamentos interpessoais são ao mesmo tempo intensos e instáveis, nos quais o outro vai de idealizado a desapontador em um instante. Em sua estrutura faltante de um objeto cuidador interno suficientemente bom, vive freneticamente em busca de um objeto externo perfeito.

A síndrome borderline muitas vezes gera confusão clínica. Ao longo da história da psiquiatria moderna já levou inúmeras terminologias classificatórias, tais como: esquizofrenia pseudoneurótica, personalidade pré-esquizofrênica, pan-

-neurose, esquizofrenia latente, esquizofrenia ambulatorial, esquizofrenia marginal, heboidofrenia, disforia histeroide, personalidade "como se", entre outras.

Percebe-se uma forte correlação entre transtorno de personalidade borderline e situações de abuso e negligência na infância.[220] São pessoas que geralmente tiveram vinculação parental prejudicada, seja por ausência, invalidação, violência doméstica, abusos físicos e/ou verbais etc. Figuras parentais que falharam no seu papel de proteção e amor à criança. São pessoas que viveram suas infâncias em ambientes caóticos e inconsistentes, cuja afetividade e responsividade (empatia) lhe foram negligenciadas por seus cuidadores, principalmente o objeto materno. O psiquiatra e professor de psiquiatria norte-americano Glen Gabbard, no livro *Psiquiatria psicodinâmica na prática clínica*[221] cita estudos longitudinais com 600 adultos com diagnóstico de transtorno de personalidade que apontam que 73% relataram abuso prévio, e 82% negligência na infância. Isso, porém, não significa que todos aqueles com transtornos de personalidade, borderline ou outros, tenham sofrido abusos e negligências na infância.

Também se encontra estreita relação entre narcisismo e perversão. O psicanalista francês René Roussillon afirma que alguns pacientes seus, com sintomas narcisistas, apresentam atuações tipicamente perversas. Para ele, os comportamentos e os mecanismos perversos são fenômenos psicopatológicos secundários, derivados de traumatismos primários que afetaram suas organizações identitárias. Para muitos clínicos, essa correlação entre perversão e narcisismo é chamada de *narcisismo perverso*.[222]

Para um narcisista perverso nem o céu é o limite. Normalmente a perversão é velada, assim como sua agressividade maléfica e ferina é silenciosa, porém causadora de muito mal ao outro. São manipuladores, e como narcisicamente não são empáticos, suas manipulações beiram ao desumano, no sentido de estar nem um pouco se importando com os sentimentos alheios. Nem sequer têm a mínima consciência de sua maldade, diferentemente de um psicopata propriamente dito.

---

220 Vide "Eventos traumáticos na infância, impulsividade e transtorno da personalidade borderline", NUNES, Fábio Luiz; REZENDE, Helga Alessandra de; SILVA, Renata Saldanha e ALVES, Marcela Mansur, *Revista Brasileira de Terapia Cognitivas*, v. 11, nº 2, dez/2015, versão On-line ISSN 1982-3746.
221 Op. cit.
222 O psiquiatra e psicanalista austríaco Otto Kernberg denominou de *Narcisismo Maligno*. Para ele, o narcisismo patológico é um componente da psicopatia.

Como todo transtorno de personalidade, o narcisismo se manifesta em um espectro, isto é, um longo contínuo que vai desde o narcisismo saudável/normal (de baixa intensidade) ao extremo oposto do narcisismo patológico e maligno (elevada intensidade). Quanto mais a personalidade do indivíduo conjugar traços narcísicos, mais narcisista ele o é. Quanto mais narcisista uma pessoa for, mais ela desqualifica qualquer outra pessoa. Um narcisista perverso é um abusador psicológico. Existe um termo em inglês chamado *gaslighting*, que significa uma forma de abuso psicológico na qual o abusador distorce informações ou seletivamente omite algumas, com o intuito de se favorecer, levando o abusado (vítima) a duvidar até de si mesmo, suas percepções e sanidade. O *gaslighting* é comum em psicopatas ou personalidades antissociais, mas também pode ser encontrado em personalidades narcisistas de cunho perverso. Quantas vezes não podemos encontrar em ambientes de trabalho chefes que são abusadores morais, a ponto de adoecerem seus subordinados? Usualmente o *gaslighting* acontece de forma gradual, sem que a vítima note em seu início.

Alguém já descreveu um narcisista perverso como *vampiro de almas*. Só ele pode brilhar e ter sucesso; cultiva sua grandiosidade a qualquer custo, doa a quem doer. Sua ambição é tão desmedida que, para galgar triunfos, pisa em quem estiver na sua frente. Costuma humilhar os outros, sem internamente sentir remorso ou compaixão. Como dito antes, sua crueldade nem sequer é reconhecida pelo seu Eu.

Como veremos na parte que se segue, nos tempos atuais as patologias narcísicas são cada vez mais recorrentes. Se no final do século XIX e começo do século XX as psicopatologias mais presentes eram relacionadas às histerias, hoje o que mais se vê nos ambientes clínicos são perturbações narcisistas da alma. Freud já dizia que *o negativo da neurose é a perversão*.

"Cada um de nós é uma lua e tem um lado escuro
que nunca mostra a ninguém."
(Mark Twain)

NARCISISMO EM TEMPOS NARCÍSICOS

A cultura é uma necessidade imprescindível de toda uma vida, é uma dimensão constitutiva da existência humana, como as mãos são um atributo do homem.
Ortega y Gasset

A cultura do narcisismo

Todo ser humano é um ser bio-psico-social. Somos alimentados de leite, afeto e cultura. A alma humana formará uma pessoa dentro dela na inter-relação entre o biológico e o social. Cada Self individual terá um correspondente Self Cultural, que é o determinante cultural no psiquismo. Como um todo unificado (Self individual e Self cultural), ambos funcionam como organizadores dos instintos e de como cada um processa os dados sensório-perceptivos. O psicanalista Tales Ab'Sáber, em seu livro *Self cultural: sujeito do inconsciente e história*,[223] posiciona teoricamente o Self Cultural entre o Ego e o Superego. Ao denominar o Self Cultural como Self-dialético diz que o "self-dialético é o lugar de sínteses superiores do polo concreto da ordem do mundo sobre o sujeito e repõe a abertura à estrutura livre do psiquismo ao reconhecer a independência da consciência e do desejo em relação a uma ordem nebulosa das coisas coletivas". O Self Cultural (Self--dialético), assim representado no interior do psiquismo, pressiona os desejos do sujeito humano. Em outras palavras, a cultura se instala psicologicamente como substrato psíquico no interior da consciência.

---

223   Egalaxia, 2016.

Somos formados de *nature* e *nurture*. Parafraseando a filósofa francesa e ativista política Simone de Beauvoir, "não se nasce ser humano: torna-se ser humano". O ser humano é criado dentro de uma cultura. Nascemos inseridos em uma cultura composta de ideias, valores, pensamentos, doutrinas e visões de mundo. O processo de socialização que sofre o ser humano desde a tenra idade é um processo de culturalização. Culturalizar é transformar o psiquismo *in natura* em psiquismo humano. O psicanalista Renato Mezan desse modo escreve:

> [...] a humanização do pequeno ser nascido de um homem e de uma mulher equivale a um processo de culturalização, isto é, de transformação da mente num órgão capaz de representar não apenas os fantasmas engendrados por ela própria, mais ainda objetos e entidades que ela não pode criar por seus meios exclusivos: o corpo próprio, os outros seres humanos e o mundo exterior. Para tanto, ela tem que receber do ambiente que a circunda – inicialmente reduzido à sua própria mãe – as informações apropriadas e os meios para metabolizar essas informações. Como esses meios são fruto do processo cultural, a transformação da psique em psique humana equivale à sua transformação numa psique marcada pela cultura.[224]

Latu sensu, a ideologia é o conjunto de ideias fundamentais que caracteriza o pensamento de uma pessoa, de uma coletividade ou de um momento histórico sociocultural. Do ponto de vista do materialismo dialético, a ideologia é uma forma de produção do imaginário social que reflete os interesses da classe dominante. Ocidentalmente vivemos em uma sociedade baseada no sistema econômico capitalista. Aliás, o teórico e analista cultural americano Fredric Jameson afirma que já vivemos uma era de capitalismo avançado, que ele denominou de *hipercapitalismo* ou, mais precisamente, de *capitalismo recente*. O capitalismo recente (que alguns chamam de *capitalismo tardio*) é um capitalismo de superprodução, globalizado e de cultura de massa. Uma sociedade predominantemente imagética, influenciada pelos grandes conglomerados midiáticos e com a lógi-

---

224 *A vingança da esfinge*, Casa do Psicólogo, 3. ed., 2002, p. 68.

ca de padronização e homogeneização dos produtos para consumo imediato. Tem pensadores contemporâneos que preferem intitulá-la de *sociedade pós-moderna*.

Designações à parte, vivemos nos tempos que ora seguem aquilo que em 1979 o historiador americano Christopher Lasch conceituou como *Cultura do narcisismo*. Em livro homônimo,[225] Lasch mencionava, à época, o modo como as sociedades capitalistas estavam se estruturando, material e simbolicamente, com ênfase no consumo desenfreado e exacerbação do individualismo através do Eu, com desinvestimento das relações com o outro em troca dos prazeres fugazes do mundo da experiência. Beleza, juventude, desempenho sexual, sucesso tornaram-se praticamente fetiches.

Sim, vivemos tempos de incertezas e de relações sociais frágeis. Tempos de individualismos exacerbados ou, como dizia o sociólogo alemão Norbert Elias, uma *sociedade de indivíduos*. Época em que a qualidade das relações afetivas diminui acentuadamente, como demonstrou Zygmunt Bauman, sociólogo e filósofo polonês recentemente falecido, em seu livro *Amor líquido*.[226]

No tocante à superficialidade e à apatia que parece nos tomar a alma contemporaneamente, o psiquiatra espanhol Enrique Rojas[227] analisa as bases do bem-estar contemporâneo naquilo que ele denominou de *teatrologia niilista*, composta por: hedonismo, consumismo, permissividade, relatividade e materialismo. É bastante interessante o que ele vem classificar de *hombre light*, um sujeito consumidor de comidas sem calorias, cervejas sem álcool, adoçantes sem açúcar, café sem cafeína, entre tantos outros produtos *light*. Um homem sem substância, como diz ele, apenas entregue à ganância pelo dinheiro, poder, status, êxito e gozo irrestrito.

Se para muitos a pós-modernidade representa uma ruptura com os ideais da modernidade, para uns tantos outros representa uma revolução cultural. Ao se querer "quebrar" os ideais e verdades concebidas pelo racionalismo moderno, a pós-modernidade propõe realmente um novo paradigma em que tudo parece ser ilusório ou relativo, em que não existem verdades "verdadeiras". Para a concepção pós-moderna, a única verdade é a ausência de verdade. Assim, tudo parece pura-

---

225   *A cultura do narcisismo: a vida americana numa era de expectativas diminuídas*, Imago, 1983.
226   *Amor líquido: sobre a fragilidade dos laços humanos*, Zahar, 2004.
227   Apud Sócrates Nolasco em *Tarzan a Homer Simpson: banalização e violência masculina em sociedades contemporâneas ocidentais*, Rocco, 2001.

mente relativo e ilusório, gerando-se uma ideia imediatista para a vida. Na ânsia despertada de que a sociedade aprisiona o homem, vive-se em procura de sensações e emoções sem limites. É como se quiséssemos libertar o Id de qualquer Superego. É como se buscássemos viver naquela máxima do: "viva intensamente e morra jovem".

Tal ideário embutido no projeto pós-moderno esvazia o ser humano contemporâneo de um objetivo de vida. A vida é rápida – dizem – e deve ser vivida rapidamente, não importando o amanhã. O presente é que vale. E nesse propósito subjetivo percebe-se claramente o seu forte apelo hedonista: experimentar fortes sentimentos de prazer e secundariamente evitar a dor. Abandona-se, pois, em grande parte, a racionalidade, priorizando-se quase exclusivamente tão somente as emoções e as sensações. Embora não se evidencie com nitidez no discurso pós-moderno, a pós-modernidade parece produzir uma espécie de culto implícito da morte, como se o depois não existisse. Tudo ou quase tudo deve ser morto no instante o mais rapidamente (objetos, ideias, gostos ou pessoas).

A pós-modernidade gera pessoas pós-modernas. Ou, como disse Christopher Lasch em *A cultura do narcisismo*,[228] novas formas sociais exigem em contrapartida novas formas de personalidade, novos modos de socialização, novos sistemas de organização dos sentimentos e da experiência. Na lógica consumista do sistema capitalista contemporâneo, também denominado de terceiro estágio do capitalismo, formam-se seres obedientes à própria lógica, ou seja: consumidores em série. Afinal, sem consumidores ávidos não haveria a sociedade consumista como a entendemos e vivemos hoje. A mentalidade é, pois, desejar, adquirir, consumir, descartar, voltar a desejar novamente e assim por diante, em uma insaciável e quase interminável ascendente de círculos viciosos.

O conceito de narcisismo é um conceito vinculado ao egolatrismo, isto é, o excesso de libido voltado ao próprio ego. É um conceito, portanto, relacionado ao indivíduo. A questão que ora se faz é a de se haver ou não uma espécie de narcisismo coletivo. Para se analisar questão de tamanha envergadura e complexidade partiremos do seguinte princípio que, embora bastante óbvio, parece ser esquecido muitas vezes ao se abordar não somente o tema narcisismo, mas o próprio desenvolvimento da personalidade do sujeito como um todo. Trata-se do princí-

---

228 Op. cit.

pio de que o indivíduo é antes de tudo uma coletividade. Como assim? Já dizia um dos pais da sociologia, o francês Émile Durkheim, que a personalidade nada mais é do que o indivíduo socializado. O processo de socialização (primária e secundária) pelo qual o ser humano *in natura* é submetido desde seus momentos iniciais e ao longo de sua existência transforma o que podemos chamar de natureza humana em cultura humana. Assim, ao se galgar à condição humana de sua própria humanidade, o indivíduo humano é moldado, formado ou deformado pelas normas sociais dominantes e vigentes. Como afirmava Lasch, toda sociedade reproduz sua cultura no indivíduo ao lhe formar a personalidade, através tanto de suas normas quanto de suas presunções subjacentes, bem como os modos de se organizar as experiências. Podemos até ousar dizer que acaso não houvesse a dimensão social concreta e a cultura no que há de humano em cada ser humano vivente, não haveríamos de falar em repressão e inconsciente.

Mudanças sociais geram impactos psicológicos. Ansiedades contemporâneas são em grande parte reflexos do modo de se viver histórico de uma atualidade sempre em transformação. Para Lasch, em sua clássica obra já citada, *A cultura do narcisismo*, um dos sintomas sociais observados é o sentido de descontinuidade histórica. Considerando que uma das características principais do narcisismo é o seu não interesse pelo futuro, por ter ele pouco interesse pelo passado, o "viver para o momento" pregado implícita e explicitamente pela sociedade de consumo gera um enfraquecimento do sentido do tempo histórico, ou seja, vai-se perdendo galopadamente o senso de se pertencer a uma sucessão de gerações que nos antecederam que, como referiu Lasch, originaram-se no passado e se prolongarão no futuro. A desvalorização cultural do passado tem um duplo reflexo: o empobrecimento das ideologias e o empobrecimento da vida interior das pessoas.

Neste momento é mais esclarecedor deixarmos o próprio Lasch falar um pouco a respeito do que ele denominou de novo narcisista:

> Libertado das superstições do passado, ele duvida até mesmo da realidade de sua própria existência... Suas atitudes sexuais são mais permissivas do que puritanas, muito embora sua emancipação de velhos tabus não lhe tenha trazido a paz sexual. Ferozmente competitivo em seu desejo de aprovação e reconhecimento, desconfia da competição, por associá-la inconscientemente a uma irrefreável necessidade de

destruir... Ganancioso, no sentido de que seus desejos não têm limites, ele não acumula bens e provisões para o futuro, como o fazia o ganancioso individualista da economia política do século dezenove, mas exige imediata gratificação e vive em estado de desejo, desassossegada e perpetuamente insatisfeito.[229]

Assim, em uma sociedade cuja lógica é baseada no desperdício (consumo) e no atendimento de necessidades imediatas – muitas vezes necessidades artificialmente vestidas de vitais –, o futuro é de menos importância. Com o amor também não será diferente. A ideia de amor como renúncia e sacrifício, dedicação, compromisso e investimento é então solapada por novas propostas de se amar, mais adequadas às ideologias de uma sociedade de cultura de massa e consumo.

A cultura do narcisismo impera. Vivemos uma contemporaneidade em que se prosperam imagens e mais imagens, na qual o caminho da felicidade resume-se ao consumo de bens materiais. Exige-se cada vez mais, e cada vez mais cedo na criança, êxitos e mais êxitos (sofre-se de verdadeiras *síndromes de loser*). Teme-se o corpo em seus sinais de envelhecimento na ânsia inquietante da "eterna juventude". Nos autocobramos perfeições inatingíveis e nos angustiamos por não corresponder na realidade aos egos ideais alimentados por ícones de uma determinada cultura que fabrica celebridades em profusão praticamente interminável. Na fome por novidades excitantes, esquece-se o que há de novo nos aprofundamentos das relações inter-humanas e suas singularidades. Deprimimo-nos mais em decorrência de fracassos narcisistas, porque sofremos mais diante das demandas severas de sucesso, dinheiro, status e poder. E assim, magnetizados e aprisionados ao credo individualista, vive-se em permanentes sentimentos de solidão em um mundo de repetitivos ciclos de desejos e idealizações temporárias.

A baixa autoestima e a depressão são sintomas mais evidentes de nossa era. O sujeito da dita pós-modernidade carece de melhores contornos e limites. Seduzido, fascinado e ofuscado pela abundância oferecida por uma economia cuja lógica consumista é o desperdício, vive-se uma vida fútil onde o tecnicismo desdobrou-se em todos os setores da vida humana, resultando em um instantaneísmo das próprias relações entre os sujeitos. A velocidade que caracteriza os tempos atuais

---

229 *A cultura do narcisismo*, p. 14-15.

não apenas trouxe mudanças radicais de valores, como também colocou a subjetividade em perda com padrões identificatórios significativos e o sujeito em crise com sua própria identidade. Na expressão do historiador norte-americano Paul Israël, o mundo de então *desumanizou o sujeito*.

> "A cultura é tudo o que resta depois de se ter esquecido
> tudo o que se aprendeu."
> (Selma Lagerlöf)

Ego consumans

A combinação de imagens e paixões manipula o psiquismo humano. Como mencionou Lasch, as condições do relacionamento social cotidiano em uma sociedade baseada na produção e consumo de massa são estimuladas por imagens e impressões superficiais e rasas. O Eu, transformado em uma superficialidade estética e aparente, ofertado tão somente a olhares e desejos dos outros (um Eu para ser visto e admirado), propõe-se a ser uma mercadoria disponível para consumo em um mercado ávido por emoções efêmeras e ocasionais. E assim a produção excessiva e abundante de mercadorias e seu correlato consumismo criam um mundo especular onde é cada vez mais difícil distinguir ilusão de realidade. Um mundo de espelhos faz do sujeito humano um objeto, ao mesmo tempo que transforma os objetos rodeantes em uma espécie de extensão e projeção do próprio eu.

Se o consumidor vive rodeado não apenas por coisas como também por fantasias, como denunciou Lasch em seu livro *O mínimo Eu: sobrevivência psíquica em tempos difíceis*,[230] sua dependência como consumidor tem um caráter de oral voracidade. Sendo inerente ao desejo, em suas raízes mais infantis e narcísicas, a ausência de limites, assim também o é o caráter fundamental da lógica consumista. Explica-se assim um pouco o porquê da dependência do consumidor ao sistema consumista que lhe escraviza com promessas de segurança, amparo e proteção. Ou, como lembrava Lasch, se para a cultura do século XIX reforçava-se padrões anais de comportamento (estocagem de bens, acumulação de capital e controle

---

230   Brasiliense, 1986.

do afeto e sexualidade), a partir da segunda metade do século XX exacerbaram-se os padrões orais característicos do período desenvolvimental humano, época em que quase todos ficaram absolutamente dependentes do seio materno. Esse seio enraizado na mente humana é como que ressuscitado no mundo circundante do homem consumidor. O *ego consumans*, portanto, é por excelência um *ego adicto*. Oralmente adicto.

Na genealogia do consumo encontra-se a produção abundante de bens, coisas, mercadorias e objetos, assim como a produção de necessidades a serem fruídas e satisfeitas de maneira rápida e veloz a ponto de nos manter carentes de mais necessidades e objetos (a cultura e os objetos já não são feitos para durar). Talvez seja melhor não falar de um sistema produtor de necessidades, mas sim de um sistema fomentador das mais primais necessidades humanas. Não se cria necessidades do nada, desperta-se e estimula-se necessidades dormentes. O que se inova e se produz não são as necessidades humanas (felicidade, prazer, segurança, reconhecimento, poder...), porém os objetos do desejo. Tais objetos trazem consigo a promessa ilusória de apaziguamento de nossas angústias, frustrações e vazios, promessas opiáceas, é bem verdade, contudo de forte apelo e atratividade.

A sociedade pós-moderna gera pessoas pós-modernas. Somos gerados e criados não mais para sermos bons cidadãos, mas sim para sermos bons consumidores. Somos desde cedo alimentados de leite e cultura. Se hoje cada vez mais os pais estão fora de casa ocupados com suas carreiras profissionais e sobrevivência (famílias de duplo carreiramento), ideologicamente os filhos estão sendo socializados pela publicidade e mídia. A televisão, assim, por exemplo, é um braço ideológico e educacional do sistema capitalista. Poucos parecem se dar conta de quanto são condicionados pelos meios de comunicação de massa. Quanto mais cedo se é socializado (primariamente) pela mídia, mais difícil é perceber sua manipulação sobre nós. Não uma manipulação de uma elite ou de um grupo de maquiavélicos, mas uma manipulação de um sistema como um todo. Condicionam-se, dessa maneira, crianças, jovens e adultos a uma existência voltada ao consumo, a serviço de nossos instintos animais: comer, beber, fazer sexo, se proteger e relaxar. O amor dos pais para com seus filhos é cada vez menos o afeto e cumplicidade do compartilhamento e o carinho do toque e do afago, sendo cada vez mais materializado na compra de presentes e bens de consumo. Não sabemos se aqui há uma compensação ao sentimento de culpa pelo afastamento da proximidade com os filhos, visto que sua carga horária é diminuta e atomizada pelas obrigações e preocupações com o trabalho e a carreira profissional, apenas observa-se que a amorosidade é cada vez mais coisificada e materializada nos objetos e quinquilharias que parecem substituir a presença dos pais.

Crianças, assim como jovens púberes e adolescentes, são submetidas à força da publicidade e dos meios de comunicação que não são somente formadores de opinião como também de consumidores. Crianças pequenas, por exemplo, bombardeadas cotidianamente pela mídia e ainda em formação cognitiva, emocional e psicológica, não aprendem a refrear seus instintos e desejos, submetidos que estão a idealizar e desejar o que lhes é mostrado. Na hipertrofia do limite instala-se no jovem e na criança uma espécie de hipertrofia hedonista tão necessária a um sistema social lastreado pela permissividade e pela hipersensibilidade ao prazer imediato.

As mensagens veiculadas na propaganda, na publicidade, na televisão, na rádio, no cinema e na mídia em geral podem ser resumidas à seguinte ordem narcísica: "gozem". E nessa panaceia generalizada do gozo pelo gozo vamos sendo formados tanto como neo-hedonistas de carteirinha como por perversos neofílicos, isto é, "tarados" e atraídos por novidades, sempre por novidades e mais novidades. Basta atentar para a quantidade de tempo que se dedica uma criança ou jovem para a televisão, vídeos, games, internet, DVDs e afins, para se perceber que nos tempos atuais brinca-se e diverte-se cada vez mais nos espaços virtuais das telinhas e menos nas ruas (perigosas), nos terrenos baldios (escassos) e nos quintais (playground de edifícios). Após um dia inteiro de entretenimento e lazer, as roupas não ficam sujas de barro, areia ou lama. Até as brincadeiras dos palhaços dos aniversários infantis estão sendo gradualmente substituídas pelo tilintar enervante das máquinas coloridas e ruidosas dos Playstations da vida. O voyeur de cedo poderá ser também o exibicionista do amanhã.

Assim, não é imprecisa a analogia do *ego consumans* com o *ego adicto*. Estamos ficando dependentes dos objetos, da tecnologia e dos produtos. O sujeito passa a ser valorizado pelo que possui e pelo que demonstra possuir: grifes, marcas famosas de carro, status, aparelhos de última geração (aliás, devia-se chamar de última temporada ou semestre). Possua e mostre o que possui, este é o mandato vigente. Não basta ter, tem que mostrar ter, ou aparentar ter – que não é a mesma coisa, porém parece igual. Não deixe para amanhã o que você pode ter hoje, mesmo que para isso você se endivide em tantos meses de módicas prestações no crediário fácil e disponível: "basta falar com a moça", como diz um slogan de uma peça publicitária.

Um mundo inteiro sem limites. Será? A mente é, em sua essência e nascedouro, amoral e regida pelo que chamamos de Princípio do Prazer (o impulso ou desejo requer descarga imediata). O Ego é a parte da mente que, em contato com a realidade e o mundo externo, serve como executor do que há de mais interior, basal e inconsciente: o Id. Nossas necessidades básicas requerem satisfações, logo, já, imediatamente. Assim é a mente em seu estado bruto. Com o seu evoluir e com suas inúmeras experiências, aprendemos a controlar um tanto nossos impulsos soberanos, limitando-os, interditando-os, adiando-os ou postergando-os se for o caso. A publicidade, por sua vez, tem como alvo nosso âmago inconsciente, oferecendo um bem de consumo qualquer como um objeto de satisfação para nossos inquietos desejos. Como diz a psicanalista Maria Rita Kehl, a publicidade faz nossa mente, a partir do nosso inconsciente, trabalhar a serviço do capital. Diz ainda ela:

> Hoje a publicidade não serve apenas para convencer o possível comprador de que um carro é mais potente do que outro, ou que matar a sede com cerveja x é muito mais gostoso do que com y (embora todos saibam que cerveja não mata a sede). Junto com carros, cervejas e cartões de crédito acessíveis a uma parcela da sociedade, a publicidade vende sonhos, ideais, atitudes e valores para a sociedade inteira. Mesmo quem não consome nenhum dos objetos alardeados pela publicidade como se fossem a chave da felicidade, consome imagens deles. Consome o desejo de possuí-los.[231]

Por isso que anteriormente dizíamos que não acreditamos que a publicidade a serviço da sociedade de consumo crie necessidades do nada. Não há um nada absoluto (embora pessoas possam se achar vazias por dentro) no interior de um ser humano. O que habita em nós é a falta e por causa da falta somos desejantes. Assim, o que nos habita são faltas e desejos; a publicidade, como bem diz Kehl, dirige-se ao desejo e responde a ele com mercadorias. Convoca-nos, a todos indistintamente, a gozar o que de fato somente uns poucos privilegiados podem gozar.

---
231 Maria Rita Kehl e Eugenio Bucci, *Videologias*, Boitempo, 2004, p. 61.

"O objetivo do consumidor não é possuir coisas,
mas consumir cada vez mais e mais a fim de com isso
compensar o seu vácuo interior, a sua passividade, a sua
solidão, o seu tédio e a sua ansiedade."
(Érico Veríssimo)

Psicopatologias contemporâneas

Qual o impacto de se nascer e se viver mergulhado em uma cultura impregnadamente narcísica? Qual o impacto que a sociedade de consumo tem sobre a organização psíquica das pessoas? Há novos modelos de produção de subjetividade? Existem novas formas de adoecimento psíquico?

Impossível nascer e viver em uma sociedade de massa predominantemente individualista e consumista, culturalmente narcisista, de maneira incólume. Em um mundo socialmente massificado, como dizia Ortega y Gasset, o ser humano se transforma em um *homem-massa*, que se sente confortável quando se vê igual a todo mundo, aceitando resignadamente viver em conformidade com a massa. O que se presencia, nos tempos atuais no Ocidente, é o autocentramento do Eu. Não um autocentrismo reflexivo, mas um autocentrismo que elide a intersubjetividade e a alteridade. Somos cada vez mais formados com base em padrões narcísicos. Como escreve a psicanalista e gerontóloga Délia Goldfarb, no livro *Demências*:[232]

> perdida a interioridade, ganha-se a exterioridade, quer dizer, ganha-se uma máscara para consumo externo, mercado no qual algumas regras são sagradas. Nesta sociedade do espetáculo, não basta ser belo, deve-se também ser competitivo, autocentrado e egoísta. Mas fundamentalmente não se pode nem deprimir, nem sofrer.

A subjetividade humana se constrói na articulação entre o psiquismo (mundo interno) e o ambiente externo, ou seja, entre as relações socioculturais e o indivíduo. Através dessa correlação ou junção se constitui a personalidade e a história

---

232   Casa do Psicólogo, 2. ed., 2006, p. 27.

do sujeito. A cultura é um importante ingrediente na constituição da psique humana. Nesse sentido, é axiomática a relação entre o sofrimento psíquico (psicopatologia) e a cultura de sua época.

Clinicamente temos observado o incremento de manifestações psicopatológicas distintas das neuroses clássicas do final do século XIX e início do século XX. As atuais formas de constituição do sujeito psíquico têm levado a manifestações de sofrimento psicológico pertinentes à cultura contemporânea. Se realmente estamos vivendo uma cultura de estimulação narcísica, então, correspondentemente estamos padecendo psiquicamente de doenças narcísicas.

Não que os neuróticos tenham desaparecido. A neurose, em termos clássicos, ainda é uma das grandes enfermidades da alma. Porém, aumenta a cada dia o surgimento de quadros clínicos com ancoragem narcísica. A questão narcísica está correlacionada a diferentes problemáticas e sofrimentos, tais como transtornos narcisistas de personalidade, depressão, transtornos alimentares, drogadição, perversão, relacionamentos afetivos, instabilidades emocionais, transtornos de ansiedade, borderline, dismorfias, distúrbios de conduta, entre outros. Pessoas que subjetivamente são carentes afetivas, atormentadas por faltas básicas ou buracos na alma. São pessoas que sofrem do que comumente convencionou-se chamar de patologias do vazio.

> "Três décadas de orgia consumista resultaram
> em uma sensação de urgência sem fim."
> (Zygmunt Bauman)

De certa forma, toda alma humana tem seus vazios existenciais, em maior ou menor grau. Contudo, temos observado tanto uma elevação como um agravamento de vazios de amarguras psíquicas derivados de vazios existenciais. Indivíduos cuja existência na vida carece de sentido. Nos dias atuais não são poucos os que se encontram em estados de dispersão de si mesmos. Que vivem futilmente, e nessa superficialidade vivencial se experienciam ocos por dentro, com fortes sentimentos de tédio e desamparo. Alguém já disse que são seres despersonalisados pela cultura narcísica decorrente de uma sociedade de consumo. O médico e psiquiatra vienense Viktor Frankl explicava que o vazio existencial não é uma neurose em termos tradicionais, mas sim uma *neurose sociogênica*.

Muito das demandas clínicas contemporâneas estão direta ou indiretamente relacionadas a sentimentos difusos de identidade, solidão, baixa autoestima, quadros depressivos, angústia existencial, Falso Self. São pessoas cujo sofrimento não é resultante de conflitos neuróticos, mas sim de carências provenientes de falhas no desenvolvimento emocional em seus primórdios.

A anorexia nervosa,[233] por exemplo, é um transtorno psiquiátrico característico do mundo atual, predominantemente nas sociedades ocidentais. Tem muito a ver com a imagem do corpo ideal e o desejo compulsivo de alcançá-lo. A excessiva preocupação com o corpo ideal acomete mais as mulheres do que os homens, numa proporção quase de nove para um.

A questão da idealização corporal antecede ao sujeito. Tal idealização já existe embutida em sua mãe quando, grávida, atribui ao feto uma forma de bebê, que chamamos de bebê idealizado ou bebê imaginado. Já há algo do narcisismo psíquico materno projetado nessa representação imaginosa de seu filho. Sabemos que a primeira experiência prazerosa do bebê extrauterino (bebê real) é, além do apaziguamento da angústia provocada pelo próprio nascimento (parto), o alívio da tensão psicocorporal produzida pela fome. Ainda que rudimentarmente, esta é a matriz do desejo.

Como anteriormente visto, a formação psíquica do Eu se inicia pelas sensações corporais. Como afirmou Freud, "a primeira representação unificada que o sujeito tem de si é a imagem corporal". O Ego é antes de tudo um Ego corporal, e este Ego corporal deriva primariamente de sensações corpóreas que nascem, como dizia Freud, da superfície do corpo.

No caso da anorexia, estudos apontam para uma fragilidade narcísica do equilíbrio psíquico. É comum que, na chegada da puberdade, diante das alterações fisiológicas e corporais, o jovem se depare com preocupações corporais, principalmente com a aparência. Bastante apreensivo com sua imagem visual, o adolescente pode profundamente ficar preocupado com o jeito como os outros lhe olham,

---

233 Anorexia nervosa é um transtorno alimentar que provoca perda excessiva de peso. Uma pessoa com anorexia muitas vezes demonstra medo em ganhar peso. A anorexia nervosa com frequência está associada a quadros depressivos e outros transtornos de humor. Costuma afetar mais adolescentes e adultos jovens, e sua prevalência na população geral é estimada em 3,7%.

ou melhor, como os outros o desejam. A puberdade retira o psiquismo da fase latente[234] de sua sexualidade e o explode de hormônios e novas excitações sexuais. O adolescente púbere é mais susceptível às críticas, e é emocionalmente vulnerável a sentimentos de vergonha e humilhação. A anorexia na adolescência em muito parece estar relacionada à sexualidade, uma espécie de recusa ao ingresso na fase genital, isto é, uma recusa em se tornar adulto, seja em um corpo de mulher ou de homem. Psicologicamente se trata de uma negação do Ego (Eu) ao corpo sexuado, que ao ser estranhado pelo Eu não é por ele integrado.

Assim, o psiquismo sofre uma distorção na autoimagem corporal. O desejo de emagrecer esconde o medo do desenvolvimento biológico, e a magreza apaga os sinais externos da sexualidade que se matura para a adultez. A menina (principalmente), ao ingressar na puberdade, espanta-se e se atemoriza não somente com as novas sensações da sexualidade que o novo corpo lhe proporciona, mas igualmente assusta-se com o despertar dos desejos dos outros sobre ela. É como se fosse uma maneira de se recolher à infância perdida através de um corpo infantil e que lhe é familiar.

Outra patologia ligada ao corpo e à aparência é dismorfia, que é caracterizada também como insatisfação com a imagem corporal. Trata-se de um transtorno psíquico no qual a pessoa tem uma visão distorcida de diferentes partes do corpo. A dismorfia corporal, igualmente chamada de dismorfia, é uma doença mental que leva o indivíduo a uma obsessão com algum defeito que ela considere ter em sua própria aparência, quer dizer, imaginariamente vê falhas ou defeitos na aparência física, ou os aumenta. Narcisisticamente há uma busca incessante por um corpo perfeito e, com isso, um dismórfico pode passar horas em exercícios físicos, por achar que tem uma musculatura magra ou inadequada. Diferentemente da anorexia, a dismorfia muscular é mais recorrente em homens. No mundo anabólico de hoje cada vez mais vemos elevar o número de pessoas que se preocupam obsessivamente em atingir um corpo perfeito. Tal obsessão também é conhecida como *vigorexia* ou *complexo de Adônis*.

---

234   Fase da latência é uma expressão utilizada por Freud para localizar no desenvolvimento da psicossexualidade o intervalo entre a fase fálica e a fase genital. Na fase de latência há uma espécie de adormecimento da sexualidade infantil, e a energia psíquica se volta mais para atividades intelectuais, sociais e escolares.

Como dizia Freud, a neurose é o negativo da perversão. Quanto mais o ambiente social reprime a sexualidade, mais há tendência ao desenvolvimento de psicopatologias neuróticas. Quanto mais se libera a sexualidade, maior é a tendência do surgimento de perversões. Cultura do narcisismo não é sinônimo de perversão. Todavia, uma organização cultural narcísica tem algo de perverso. Embora uma pessoa narcísica possa não ser perversa, uma pessoa perversa é no fundo um narcisista.

Em uma sociedade cada vez mais individualista, a lógica pós-moderna parece ser a busca frenética pelo prazer. Prazer sem limites. Em um *ethos* consumista, o objeto (material ou humano) deve ser devoradamente consumido. O atuar perverso extrapola o campo da fantasia para ser realizada, nem que seja virtualmente ou por meio de *sexshops*. Fetichismos, voyeurismos, exibicionismos, promiscuidades, parafilias, sadismos e masoquismos sexuais, bondages, mixoscopia, e outras práticas perversas estão se transformando em práticas banais na contemporaneidade. Não se fotografa mais momentos especiais, mas se fotografa (*selfie*) a si diuturnamente. No mundo do Eu o outro é apenas mais um objeto de consumo. Em uma sociedade do espetáculo e de cultura consumista a ética do hedonismo traz resultados perversos.

Com a justificativa de que "toda forma de amor vale a pena", embutem-se algumas formas psicopatogênicas e perversas de amar. No Japão de hoje, Rinko é a namorada mais querida por um significativo número de jovens. Rinko é uma das personagens de um jogo virtual chamado LovePlus, um viciante simulador de namoro que já vendeu centenas de milhares de cópias. Houve até quem oficializou casamento com Rinko. Os japoneses têm até um nome para quem exerce essa nova categoria de namorado: *otaku*. Está cada vez mais difícil saber qual é o limite entre relacionar-se amorosamente e relacionar-se perversamente.

A subjetividade humana está sofrendo mudanças na contemporaneidade. Novas manifestações da subjetividade estão ocorrendo em vários contextos, assim como novos sofrimentos psíquicos estão surgindo relacionados às novas configurações familiares, conjugais, relações afetivas, identidades sexuais, atividades profissionais etc. Vive-se em uma cultura estimuladora e incitadora de procuras por novas experiências e por sentir fortes emoções e gozos diversos. A cultura do narcisismo não é uma cultura fundada no recalque (geradora de neuroses), mas sim numa cultura da livre expressão crua dos desejos e no exibicionismo. Até parece que a perversão está se tornando – se já não se tornou – uma norma social, em que os indivíduos são incentivados a obter prazeres excessivos, formando uma população faminta e ávida de gozos perfeitos e sem limites. O psicanalista francês Charles Melman denominou esses gozos diversos de *polissubjetividade*, que engloba: hiperatividade, adições, alienações no virtual, multiplicidade de vivências sexuais, banalidade da violência. Vive-se hoje crescentemente uma ética hedonista. Na sociedade do espetáculo e na cultura das emoções e sensações, sofre aquele que não demonstra *performance* e nem expõe sua capacidade de gozar. Transtornos relacionados à imagem e ao corpo, estados limites, abusos de substâncias lícitas ou ilícitas e perturbações narcísicas ocupam cada vez mais os espaços clínicos.

Escreveu certa vez Clarice Lispector: "desistir de nossa animalidade é um sacrifício". Psiquicamente o Ego conta com o Superego para conter o Id. Estruturalmente falando, o Ego sozinho não tem consciência moral. Sem Superego, o Ego seria isento de qualquer sentimento de culpa. A culpa equivale à angústia da consciência moral. A moral e a ética são representadas psiquicamente no Superego, na parte consciente gerada por ele (Superego Cultural).[235] A consciência moral serve como filtro ou limite ao Princípio do Prazer. Religiosidades à parte, não é à toa que o escritor russo Fiódor Dostoiévski insinuou que *se deus não existe, tudo é permitido*.

Toda e qualquer civilização, atributo da natureza humana, é assentada na repressão e no controle dos instintos e/ou na sublimação[236] deles. O processo de civilização da mente humana cria internamente freios psíquicos que moderam os impulsos egoisticamente ferozes e devastadores do ser humano.

O psicanalista e psiquiatra belga Jean-Pierre Lebrun fala que é preciso aprender a necessidade da subtração do gozo (prazer sem limite) para que se possa crescer psicológica e socialmente. É primordial à alma humana assimilar o saber perder, renunciar e abdicar do Princípio do Prazer puro, para aprender a conviver com o

---

235 As normas e as leis sociais que regem a vida comunitária, segundo Freud, representam o Superego Cultural. Tais normas e leis são internalizadas psiquicamente no processo de formação da moral na alma humana.
236 Considerada um mecanismo de defesa, a sublimação é a transformação de impulsos socialmente inaceitáveis ou indesejados em ações morais e socialmente aceitas. A sublimação é transmutação da energia negativa em energia positiva. Frequentemente direcionamos impulsos sexuais e agressivos para a arte, profissão, esporte, religião e outras atividades que proporcionam crescimento psíquico individual e social.

outro e a se capacitar a lidar com conflitos interpessoais. Segundo ele, vivemos hoje um mundo sem limites, onde se experimenta uma nova organização psíquica baseada na exibição do gozo e nas exaltações emocionais em detrimento da repressão psíquica e do recalque. O subtítulo do seu livro *A perversão comum*[237] é bastante elucidativo: "viver juntos sem o outro". Tal subtítulo encontra eco na seguinte afirmação do filósofo francês Gilles Deleuze: "o mundo do perverso é um mundo sem outrem".

A neurose é o negativo da perversão. Em termos de fantasias psíquicas não há de se diferenciar a neurose da perversão. As fantasias e os desejos na neurose se expressam através dos sintomas neuróticos. Já na perversão eles se expressam pela via da atuação. Inversa da sexualidade do neurótico, a sexualidade perversa desconhece repressão e sublimação. Pelo olhar psicanalítico, pode-se considerar a perversão uma negação da castração, com fixação na sexualidade infantil. Ao ter a sexualidade fixada na sexualidade infantil (ora, anal, fálica) um indivíduo perverso é aquele que não conseguiu alcançar a fase genital.

A função paterna representa subjetivamente um operador simbólico, isto é, o objeto não-mãe que se interpõe entre o desejo narcisista e o objeto materno (simbiose). A entrada da figura paterna (objeto não-mãe) no campo mental da criança tem significativo impacto na estruturação psíquica infantil em seu processo de desenvolvimento. É nesse sentido que a função de um pai em termos endopsíquicos é uma função dessimbiotizadora (limite).

Pai, no jargão psicanalítico, não é sinônimo da presença física de um genitor, nem tampouco representa um homem ou figura masculina, mas sim um outro objeto externo ao psiquismo infantil para quem o objeto materno (mãe) direciona também seus desejos e afetos alhures a criança. Para o psiquismo pueril em formação, é como um descortinar de que a mãe não somente o ama: ela também ama outro que não o filho. O psiquismo, assim, sai da simbiose normal existente na relação dual filho-mãe com a entrada do pai, formando a chamada *triangulação edípica*. Na articulação entre a função materna e a função paterna se constitui a subjetividade humana.

---

[237] *A perversão comum: viver juntos sem o outro*, Jean-Pierre Lebrun, Companhia de Freud, 2016.

Em tempos de cultura do narcisismo, o pai, como instância psíquica terceira, encontra-se deslegitimado, dificultando o interdito dos desejos narcisistas. A consequência dessa falta no psiquismo engendra a ideia de que tudo é possível. Parafraseando Dostoiévski, se o pai não existe, então tudo é permitido.

> "Não há tempo antes que se marque sujeito,
> não há sujeito antes que se marque espaço.
> Dois não marcam espaço; é preciso três."
> (Celso Almeida)

Uma cultura narcísica não cria narcisismos na mente humana, porém contribui sobremaneira para manter-nos fixado no narcisismo atávico e infantil. O narcisismo regente hoje em nossa sociedade de consumo, caracterizada pelo culto ao indivíduo e pela busca desenfreada pelo sucesso, fama e dinheiro, faz recrudescer comportamentos narcisistas de exibicionismo, voyeurismo e obsessões. Sociedades como esta em que vivemos nos mantêm como que infantilizados, crianças mais regidas pelo Princípio do Prazer e com menos alteridade. Um conjunto de indivíduos regredidos ou não suficientemente evoluídos emocionalmente, vulneráveis e com sentimentos de desamparo. O psicanalista francês Jacques Lacan foi preciso e certeiro no alvo em questão quando afirmou que, se a sociedade, por efeito da censura, provoca neuroses, a perversão é fruto da cultura. Culturalmente, portanto, somos desde cedo criados (formados) em uma espécie de *estufa perversa*.

A alma humana necessita de limites e freios às suas ambições narcisistas. Somente assim pode ela amadurecer. Crescer é diminuir: diminuir o narcisismo atávico, diminuir o egoísmo e egocentrismo, ser menos grandioso, vaidoso, orgulhoso, soberbo, ufanista e inflado egoicamente. Minorar as ilusões onipotentes e os desejos messiânicos. Encolher a empáfia e a arrogância, e saber aceitar o Princípio da Realidade.

Mais perverso fica um indivíduo quanto menos limites internos ele tiver. Na diminuição dos limites e interditos psíquicos, o ser humano fica mais propenso a atuar seus impulsos, desejos e fantasias. O mecanismo psicológico de fantasiar é fundamental e salutar à alma. A realidade pura, crua e bruta é insuportável ao psiquismo do homem. É essencial de vez em quando imaginar-se atravessando espelhos e guarda-roupas e ingressando no mundo encantado dos sonhos acordados. Por isso nossa mente é substancialmente lúdica e imaginativa. Fantasiar agredindo e matando nossos desafetos ou praticando vida sexual com nossos objetos de desejo eróticos não nos faz assassinos ou depravados. Fantasiar é da natureza humana. Não são necessariamente as fantasias masturbatórias, por exemplo, que nos fazem perversos de fato, porém transpassá-las do campo da fantasia ao campo da realidade. A parafilia,[238] a título de exemplo, é caracterizada por impulsos (sexuais/agressivos) intensos, recorrentes e compulsivos que levam a comportamentos inadequados social e moralmente.

Zygmunt Bauman, em seu livro *O amor líquido: sobre a fragilidade dos laços humanos*,[239] analisou as relações amorosas nos tempos atuais, os quais ele denominou de *modernidade líquida*. Segundo ele, nada é feito para durar e ser sólido, inclusive os relacionamentos afetivos, que parecem escorrer líquidos por nossas mãos. Vivemos, disse Bauman, dificuldades de comunicação amorosa. Em um contexto cultural em que somos "produzidos" para consumir, consumimos analogamente os outros. Os laços afetivos, assim, encontram-se desgastados e frágeis.

Toda forma de amor vale a pena. A questão, todavia, não reside propriamente nas formas de amar, mas sim quanto ao objeto do desejo. A qualidade perversa consiste no emprego do objeto não para amá-lo como sujeito, porém para amá-lo enquanto objeto funcional de uso e gozo narcísico, tão somente. Abundância e descartabilidade são atributos essenciais da sociedade consumista. Na esfera do sexo e do afeto temos uma grande fartura de corpos, sendo os mesmos facilmente descartáveis. Ama-se, ou ao menos se diz que se ama, até a primeira frustração ou somente quando não há compromisso e responsabilidade. Ama-se enquanto o objeto poder dar a experiência de puro prazer. Estamos cada vez mais nos relacionando de maneira interobjetal e menos intersubjetiva. Daí a razão do título do livro de Lebrun acima citado, *A perversão comum: viver juntos sem o outro*. O outro aqui referido é o outro subjetivo, objeto com uma pessoa dentro, não o outro funcional, objeto de uso e do desejo de gozo pleno. O outro subjetivo é objeto da procura de um psiquismo maduro. O outro funcional é o objeto de desejo de um psiquismo imaturo. Como afirmava Freud, "a criança é um perver-

---

238   Termo que vem do grego *para* (desvio) + *philos* (atraído por). Desse modo, parafilia significa atração ou amor por algo fora do normal. Trata-se de um padrão comportamental sexual em que a fonte de prazer é diversa do acasalamento ou cópula.
239   Op. cit.

so polimorfo". Talvez melhor seja dizer que o psiquismo pueril (imaturo) é perversamente polimorfo, principalmente pela ausência de moral estabelecida. Quanto mais imaturo for o funcionamento psíquico, mais anárquica e incapaz de amar se encontra a psique.

Além do sentido moral, perversão vem dos étimos latinos *per* + *vertere*, que em latim tem a definição de "por ao contrário", "por às avessas", ou seja, que significa desviar-se da norma, corromper. Nesses termos, a perversão inerente a uma cultura do narcisismo não é vista comumente pelas pessoas como perversão. Trata-se de uma perversão partilhada, comum que, no entanto, psiquiátrica e psicologicamente carrega as características sintomáticas da perversão, isto é, manipulação, impulsividade, sentimentos narcísicos de superioridade, ausência de sentimentos de culpa, sedução excessiva, falta de empatia, busca constante pelo prazer em detrimento de fazer outrem sofrer. Contudo, não se trata, *stricto sensu*, de uma estruturação perversa no sentido clássico, mas sim proveniente de uma escassez de limites e frouxidão superegoica provocadas por uma cultura social esta sim perversa. Trata-se, isto sim, de formas de organização psíquicas engendradas por um modo de vida contemporâneo que penetra no psiquismo em formação desde cedo e não possibilita a maturação psicossexual genital da alma humana. Uma maneira perversa de viver que é aceita e legitimada (diríamos que é até estimulada) em grande parte por uma sociedade consumista que culturaliza seus membros narcisisticamente.

Paradoxalmente, principalmente por não ser tratar de uma estruturação perversa e doentia na acepção da palavra, mas de narcisismo não evoluído ou de infantilização das pessoas imersas em uma dada cultura, a atitude egoísta e perversa frente aos outros resulta de sofrimentos e transtornos, digamos colaterais, entre eles: solidão, sentimentos de vazio interno e tédio, depressão narcisista, ansiedade, drogadição, problemas e conflitos interpessoais, hiperatividade, compulsão alimentar, obsessão consumista e endividamento.

A cultura narcísica da contemporaneidade pós-moderna é predominantemente hedonista e incitadora e mantenedora do narcisismo anímico infantil. Encoraja-se a satisfação imediata dos desejos e a emergência dos prazeres, além de inflar os componentes egoístas da alma humana em uma ilusão do "eu me basto". Na exaltação do Eu, como escreve o psiquiatra e psicanalista Joel Birman, "o que caracteriza a subjetividade do homem pós-moderno é a impossibilidade de perceber e admirar o outro, uma vez que se vive tão autocentrado, pensando apenas no próprio umbigo, que nada além de um palmo do nariz pode ser enxergado".[240]

Cada época, cada momento histórico, cada organização sociocultural, produz seus próprios adoecimentos psíquicos e/ou novas configurações de sofrimento. No contexto de nossa sociedade cada vez mais consumista e individualista, a psicopatologia contemporânea espelha um homem imediatista, hedonista, descentrado, ilusoriamente autossuficiente, inquieto, aflito, com camuflada baixa autoestima e deprimido. Como dissemos, a sociedade pós-moderna gera pessoas pós-modernas. E pessoas pós-modernas sofrem de transtornos pós-modernos.

> "Onde é que dói na minha vida,
> para que eu me sinta tão mal?
> quem foi que me deixou ferida
> de ferimento tão mortal?"
> (Cecília Meireles)

---

[240] *Mal estar na atualidade: a psicanálise e as novas formas de subjetivação*, Civilização Brasileira, 2003, p. 125.

EM BUSCA DA PERFEIÇÃO E DA FELICIDADE

> Dizem que em algum lugar, parece que no Brasil, existe um homem feliz.
> *Vladimir Maiakovski*

Sobre a perfeição

Certo dia, em uma entrevista jornalística, perguntaram-me o que era o sofrimento humano. Respondemos que incialmente todo animal sofre, assim como sofrem os cachorros, os gatos, os porcos e as baleias. Porém, ao se adjetivar com humano o sofrimento, está se qualificando um determinado sofrimento. Um sofrimento especificamente humano. Após pensar um pouco a respeito, continuamos: o ser humano sofre diferentemente dos outros animais porque ele quer ser perfeito e ser feliz. Aspiramos à divindade. Como expressou o filósofo francês Voltaire no século XVIII: *se o homem fosse perfeito, seria Deus*.

A alma humana em estado bruto se crê perfeita. A descoberta da sua não perfeição transforma a perfeição em um ideal psíquico. Essa idealização é uma idealização tão humana quanto narcísica. Em *Livro do desassossego*,[241] Fernando Pessoa redigiu que "adoramos a perfeição, porque não a podemos ter".

Por mais amadurecida que se torne a alma humana, sim, no fundo no fundo ela continua buscando a perfeição que achou haver perdido quando foi invadida pelo Princípio da Realidade. O psiquismo idealizadamente busca a perfeição e cobra de si e dos outros a perfeição – alguns menos, outros mais. O desejo humano de perfeição, se não for bem manipulado e manuseado pelo Ego, vem a se

---

241 Companhia das Letras, 2011.

tornar um inimigo pessoal interior. Há uma batalha interna do si consigo mesmo. Em termos psicodinâmicos e estruturais, entre o Superego (em seus aspectos autoidealizantes) e o Ego. A imperfeição incomoda a alma, mas querer ser perfeita a faz sofrer.

Há uma estreita vinculação entre perfeição e sofrimento. Isso porque endopsiquicamente se anseia a perfeição mais que perfeita. A alma reluta abandonar a perfeição narcísica de sua infância inicial. Lembremos que internamente o Ego Ideal corresponde ao ideal pensamento primário onipotente e narcísico que foi forjado a partir da ilusão do narcisismo infantil.

Ainda que inconscientemente, a busca psíquica pela perfeição absoluta anula o sujeito real ao não aceitá-lo em troca de um sujeito fantasmático engrandecido a um estado de gênio ou de divindade jamais alcançável. Psicologicamente podemos entender que não é o desejo de perfeito que diretamente nos faz sofrer. Sofre-se, sim, por se perceber imperfeito. Como ditou Freud, *nós poderíamos ser muito melhores se não quiséssemos ser tão bons*.

Psicodinamicamente, o que ocorre é uma forte pressão psíquica do Ego Ideal, bem como do Ideal de Ego, sobre o Ego Real. Este se vê demandado além de sua realidade e possibilidade, gerando, consequentemente, sentimentos de baixa autoestima por não conseguir corresponder às idealizações ordenadas pelo Superego. O perfeccionismo auto-orientado, por exemplo, ou o perfeccionismo orientado para o outro ou para a vida, é forte fonte de ansiedade e gerador de inúmeros conflitos internos e externos.

"O homem fatal, afinal, existe nos sonhos próprios de todos os homens vulgares" (Fernando Pessoa). Nos grotões do psiquismo humano habita o Self Grandioso. Nas origens da alma não somos feitos de barro, porém de plenitudes. Quando ainda sequer se sabia que existíamos existentes em um mundo circundante e maior do que nós, iludíamo-nos de ser absolutamente sós e de ser todo o universo. Mas não somos. Perdida esta primeira ilusão nos achamos, então, o centro do universo. Mas não somos. A realidade nos impõe sermos periféricos, mas nem sempre aceitamos. Achamo-nos especiais, exclusivos e preferidos dos céus. Mas não somos. Somos pequenos, diminutos e insignificantes. O mundo, todo o universo, assim como o sol, as nuvens e as estrelas não dependem de nós. A vida não depende de nós. Porém, se somos pequenos, somos pequenos como homens. Nossa alma não. A alma não é pequena. A alma pode imaginar ser tudo, a alma pode imaginariamente querer tudo, a alma se acha tudo. Todavia, são quimeras e ilusões. A alma é pura imaginação, pois a alma se imagina e se acredita grandiosa. Como expressou o psiquiatra e psicoterapeuta Marcos Creder: "esse espaço imaginativo que é regido pelo desejo é justamente o que nos dá o status de humano: ser de ilusão".

Na natureza narcisista de todos nós, a argamassa de nossas essências é uma mistura de imponência, vastidão e majestosidade. Somos um imbricado primordial e rudimentar de grandiosidades e ideais. Por isso recitava Fernando Pessoa: "eu sou do tamanho do que vejo". Nenhuma alma humana de sua fundura se vê pequena. A busca ilusória da perfeição, portanto – seja gerando sentimentos de fracasso e inferioridade, ou de ambição e superioridade –, faz parte da atividade psíquica humana.

O psiquismo busca ser perfeito porque, sendo perfeito, alcançaria um estado de ausência de conflitos e angústias. Não há sofrimento, carência ou dependência na perfeição. Em um estado de beatitude perfeita sequer haveria desejos, afinal, desejo é falta. Na perfeição idealizada não há faltas. Todo desejo seria realizado no exato instante de seu surgimento. A perfeição é o paraíso da onipotência.

A lógica da perfeição idealizada é a lógica do narcisismo primário. Esse narcisismo é o narcisismo de *sua majestade o bebê*, isto é, momento primeiro do desenvolvimento psíquico, em que a mente lactente não deseja ser perfeita, pois já se é perfeita, ao menos é a impressão que ele tem de si. É a fase anterior à percepção objetal, em que a psique fechada em si mesma vive o período denominado por Margaret Mahler de *autismo normal*. Essa etapa psíquica da vida de estado de indiferenciação e fusão com o objeto materno jamais desaparecerá da psique humana. O resíduo mental da megalomania e completude do momento "mágico" de plenitude encontra-se sedimentado na alma madura no que se convencionou chamar de Ego Ideal. Bion, por sua vez, cognominou de *parte psicótica da personalidade*.[242]

A alma preserva seu anseio de recuperar a perfeição narcisista da infância lactente, por isso estamos sempre buscando – consciente e inconscientemente – a

---

242 A parte psicótica da personalidade não é um diagnóstico psiquiátrico, mas sim uma maneira de funcionamento mental primitivo, remanescente da fase narcisista que habita no interior mais regressivo do psiquismo como um núcleo primitivo da psique, e que convive e coexiste com a parte não psicótica da personalidade (parcela madura da mente).

perfeição em nós e nos outros. Somos seres maculados. Não somos isentos de nódoas, defeitos ou impurezas. A perfectibilidade não nos pertence, de fato. Porém, é desejo humano querer ser *homo deus*.

Assim teceu Fernando Pessoa na voz do seu heterônimo Bernardo Soares:

> O mal todo do romantismo é a confusão entre o que nos é preciso e o que desejamos. Todos nós precisamos das coisas indispensáveis à vida, à sua conservação e ao seu continuamento; todos nós desejamos uma vida mais perfeita, uma felicidade completa, a realidade dos sonhos e [...] É humano querer o que nos é preciso, e é humano desejar o que não nos é preciso mas é para nós desejável. O que é doença é desejar com igual intensidade o que é preciso e o que é desejável, e sofrer por não ser perfeito como se sofresse por não ter pão. O mal romântico é este: é querer a Lua como se houvesse maneira de a obter.[243]

Sobre a felicidade

Encontramos a definição de felicidade como um estado durável de plenitude, ou como uma sensação durável de bem-estar e contentamento em que não há nenhum tipo de sofrimento. Parece ideal. É ideal.

Seja o que for felicidade, ela é um estado de espírito formado de várias emoções e sentimentos positivos, muitas vezes propiciados por um sonho realizado, por uma conquista alcançada ou por um desejo consumado. Freud já dizia que todo ser humano é movido pela busca da felicidade. Porém, afirmava ele, essa busca seria uma busca utópica, visto que a felicidade plena não faz parte do mundo real, onde o indivíduo vive experiências de triunfos e fracassos, alegrias e tristezas, realizações e frustrações. O máximo que ele pode conseguir é uma felicidade parcial, uma felicidade mais ou menos.

Assim, ao longo da história vemos que o ser humano sempre buscou, e continua buscando, a felicidade. O historiador norte-americano Darrin McMahon escreve

---

243 Op. cit, p. 468.

em seu livro *Uma história da felicidade*[244] que o conceito de felicidade foi se transformando ao longo dos tempos. Para os gregos da Antiguidade, diz McMahon, a felicidade é o que nos acontece por acaso, sem termos sobre isso qualquer controle. Para o filósofo grego Epicuro, o prazer é essencial para a felicidade, todavia ele não pregava o hedonismo, mas sim um prazer sem excessos, conforme destacou: "quando dizemos que o prazer é a essência de uma boa vida, não queremos dizer o prazer do extravagante ou do que depende da satisfação física, mas por prazer queremos dizer o estado em que o corpo se libertou da dor e a mente da ansiedade".[245]

Em grego, felicidade se escreve "eudaimonia", literalmente tem o sentido do estado de ser habitado por um bom *daemon* (uma espécie de semideus ou de gênio, que acompanhava os seres humanos).

Segundo Sócrates, a felicidade não se conecta apenas à satisfação dos desejos e necessidades do corpo, porém, sobretudo, da alma. Para ele, a felicidade é o bem da alma, que só pode ser alcançado por meio da virtude. Já para Antístenes, seguidor de Sócrates, ser feliz é ser autossuficiente.

Aristóteles, em *Ética a Nepomuceno*,[246] entendia a felicidade como o bem maior desejado pelo homem. Acompanhando a visão socrática, Aristóteles percebia que a felicidade, para ser atingida, necessitava de que o homem pautasse suas ações na prática da virtude. Conforme o filósofo, a virtude é uma qualidade moral, uma disposição para praticar o bem.

Com o advento da Modernidade, o filósofo e pensador liberal inglês John Locke, assim como Epicuro séculos antes, relacionou a felicidade ao prazer. Vem dele a expressão *busca da felicidade*. Afirmou que a felicidade é o prazer máximo e o motivador do desejo, no entanto preveniu que muitas vezes as pessoas fazem escolhas que resultam em infelicidade. Mais de um século depois, outro pensador inglês, Bertrand Russell, afirmou que a felicidade seria a eliminação do egocentrismo.

Vimos que o egoísmo e o egocentrismo são da natureza humana nas suas qualidades mais infantis, isto é, quanto mais imatura for a alma, mais egocêntrica e egoísta ela é, ao ponto de ser absolutamente narcisista (narcisismo primário). Pela ótica freudiana, a felicidade é um imperativo do Princípio do Prazer, que domina o psiquismo desde seu nascedouro.

---

244 Edições 70, 2009.
245 *Carta sobre a felicidade (a Meneceu)*, Unesp, 1999.
246 Op. cit.

Acontece que o Princípio do Prazer está em conflito com a realidade e o mundo externo. O prazer pleno, imediato e absoluto não pode ser alcançado. O próprio Princípio do Prazer psíquico de certa forma cederá sobre o imperativo do Princípio de Realidade. A psique, em seu processo de amadurecimento, haverá de reconhecer os limites da satisfação e sua transitoriedade. Como disse Freud, a alma humana tenderá a reduzir suas exigências de felicidade. Para ele, é mais fácil sermos infelizes e sofrentes, pois o sofrimento psíquico provém de três fontes: "o nosso corpo, que está destinado à decadência e dissolução e nem sequer pode passar sem a ansiedade e a dor como sinais de perigo; o mundo externo, que se pode enfurecer contra nós com as mais poderosas e implacáveis forças de destruição; e, por fim, a relação com os outros homens".[247]

O protótipo da beatitude e do nirvana psíquico é o da homeostase fetal. Embora até na vida fetal o feto não viva em um mundo impenetrável e em estado de felicidade plena,[248] provavelmente esta será a vivência psíquica mais próxima da mansidão, da bem-aventurança e da serenidade possível. Um registro mnêmico para o resto da vida extrauterina.

Certo dia, declarou o escritor português José Saramago que a felicidade é egoísta, por isso ele não gostava de falar de felicidade, mas de harmonia: harmonia consigo próprio, com os outros e com o mundo circundante. Mas por que será que dizia Saramago que a felicidade é egoísta? Talvez seja pelo nosso narcisismo de fundo, que nos faz a procurar no outro ou em si mesmo a realização integral de todos nossos desejos e satisfações.

A alma humana busca a felicidade, assim como busca a perfeição. Porém, o que o homem encontra na vida é uma felicidade moderada, isto é, uma satisfação limitada. A busca pela bem-aventurança ideal esbarra na concretude da realidade, de onde somente alcançamos contentamentos reduzidos. A miragem da felicidade plena se dissipa frente ao real da existência. O que se sucede, contudo, é que a alma insiste na plenitude. Muitas vezes o ser humano parece não se contentar em menos felicidade. A felicidade possível tem limites. Como afirmava o novelista e

---

247 *O mal-estar na civilização*, L&PM, 2010.
248 O útero não é um lugar totalmente silencioso e paradisíaco, nem o feto é um ser somente passivo. Com o advento da ultrassonografia e da ecografia, observa-se que ele reage a estímulos, inclusive soluça, sorri e chora.

compositor francês Romain Rolland, "a felicidade está em conhecer nossos limites e em apreciá-los".

Se felicidade está de alguma forma relacionada com sonhos e desejos, ninguém humanamente falando realizará todos os seus sonhos e desejos, embora no fundo de nossas almas ou psiques exista o anseio de alcançarmos a felicidade sem esforço ou dor. Mas isso seria a felicidade plena e narcisista. *Não existe felicidade sem dor*, já dizia o filósofo e escritor argelino Albert Camus. Posição análoga tem a escritora portuguesa Inês Pedrosa, quando afirma: "não é de serem felizes que as pessoas têm medo; é de escolher – da responsabilidade da escolha, do compromisso que ela acarreta". E complementaríamos, *pelas renúncias que temos que fazer para sermos felizes.*

A natureza e a cultura se embatem no interior da alma humana. Os instintos e impulsos humanos não apenas encontram barreiras na realidade física, mas igualmente encontram barreiras sociais e morais. Somos e vivemos como seres vinculares. A relação inter-humana nos acompanha desde o berço. Incialmente com a mãe, o pai e depois com os demais parentes e familiares, prolongando-se, posteriormente, para fora do âmbito familiar, isto é, para outros grupos sociais externos e mais amplos (escola, vizinhança, trabalho, igreja etc.). Os desejos do indivíduo esbarram nos limites da realidade, assim como nos desejos de outros indivíduos. O outro nunca corresponde inteiramente ao que dele se quer, nem nós ao que dele queremos. Vivemos no conflito do moldar dos desejos antagônicos, sejam eles interpessoais, sejam intrapessoais. O ser humano não nasceu para ser plenamente feliz. Por isso poetiza Affonso Romano de Sant'Anna em "Limites do amor":

"Condenado estou a te amar
nos meus limites
até que exausta e mais querendo
um amor total, livre das cercas,
te despeça de mim, sofrida,
na direção de outro amor
que pensas ser total e total será
nos seus limites da vida."

A felicidade não existe – afirma o filósofo francês contemporâneo Luc Ferry –, o que existe é a serenidade. A felicidade se tornou um vocábulo muito romantizado e com tintas idealizadas. Talvez melhor abordar a temática em termos de *bem-estar subjetivo*. Essa expressão nos parece mais abrangente, menos idealizada e possível. A busca da felicidade pela felicidade é uma postura psíquica mais egoísta, narcisista e superficial. A busca do prazer tão somente é efêmera, pois prazer é passageiro. Já o bem-estar subjetivo aponta um psiquismo equilibrado e saudável. Saudável, não no sentido de ausência de ansiedades, medos, angústias, sofrimentos. Saudável, no sentido de satisfação positiva consigo mesmo e com a vida, apesar de. Como apontou Clarice Lispector em seu livro *Uma aprendizagem ou o Livro dos prazeres*:[249] "uma das coisas que aprendi é que se deve viver apesar de. Apesar de, se deve comer. Apesar de, se deve amar. Apesar de, se deve morrer. Inclusive muitas vezes é o próprio apesar de que nos empurra para a frente".

Evidente que uma sensação de bem-estar subjetivo da alma necessita de maior maturidade dela em relação aos seus componentes intrinsicamente narcisistas. Maior tolerância às frustrações e uma estrutura egoica mais contemporizadora e flexível. É conhecida a seguinte expressão de Jung: "mesmo uma vida feliz não pode existir sem um pouco de escuridão e a palavra feliz perderia o sentido se não fosse balanceada pela tristeza". Quanto mais o psiquismo é regido pela premissa do Princípio do Prazer menos feliz ele conseguirá ser. Afinal, a felicidade possível coexiste com alguma cota de sofrimento. Não existe felicidade sem dor.

A alma perde a possibilidade de ser feliz por achar que ela existe. Mas a felicidade, ou o bem-estar subjetivo, não é um lugar a ser alcançado, ou um paraíso perdido a ser reencontrado. Por isso, dizia Camus, *os homens morrem, e não são felizes*. No entanto, isso também não é um prenúncio de que estará a alma humana fadada a ser infeliz, pois felicidade não é ausência de infelicidade.

A felicidade não se deve ao acaso nem é um presente do destino. Não está em um lugar, em um objeto ou em uma pessoa. Não é, por exemplo, a ausência de infelicidade, sua simples negação. A infelicidade é um fato; a felicidade não. A infelicidade é um estado, a felicidade não. No limite: a felicidade não existe. É necessário, portanto, inventá-la. A felicidade não é uma coisa; é um pensamento.

---

249 Rocco, 1998.

Não é um fato; é uma invenção. Não é um estado; é uma ação. Digamos a palavra: a felicidade é criação.

A felicidade sem fim seria uma felicidade nirvânica, isto é, um estado psíquico de supressão de excitação. Tal condição de quietude plena só seria possível em uma alma sem desejos. Porém, é da índole humana ser o homem um ser de desejos. Como ponderava o filósofo e escritor francês Jean-Paul Sartre, "ser homem é tender a ser Deus; ou, se preferirmos, o homem é fundamentalmente o desejo de ser Deus". Desejo é falta.

Desejo é falta, mas também é potência anímica. O desejo move o homem. Do fundo de nosso narcisismo aspiramos à perfeição e ao absoluto sem fim. A onipotência não nos pertence, mesmo que careçamos dela. Toda alma humana cresce frustrada. Não há psicologicamente maturidade sem frustrações. Quanto mais amadurecido se torna o psiquismo humano, mais ele aceita a renúncia da felicidade plena. A abdicação da perfeição e da felicidade idílicas nos torna menos sublimes, porém nos faz mais humanos. E se tem uma coisa humanamente humana é livrar-se do jugo do ideal narcísico do absoluto. O cume da maturescência da alma está em aceitar a alegria de sua própria imperfeição humana. Quanto menor for o homem em relação aos seus narcisismos, maior será a alma que este homem carrega.

> "Renunciar à onipotência e às hipóteses de felicidade completa, plenitude, etc., é tudo o que se aprende na vida, mas até se descobrir que a vida se constrói aos poucos, sobre os erros, sobre as renúncias, trocando o sonho e as ilusões pela construção do possível e do necessário, o ser humano muito erra e se embaraça, esbarra, agride, é agredido. Eis a felicidade possível: compreender que construir a vida é renunciar a pedaços da felicidade para não renunciar ao sonho da felicidade."
> (Arthur da Távola)

NEM TUDO É NARCISISMO, MAS EM TUDO HÁ NARCISISMO

O narcisismo tem suas raízes na mitologia grega, que conta que Narciso, filho do deus do rio Cefiso com a ninfa Liríope, era um jovem de extrema beleza. Porém, segundo o mito, quando Narciso nasceu, Tirésias[250] predisse à sua mãe que ele teria vida longa desde que não visse sua própria imagem e admirasse seu próprio rosto. Narciso cresceu, além de belo, bastante arrogante e orgulhoso. Desprezava a todos que por ele se apaixonassem. Por rejeitar a ninfa[251] Eco, Narciso foi punido pelas ninfas com a seguinte maldição: amaria alguém com a mesma intensidade com que fora amado, porém sem poder possuir a pessoa amada. Dessa forma a profecia de Tirésias se cumpriu, pois Narciso se viu apaixonado por sua imagem refletida em um lago. Todas as vezes que Narciso tentava alcançar a imagem dentro da água ela se desvanecia. Aprisionado por seu próprio encanto e beleza, Narciso, esgotado, transforma-se em uma flor amarela de pétalas brancas à beira do rio, hoje conhecida como a flor de narciso.

Várias são as versões ao mito de Narciso, entre elas a de Ovídio.[252] Todavia, o termo narcisismo nos chega aos tempos atuais associado às questões psicológicas e psíquicas. Em 1898 o sexólogo inglês Havelock Ellis utilizou da expressão "*narciso-like*" para mencionar masturbações excessivas. Em 1899 o psiquiatra russo Paul Näcke utilizou o termo narcisismo em um estudo sobre perversões sexuais. Para Näcke, o narcisismo seria um estado de amor por si mesmo que consistiria uma nova espécie de perversão.

---

250   Profeta cego de Tebas.
251   Divindade que habitava os rios, os lagos e os bosques.
252   Poeta e dramaturgo romano que viveu entre 43 a.C. e 17/18 d.C.

Como vimos nos capítulos anteriores, foi Freud, em 1914, que evoluiu o tema ao considerar o narcisismo como inerente à alma humana (narcisismo primário). O Ego, segundo Freud, não é psicologicamente inato. No início a psique é puramente autoerótica, pois inexiste uma estrutura mental compatível ao Ego, e posteriormente narcísica, isto é, com a energia psíquica voltada ao Ego (libido de Ego). O desenvolvimento do Ego, portanto, consiste em um gradual afastamento do narcisismo primário com o deslocamento de parte da libido para o objeto (libido de objeto). Na visão freudiana, o narcisismo seria uma passagem do autoerotismo para o investimento libidinal em objetos do mundo externo.

A partir dos anos 70 do século XX a compreensão sobre o narcisismo humano tomou novo vulto, principalmente com a contribuição teórica e metodológica da Psicologia do Self através do psiquiatra e psicanalista austríaco radicado nos Estados Unidos Heinz Kohut. Trabalhando com pacientes com transtornos narcisistas, Kohut percebeu neles sentimentos indefinidos de depressão e/ou insatisfação que comprometiam a autoestima. Essa autoestima comprometida, postulou ele, seria consequência de carências infantis de respostas empáticas por parte dos seus primeiros cuidadores. Kohut assim deslocava o papel dos conflitos edípicos como causa primeira das patologias psíquicas, e enfatizava o impacto das falhas responsivas e empáticas na fase oral.

Ainda, de acordo com as descobertas de Kohut, o psiquismo primário, analogamente à fisiologia respiratória, necessita de um ambiente psicoafetivo no qual haja objetos externos (self-objetos) que atendam empaticamente às necessidades narcisistas de grandiosidade e idealização da mente lactente. O termo narcisismo, pois, passou então a representar não apenas uma fase, mas também um desenvolvimento que passa por transformações ao longo da vida, sob influência do meio externo, podendo evoluir de forma saudável ou patológica.

Assim, a alma humana passa a ser vista não somente como um palco de conflitos entre pulsões e defesas, porém igualmente como passível de déficits e carências afetivas. Conflitos e déficits compõem o cenário interno do psiquismo humano. Como diz o professor Morris Eagle, do Instituto Derner de Estudos Psicológicos Avançados da Universidade Adelphi (EUA), "somos mais conflitados nas áreas em que somos carentes. É precisamente a pessoa carente de amor que é mais conflitada em relação a dar e receber amor".[253]

O narcisismo acompanha a alma humana desde seu início e durante toda a vida. É condição atávica mental, e amadurece com o próprio amadurecimento psíquico. Não se resume a questões tão somente quantitativas, isto é, maior ou menor investimento no Self e/ou no objeto, mas sim qualitativas. Somos todos marcados por sua presença, sejamos nós crianças, adolescentes ou adultos. O que pode ocorrer é o atraso do seu desenvolvimento, cuja progressão pode ficar prejudicada por um Self imaturo. Nenhum ser humano está absolutamente livre das necessidades narcísicas que persistem por toda a vida e coexistem no âmbito das relações interpessoais afetivas, principalmente no contexto do amor aos objetos.

Como escreveu em versos o poeta português Mario de Sá-Carneiro, "um pouco mais de sol – eu era brasa./ Um pouco mais de azul – eu era além". Isto é o que de fato somos: grandiosos frustrados. A alma humana nasce condenada a saber viver nos limites da vida e da realidade. Ela não é superior ao universo e nem dotada de tanto poder quanto sonha sua ilusória onipotência. Só em imaginação ou no âmbito do desejo pode a alma ser ela mesma seu próprio espelho. "Narciso acha feio o que não é espelho", diz a música de Caetano Veloso.

Talvez o maior desafio no maturar da alma seja se relacionar e amar outra alma. É reconhecer a existência do outro sem ela e, assim, poder buscar o encontro e aprofundar o vínculo. E isso requer de cada alma envolvida a capacidade de tolerar as diferenças e o diferente. Assim como não somos a extensão do outro, o outro não é a extensão de nós. Uma relação assim pautada não é nem uma relação anaclítica nem uma relação narcísica, mas sim uma relação entre dois sujeitos que transitam e lidam com a realidade.

Concordamos com o poeta Manoel de Barros, que dizia que "a maior riqueza do homem é a sua incompletude". Graças a ela podem o homem e a humanidade buscar expansão e crescimento. Sem ela estaríamos confinados ainda em cavernas, e não poderíamos voar. O humano busca o céu como quem busca ser deus. Em sua busca pela imortalidade, por exemplo, criou-se a biotecnologia. E assim caminha a humanidade.

---

253 Apud Glen Gabbard, *Psiquiatria psicodinâmica na prática clínica*, 5. ed., Artmed, 2016.

O narcisismo faz parte da condição humana. Logo, não podemos deixar de ser narcisistas, mas podemos aprender a sê-lo de maneira saudável. Sua disfuncionalidade reside nos extremos. Embora inicialmente o termo narcisismo estivesse vinculado à psicopatologia, ou até mesmo ainda usado aqui e acolá de forma pejorativa, trata-se de um aspecto fundamental da alma na construção e constituição do sujeito. Do egoísmo mais intrínseco e absoluto dos momentos primevos ao compartilhamento afetivo com os demais, o ser humano elevou catedrais, mas também construiu campos de concentração e extermínios. Esse é o nosso maior paradoxo.

"Eu sou do tamanho do que vejo", versa Fernando Pessoa na voz do seu heterônimo Alberto Caeiro, em "O Guardador de Rebanhos - poema VII".[254] Embora o próprio Pessoa tenha também escrito que "cada um de nós é um grão de pó que o vento da vida levanta, e depois deixa cair", também afirmou que "fui, dentro de mim, coroado imperador". Ele mesmo que em seu *Livro do desassossego*[255] igualmente afirma que "o homem fatal, afinal existe nos sonhos próprios de todos os homens vulgares". Fernando Pessoa não é paradoxal: a alma humana é paradoxal.

Somos feitos de desejos, mas cercados de realidade por todos os lados.

"Na avenida Guararapes,
o Recife vai marchando.
O bairro de Santo Antonio,
tanto se foi transformando
que, agora, às cinco da tarde,
mais se assemelha a um festim,
nas mesas do Bar Savoy,
o refrão tem sido assim:
São trinta copos de chopp,
são trinta homens sentados,
trezentos desejos presos,
trinta mil sonhos frustrados.
Ah, mas se a gente pudesse
fazer o que tem vontade:

---

254 Landy, 2006.
255 Op. cit.

espiar o banho de uma,
a outra amar pela metade
e daquela que é mais linda
quebrar a rija vaidade.
Mas como a gente não pode
fazer o que tem vontade,
o jeito é mudar a vida
num diabólico festim.
Por isso no Bar Savoy,
o refrão é sempre assim:
São trinta copos de chopp,
são trinta homens sentados,
trezentos desejos presos,
trinta mil sonhos frustrados."
(Carlos Pena Filho)